LA MAIN GAUCHE DES TÉNÈBRES
est le trois cent quatre-vingt-unième livre
publié par Les éditions JCL inc.

Catalogage avant publication de Bibliothèque et Archives nationales du Québec et Bibliothèque et Archives Canada

Porée-Kurrer, Philippe, 1954-

La main gauche des ténèbres

ISBN 978-2-89431-381-7

I. Titre.

PS8581.O743M34 2007   C843'.54   C2007-941414-1

PS9581.O743M34 2007

© **Les éditions JCL inc., 2007**
Édition originale : septembre 2007

LA MAIN GAUCHE

DES TÉNÈBRES

Roman

LES ÉDITIONS JCL

30 ans
1977
2007

Du même auteur :

Le Retour de l'orchidée, Roman, Éditions JCL, 1990, 688 pages.

La Promise du Lac, Roman, Éditions JCL, 1992, 512 pages.

La Quête de Nathan Barker, Roman, Éditions JCL, 1994, 536 pages.

Chair d'Amérique, Roman, Éditions JCL, 1997, 366 pages.

Maria, Roman, Éditions JCL, 1999, 368 pages.

Les éditions JCL inc.
930, rue J.-Cartier Est, CHICOUTIMI (Québec) CANADA G7H 7K9
Tél. : (418) 696-0536 – Téléc. : (418) 696-3132 – www.jcl.qc.ca
ISBN 13 : 978-2-89431-381-7

PHILIPPE PORÉE-KURRER

LA MAIN GAUCHE DES TÉNÈBRES

LES ÉDITIONS JCL

Nous reconnaissons l'aide financière du gouvernement du Canada par l'entremise du Programme d'aide au développement de l'industrie de l'édition (PADIÉ) pour nos activités d'édition. Nous bénéficions également du soutien de la SODEC et, enfin, nous tenons à remercier le Conseil des Arts du Canada pour l'aide accordée à notre programme de publication.

Gouvernement du Québec – Programme de crédit d'impôt pour l'édition de livres – Gestion SODEC

J'ai certainement cessé de croire en Dieu lorsque je me suis aperçu qu'il n'était que mâle. Si au moins il avait également engendré une fille à son égal…

Mais non, ici, là et ailleurs, sous son incommensurable indifférence, par multitudes, des femmes souffrent sous le joug de cultures gynéphobes qu'elles perpétuent ingénument, aveuglées sous l'ombre phallique de son index.

Puissent-elles, comme Miriâm de Nasèrèt, faire de leurs fils des chevaliers-servants de l'amour qui, seul, arrache au néant.

REMERCIEMENTS

C'est seul que l'on écrit, mais il y a tellement de monde ou de lieux à qui l'on est redevable.

Pour ce roman, je tiens tout particulièrement à signaler Tori Amos et Bjork dont la charge vocale n'a cessé de m'accompagner

Marylis qui en toute confiance ne sait pas encore sur quoi j'ai passé toutes ces innombrables heures

Serge Simard qui durant plus de vingt ans de souffrance et jusqu'à sa toute dernière heure m'a montré le courage de savoir aller jusqu'au bout en restant soi

Michelle Marchand, qui m'a appris Windsor

Monique et Jean-Pierre Bonnefoy pour leurs conseils et leurs encouragements

Le Détroit, que j'aime malgré tout

La Chine, qui m'en voudra peut-être de ce qu'elle m'a inspiré

L'Écosse, la porte magique du Nord… et du pure malt!

L'Islande, symphonie tellurique où tout ce que je suis se sent chez soi, enfin!

Le yerba maté qui permet de travailler jusqu'à l'aube

Et puis Miriam, que j'ai créée et qui tout de suite a su prendre son indépendance au point, souvent, de pousser mon crayon là où je ne voulais pas toujours aller. Le lecteur comprendra pourquoi…

Philippe Porée-Kurrer

I

La chair est le parchemin éphémère de toutes les histoires, le parchemin de la vie. Vie, Histoire, chacune procède de l'autre. Puisque toutes les histoires coulent de la même source, on pourrait faire remonter celle qui va suivre à la formation des premiers atomes d'hydrogène ou même à 10^{-43} seconde suivant le Big Bang, alors que tout l'univers n'a que dix microns de diamètre, que tout est tohu-bohu. Tout est déterminant de ce qui va suivre. Inutile, cependant, de décourager ceux qui ne sont pas familiers avec le mur de Planck et les théorèmes complexes; on peut se contenter, pour résumer brièvemenet le passé, de commencer à Fécamp, il y a un peu moins d'un millénaire.

Dans sa *Chronique des ducs de Normandie*, Benoît de Sainte-Maure raconte que lorsque Herleue, *frilla* de Robert le Magnifique, eut conçu avec ce dernier, elle s'endormit et vit en songe un arbre gigantesque qui se nourrissait de son corps. Cet arbre se dressait vers les nues et son ombre couvrait toute la Normandie et l'Angleterre. Comme l'on sait aujourd'hui que toutes les cours d'Europe ont connu à un moment ou à un autre un souverain descendant du fruit de leur union, le songe attribué à Herleue ne semble nullement farfelu. Encore moins si l'on ajoute que, sans cette union, le destin de l'Amérique eût sans doute été autre.

À cette époque, les Danois et les Norvégiens qui s'établissent en ce qui se nommera la Normandie ont tendance à perpétuer les coutumes matrimoniales telles qu'elles se pratiquent dans leurs ancestrales terres du Nord.

Il y a entre autres le mariage en bonne et due forme pour lequel tout jeune marié doit verser à son épouse le *mundr*, c'est-à-dire une jolie somme d'argent, le matin des noces. Cette somme reste le bien de l'épouse afin qu'elle puisse subvenir elle-même à ses besoins, si son mari venait à la laisser. En toute légalité, un homme peut ainsi «acheter» plusieurs épouses s'il en a les moyens. Cependant, à côté ou à la place d'épouses légitimes, un homme peut également, toujours en toute légalité et en toute moralité, entretenir une relation avec une femme si celle-ci n'est pas déjà engagée. Ce type de liaison peut même être sanctionné par une cérémonie officielle. Une telle concubine est appelée *frilla*. C'est d'une telle union dont est issu Guillaume le Bâtard.

Guillaume est né quatre règnes après son aïeul Hrôlfr, mieux connu sous le nom de Rollon, mais seul un siècle les sépare et, même si ses père et grand-père ont construit maintes abbayes et fait le pèlerinage vers Jérusalem, les influences de Thor, d'Odin et de Freyja sont toujours actives. C'est dans cet esprit, en reconnaissance des pouvoirs accordés, que Guillaume, devenu le Conquérant, a décidé de donner à Dieu sa fille Cécile pour fiancée.

Cécile ne s'afflige pas de cette décision paternelle, au contraire! Elle est sincèrement pieuse, elle aime son Divin Seigneur de tout son cœur, et l'idée qu'il devienne son époux l'emplit d'une joie à peine soutenable. Hier, sachant que ce serait son dernier moment de liberté à l'extérieur d'un couvent, Cécile est allée à la mer. C'était presque le crépuscule; le ciel charriait des nuées noires, violettes et orangées, tandis qu'à l'ouest l'or inondait l'horizon. Cécile a longé vers le sud-ouest les hautes falaises étincelantes, s'étonnant des strates horizontales de silex noir apparaissant à des hauteurs diverses entre des couches de calcaire d'épaisseur variable, se demandant comment une pierre aussi obscure, brillante et coupante avait pu s'insinuer avec une telle uniformité entre la douce craie blanche constituant l'essentiel du socle de cette contrée. Plus tard, s'absorbant dans les mouvances ardoise et céladon des flots, ça a été plus fort qu'elle, elle a voulu aller dans la mer. D'abord, l'eau lui a semblé trop froide et les galets lui meurtrissaient les pieds. Elle a continué néanmoins et a traversé la barre des rouleaux. Passé cette défense, la mer s'est faite plus douce et Cécile s'y est laissée aller, oubliant même la froidure. Là, terriblement bien, elle s'est soudain convaincue que, pour elle, la mer était devenue Iéshoua, que Iéshoua était la mer. Il l'enveloppait, la prenait et déjà elle était sienne; même si ce n'était que le lendemain qu'elle le ferait savoir aux hommes. Là, ballottée doucement, elle a crié vers les cieux le plaisir immense que lui donnait son époux.

Aujourd'hui, en ce matin de Pâques 1075, c'est avec l'impression de se consumer qu'elle traverse la nef de l'abbatiale de Fécamp. Peu d'édifices offrent un tel spectacle pour l'esprit. Ici, la pierre s'est presque dématérialisée. L'ensemble évoque un vaisseau minéral capable d'atteindre les cieux. Mais, plus que tout le reste, plus que les justes proportions à l'élégance austère, plus que les nobles lignes se rejoignant à plus de soixante pieds du sol, c'est la lumière qui frappe l'attention. Une lumière qui n'est pas de ce monde, une véritable lumière céleste qui laisse à penser soit que ceux qui ont bâti cette abbatiale détiennent un secret, soit que les lieux eux-mêmes sont touchés du doigt divin.

Voici venu le moment attendu. Cécile s'étend sur la grande dalle froide en signe de soumission absolue et, comme hier dans la mer, elle ressent un frisson de lumière, une joie pure. À quelques pas, une contraction passe sur le visage de son père. Guillaume le Conquérant prend tout à coup conscience de ce qu'il est en train de donner. Évoquant Abraham, il se demande pourquoi, ici comme sur le mont Moriah, aucun ange ne vient arrêter cette cérémonie, ce sacrifice. Il l'ignore, mais, comme cela s'est produit pour son père au point d'abandonner son duché pour aller rendre pénitence à Jérusalem, il est en train de faire l'épreuve de l'amour. Non pas l'amour-passion pour une femme, non pas l'amour-amitié avec ceux dont on partage les goûts ou les souvenirs, non pas l'amour filial ou fraternel. Non, il s'agit là de l'amour tout court. L'amour désintéressé, l'amour pour rien. Une idée qui bouleverse et veut faire tendre la main, un élan qui se fait oublier, soi, au profit de l'autre, des autres, de tout ce qui est. Le Conquérant serre les mâchoires, tente de réfréner ce qui lui brouille la vue et détourne un peu la tête afin que Mathilde ne s'aperçoive de rien. Cependant, émue, son épouse a déjà tout remarqué.

Neuf mois ont passé. Curieusement, quant à l'idée que l'on peut se faire de la compassion et de l'amour du prochain, dans les cloîtres et dans les couvents, lorsqu'ils sont enfantés par leurs pensionnaires, les enfants sont indésirables. Dès que l'un de ces petits êtres infortunés arrive au monde, vite, dans l'ombre d'un crépuscule, sous le pan d'un manteau porté par le silence, avant que ses cris n'aillent jusqu'au chemin passant, un tel enfant est emporté là où on ne saura jamais d'où il vient. Et ce qui a pu être l'abandon d'un moment, ou même pas, devient le crime de chaque instant. C'est pourquoi, là où ne devrait régner que la joie, l'on ne trouve trop souvent que des fronts bas. Mais la fille qui vient de naître de Cécile appartient au sang du Conquérant; on demande donc à ce dernier ce qu'il souhaite. Toujours à croire que le destin ménage ses grands coups, cette nouvelle lui arrive alors qu'il reçoit un cousin venu d'Islande, ces lointaines îles de feu et de glace, afin d'obtenir pour cet autre royaume établi par les hommes du Nord quelques gens de lettres pour enseigner l'art de lire et d'écrire. Il se trouve également que ce cousin, Olaf Sturluson, est bon conteur. La veille, pendant le dîner, à l'intention de Guillaume, de Mathilde et de quelques seigneurs, il a évoqué les expéditions vers ce qu'il nomme le *Vinland* et les récits qui en ont été faits. Récits qu'il serait important, justement, de pouvoir consigner par écrit. Le Conquérant lui a posé de nombreuses questions sur les populations du *Vinland* et, durant la nuit, ne parvenant pas à trouver le sommeil, tiraillé entre l'impossible fille de Cécile et ces terres immenses qui semblent attendre à l'autre bout du monde, il établit soudain le lien qui s'impose de toute évidence : l'enfant de Cécile partira avec Olaf Sturluson. Il va demander à ce dernier qu'elle soit élevée selon sa classe, là-bas en Islande, puis qu'elle puisse un jour se joindre à une expédition vers ce Nouveau Monde. Puisqu'elle est de son sang, Guillaume est convaincu qu'elle saura quoi faire une fois sur place. Ainsi rasséréné, il s'endort, concluant que même si l'ange du mont Moriah a tardé, il s'est néanmoins manifesté. Durant son sommeil, le Conquérant rêve d'une descendance nombreuse comme celle d'Abraham, et aussi de terres comme seuls les conteurs peuvent en imaginer.

Les rêves sont-ils parfois prémonitoires? Toujours est-il qu'il s'est avéré que le Conquérant a bien eu une postérité sur le continent américain. Mais là encore se pose la sempiternelle question: ce qui arrive doit-il nécessairement arriver? Tout est-il inéluctable? Par essence, cette question n'aura jamais de réponse.

La fille de Cécile, restée sans nom jusqu'à son arrivée en Islande, a été prénommée Aurr. Les volontés de son grand-père ont été respectées sur tous les points, et c'est ainsi qu'à dix-sept ans, après un court séjour au Groenland, en compagnie d'une trentaine de compagnons principalement masculins, elle débarque sur la côte intérieure de ce que des siècles plus tard on appellera le cap Cod. À cette époque, les gens du Nord ne naviguent pas en diagonale; ils vont toujours dans les directions est-ouest ou nord-sud. De cette manière, si on suit la côte atlantique nord-américaine du nord au sud, c'est presque inévitable, on finit par se retrouver piégé dans cette espèce d'hameçon naturel que forme le cap.

Forte de l'expérience d'expéditions précédentes, la petite troupe sait qu'il ne faut pas attendre sur place que les indigènes se rassemblent en force suffisante pour massacrer ces nouveaux venus. Comme partout, alors que le voyageur de passage suscite généralement la sympathie, celui qui s'installe éveille plutôt la méfiance, et cela, avec un degré qui va croissant selon la différence. La politique choisie par les membres de ce groupe est donc de voyager sur le continent jusqu'à ce qu'ils trouvent un territoire où s'établir en toute quiétude, ou du moins sans trop de risques. À partir de là, une fois bien implanté, le groupe pourra s'étendre. Ces voyageurs ignorent sans doute qu'ils ne reverront jamais les leurs et combien le continent qu'ils viennent d'aborder est vaste. Raconter toutes les aventures et tous les périls vécus par ces gens et leurs descendants prendrait tout un volume sinon plusieurs, mais tel n'est pas le but de ce récit. Qu'il suffise de retenir qu'au cours de leur lente progression vers l'ouest, la plupart des membres de l'expédition périssent et que seule la petite fille d'Aurr va se sédentariser dans ce qui deviendra le Dakota du Nord. Elle sera en partie à l'origine de la tribu des Mandans.

Bien entendu, puisque le plus souvent l'âme sœur habite la porte à côté et que l'on procrée le plus généralement avec ceux de son voisinage, au fil des générations, les caractères physiques propres aux Scandinaves se sont fondus. Cependant, encore au début du XIXe siècle, le peintre George Catlin décrit et peint des Mandans aux cheveux pouvant aller de châtain à blond et d'autres avec des yeux bleus, ce qui est pour le moins inhabituel chez les Amérindiens.

À la suite d'épidémies de variole apportée plus ou moins volontairement par les Européens au cours du XIXe siècle, la tribu mandan est pratiquement décimée. Entre-temps, toutefois, à peu près à l'époque des débuts de la Nouvelle-France, de jeunes guerriers odawas téméraires poussent une incursion jusque dans les Grandes Plaines et, avant de retourner chez eux, dans la région des Grands Lacs, rapportent pour butin quelques captives mandans qui infusent du sang neuf à leur tribu.

Le 24 du mois de juillet 1701, à la tête d'une centaine d'individus, un nommé Antoine Laumet, se faisant appeler Antoine de Lamothe Cadillac, arrive à la pointe des Grands Lacs pour fonder ce qu'il anticipe comme devant devenir la métropole de la Nouvelle-France. Cadillac est certainement du type mégalomane, mais pas toujours dans le sens négatif. Le seul fait qu'il ait choisi pour sien le nom de famille de son premier amour, mademoiselle de Lamothe, rencontrée dans la cour du château de Richard Cœur de Lion (descendant en septième génération du Conquérant), rend compte que cet homme est avant tout un rêveur. Et si l'on comprend qu'il cherche surtout à échapper à sa condition sociale pour bâtir selon ses rêves, on comprend que l'on se trouve peut-être devant le premier Américain au sens philosophique du terme. Ce qui encore une fois peut paraître une coïncidence, c'est le fait qu'il ait choisi pour site de cette métropole rêvée non seulement un endroit judicieux du point de vue de la géographie, mais aussi, on le verra plus tard, celui où semblent converger les forces telluriques du continent. Une métropole qui ne sera pas française du fait d'un Louis XV dont l'indécision entre les jupes de madame de Pompadour et celles de madame du Barry coûtera l'Amérique du Nord à la langue française, comme quoi les affaires d'alcôves sont incompatibles avec celles de l'État.

Dans un des rabaskas accostant ce jour-là sur la rive de ce qui deviendra Riverside Park, à proximité du futur centre-ville de Detroit, se tient Lucien de May, jeune homme originaire de Fécamp, qui, davantage par modestie que par crainte que son nom ne porte ombrage au Sieur de Cadillac, se fait appeler Laliberté, ceci parce qu'il place la notion de liberté au-dessus même de celle de son souverain; ce qui fait de lui un autre véritable Américain. Pourquoi retrouve-t-on Fécamp une seconde fois? Peut-être cela tient-il à son ouverture bien particulière sur la mer, unique du continent eurasien; un panorama qui ne peut manquer de stimuler le désir d'horizons plus vastes encore, même si, au fond, ils ne le sont jamais. À la différence de la majorité de ses compagnons, Laliberté n'est pas venu au Détroit* pour gagner quelques pièces dans la traite des fourrures ou pour se contenter de coloniser un petit lopin de terre; il s'y trouve parce que, un peu comme Cadillac, il est convaincu que ces lieux sont la source d'une civilisation à venir. Faut-il préciser

---

*En respectant la graphie utilisée par Cadillac et par les descendants actuels de ceux qui l'accompagnaient, lorsqu'il ne s'agira pas spécifiquement de la ville de Detroit, la région nommée «Détroit» gardera son accent dans ce texte.

ici que c'est à l'intérieur même de l'abbatiale où Cécile, fille du Conquérant, a prononcé ses vœux que Lucien de May a eu la révélation qu'il devait partir pour la Nouvelle-France? Autre précision qui a ou n'a pas son importance, la mère de Lucien a toujours prétendu qu'il devait le jour à un miracle; en l'occurrence le fait que, se sentant sur le point de faire une fausse couche, elle avait bu de l'eau de la source du Précieux-Sang, source qui, d'après la légende ou la mémoire, aurait jailli à l'emplacement exact où aurait été retrouvé un tronc d'olivier dans lequel Is'hac, neveu de Iehosseph de Ramataïm, aurait placé une capsule contenant le sang d'Iéshoua recueilli par Miriâm de Magdala. Avec le temps, le tronc de l'olivier se serait refermé; l'arbre, qui se trouvait sur la côte, aurait été arraché par une tempête et, après un long périple, se serait échoué dans le lit de la rivière Valmont, où saint Angisse l'aurait découvert des siècles plus tard. Quoi qu'il en soit, qu'il doive ou non la vie à cette source, à peine Laliberté commence-t-il à participer à la construction de la palissade du fort Détroit, comme le stipule son contrat, voilà qu'il oublie son ambition d'œuvrer à l'élaboration d'une future civilisation lorsque son regard se pose sur Ah-Moonh – abeille en odawa –, une très belle jeune fille qui a pour particularité d'avoir une mèche d'or dans sa chevelure de jais, ce qui lui vaut sans doute son nom.

Ainsi, avant même que, inquiets des libertés morales qui se prennent au Détroit, les Jésuites ne réussissent à faire nommer Cadillac gouverneur de Louisiane, Lucien de May dit Laliberté et Ah-Moonh, renommée Anne-Marie, deviennent mari et femme et s'installent un peu à l'écart du fort, dans une petite maison de pièces équarries qui ne semble pas spécialement figurer une civilisation nouvelle. Peut-être cependant faudrait-il y regarder de plus près, car, dans cette maison, la chandelle reste allumée tard dans la nuit. Lucien a appris à lire à Anne-Marie et tous deux ont commencé à faire venir à grand prix des livres de la lointaine France. Livres qui doivent transiter par Québec, puis voyager au fond des rabaskas sur le Saint-Laurent, les lacs Ontario et Érié avant d'arriver sur la rivière Détroit. Parmi cette bibliothèque, à côté du *Discours de la méthode* de Descartes dans l'édition anonyme publiée à Leyde et du *Renati Des Cartes Principiorum Philosophiae* de Spinoza, également dans une édition anonyme publiée à Hambourg, deux livrets de Denis Papin : *Nouvelle méthode pour obtenir à bas prix des forces très grandes* et *Nouvelle manière pour élever l'eau par la force du feu*. Il faudrait aussi les écouter de plus près, les entendre tous les deux à l'aube, juste avant que les enfants ne s'éveillent, discuter de Dieu, lapsus pour Vérité, ou de l'homme qui ne désire pas pour connaître, mais qui veut connaître pour étendre son désir. Non, finalement, s'ils étaient moins discrets, ces deux-là auraient de quoi inquiéter beaucoup plus fondamentalement les Jésuites que ne le fait Cadillac. Et n'est-il pas aussi un peu étrange de constater que les deux livrets de Papin sont arrivés au XVIIIe siècle au Détroit, région qui va devenir le berceau de l'industrie automobile, et par conséquent le creuset direct de ce que l'on nommera l'*American way of life*? Ce Détroit des premiers temps, que Cadillac décrit ainsi dans un courrier à Louis XIV : «*Le Pais des deux costez de ce beau Detroit est garny de belles Campagnes découvertes, & l'on voit quantité de Cerfs, de Biches, de Chevreuils, d'Hours peu farouches & très bon à manger, de Poules d'Inde, & de toute sorte de gibier, des Cignes en quantité : nos Haut-bans étoient chargés & garnys de plusieurs bestes fauves depiecées, que nostre Sauvage & nos François tuerent : le reste du Detroit est couvert de Forests, d'Arbres fruitiers, comme Noyers, Chastaigniers, Pruniers, Pomiers, de vignes sauvages, & chargées de raisins, dont nous fismes quelque peu de vin; il y a des Bois propres à bâtir, c'est l'endroit où les bestes fauves se plaisent le plus…* »

Au XXIe siècle, alors que ses eaux charrieront les humeurs et les miasmes de trois millions d'âmes, la rivière sera bordée de fonderies, d'ateliers, de buildings, d'entrepôts, de bunga-lows, de villas et même d'une placide centrale nucléaire, le tout entrecoupé de terrains abandonnés où la rouille et l'oubli se le disputeront aux laissés-pour-compte et aux sconses. Ce qui n'empêchera pas les histoires d'amour d'aller leur cours.

Mais avant de se projeter si loin en avant, on se doit de mentionner cette amitié entre le vieux Laliberté et le jeune Obwandiyag, plus souvent appelé Pontiac, ce guerrier qui a voulu redonner l'Amérique à l'esprit français pour le bien de son peuple. Il eût certainement réussi s'il n'avait pas été trahi par les mêmes Français, dont la femme qu'il aimait et le roi. On ne saurait dire combien de soirées Lucien, Anne-Marie et Pontiac ont passées à parler de Spinoza, de Descartes et de Pascal, mais une chose est certaine : n'eût été des errements du roi bien-aimé à Versailles, l'influence de ces livres interdits aurait pu redonner l'Amérique aux Amérindiens et à la langue française.

Il est cependant sorti de l'extraordinaire de tout cela puisque, en l'église Assomption de Windsor, une petite-fille de Pontiac, issue de son mariage avec Kangigoun, s'est unie avec l'arrière-petit-fils de Lucien de May dit Laliberté et d'Ah-Moonh rebaptisée Anne-Marie. Ce qui, en sautant quelques générations, nous amène à Miriam.

II

Première neige de l'année, tout est blanc, immaculé, à s'imaginer que le monde est tout neuf. La démarche de Miriam Laliberté semble faite de grandes enjambées; pourtant elle n'avance pas vite. On dirait même qu'elle fait du surplace, que ses pas ne sont que des pas de danse. Mais, c'est connu, rien ne presse quand on est heureux. Comme pour célébrer le moment, Miriam a pris l'orange qui jusque-là roulait dans sa boîte à lunch. Une grosse orange juteuse, sucrée et parfumée; la meilleure orange jamais mangée! Cette orange sera à coup sûr l'archétype de toutes les oranges qu'elle pourra manger durant sa vie. Cela même si, à dix-sept ans, une vie peut sembler immense.

Comme chaque fois à la première neige, les rues rectilignes de Windsor semblent se faire un peu plus aimables. Les façades des pavillons ont presque un petit air guilleret. Même chez les Ivosevich, le bonhomme n'est pas en train de gueuler après une femme que personne n'a jamais vue, et leur chien non plus n'est pas en train de se lamenter comme un loup solitaire dans la nuit arctique. Miriam est tentée de jeter la pelure odorante sur le carré de pelouse enneigé, mais elle s'en abstient, quand bien même elle se fait la réflexion qu'une pelure sur une pelouse n'aurait, au pire, qu'un impact visuel et que trop souvent les gens confondent esthétisme et véritable pollution. Elle continue son chemin sans remarquer l'individu qui semble la suivre à distance depuis qu'elle a quitté le campus. Elle est heureuse. Curieux comme les moments parfaits arrivent sans crier gare.

Miriam balance entre deux pôles de pensées. D'une part, il y a cette robe rouge vue et aussitôt convoitée dans cette boutique sur Jefferson. Une robe rouge droite toute simple sans manches, qui, elle ignore pourquoi, lui semble extrêmement sophistiquée – et extrêmement sensuelle –, mais dont le prix dépasse les cent dollars! D'autre part, il y a ce petit doute surgi pas plus tard que ce matin à propos du second théorème d'incomplétude affirmant que si l'arithmétique de Peano est cohérente, elle ne permet pas de prouver l'énoncé exprimant sa cohérence. Juste avant de se lever, encore plongée dans un demi-sommeil, elle a cru apercevoir une faille dans cet énoncé. Ce n'est sans doute que son imagination qui lui joue des tours, mais quand même. La fille unique des Laliberté sait qu'elle a un don pour les mathématiques; elle sait aussi que ses parents n'ont pas voulu qu'elle parte dès cette année pour la lointaine Oxford où une bourse lui est pourtant déjà acquise.

Progressivement, l'effet conjugué de la neige et de l'orange a raison du second théorème d'incomplétude, et la pensée de la robe rouge commence à susciter des rêveries romantiques. Là, elle est en vacances sur une de ces îles tropicales où elle rêve d'aller un jour. C'est le crépuscule, le restaurant avance jusque sur la plage et, au-delà des notes d'une musique latine, elle peut entendre l'alanguissement des vagues. Il y a une chandelle sur sa table, et le vin dans la coupe de cristal jette des reflets rubis sur la nappe blanche, et puis surtout, lui faisant face, leurs regards liés, il y a Lui. Lui à qui elle ne peut encore donner de nom. Pourtant, il est là, dissimulé quelque part dans une mémoire ancienne. Lui qui vit déjà en elle depuis toujours. Lui qu'elle sait devoir attendre au risque de ne plus être elle.

Comme si cette vérité intrinsèque alourdissait ses pas, elle laisse à présent dans la neige derrière elle deux traces continues presque rectilignes. Celui qui marche derrière elle se demande les raisons de ce changement. Miriam ne sait pourquoi, mais tout ce qui, il y a quelques minutes, lui semblait merveilleux est en train de passer dans l'ombre.

«Le vrai Windsor qui reprend le dessus», se dit-elle,

réalisant qu'elle éprouve un malaise indéfinissable. Dans son dos, elle sent une présence au bout de la rue et aussitôt, sans pouvoir se l'expliquer, elle est convaincue que cela n'est pas étranger à la grisaille qui envahit son état d'esprit. C'est loin d'être une première pour elle, et comme toujours elle se demande si son imagination ne lui joue pas des tours. Comment une présence inconnue à l'autre extrémité de la rue pourrait-elle modifier son état d'esprit? Ridicule! Mais c'est surtout pour ne plus sentir «ça» derrière elle que, passant devant chez *Jerry* où l'on trouve de «dangereux gâteaux», elle décide d'y entrer. Un chocolat chaud sera parfait avec cette neige, et elle en profitera pour commencer ce bouquin japonais prêté par son amie Connie, qui ne cesse de lui en faire une montagne: *Pays de neige*. Cette lecture, elle aussi, à n'en pas douter, se prêtera à merveille à cette journée.

«*Un long tunnel entre les deux régions, et voici qu'on était dans le pays de neige...**» Intimée de le faire par quelque alerte du subconscient, Miriam lève les yeux de son livre et découvre Joe. Ce n'est pas qu'il soit spécialement beau, ce n'est pas non plus qu'il soit remarquable, c'est tout simplement qu'elle le trouve à la fois sympathique et attirant. Il commande un café et une pointe de cheese-cake au comptoir puis, comme répondant à l'invitation qu'elle lui adresse du subconscient, vient s'asseoir à la table voisine. Leurs regards se croisent, il lui adresse un large et franc sourire auquel elle répond par un autre qu'elle juge gauche.

«Le temps idéal pour s'offrir une gâterie», dit-il en désignant à la fois son assiette et la neige dehors.

Elle approuve lentement du menton, se trouvant stupide de ne trop savoir quoi répondre, de ne pas avoir à l'esprit une de ces fameuses réparties qui tombent toujours à propos dans les films. Mais lui ne se laisse pas démonter par ce silence et désigne le livre qu'elle tient:

_____

*Pays de neige (Yukiguni) de Yasunari Kawabata (traduction de Bunkichi Fujimori).

«Un roman? »

Cette fois, elle doit répondre ou risquer de le voir se pencher définitivement sur son assiette et perdre l'occasion de faire sa connaissance :

«Oui, de Kawabata, un auteur japonais, prix Nobel. Je viens tout juste de le commencer, pour voir…

— Jamais entendu parler. Il faut dire que je ne suis pas très "roman" en ce moment.

— Tu trouves que c'est plutôt un truc de filles?

— Non, je n'ai rien contre les romans, j'ai même eu une période où j'ai lu toute la saga de *Dune*, mais en ce moment c'est simplement que ça ne me vient pas à l'idée.

— C'est vrai dans le fond, la lecture est une habitude, comme beaucoup de choses. »

Il sourit en plissant les yeux. Depuis qu'il a ouvert la bouche, pas une seconde elle n'a eu le sentiment d'être un enjeu, et cela, c'est une première.

«Tu suis quels cours? lui demande-t-elle.

— Quels cours? Non, non, je ne suis plus aux études.

— Oh! Qu'est-ce que tu fais?

— Machiniste, chez *Menard & Simpsons Tools* », dit-il en montrant ses mains. Puis, comme s'excusant :

«Cette semaine, je travaille sur le quart de quatre à minuit. C'est un bon boulot, ça me convient et je suis sûr qu'avec le temps, je vais monter.

— Je t'avoue que je n'ai aucune idée de ce que peut faire un machiniste.

— Tu n'es pas de Windsor?

— Oui, complètement, ma famille est dans la région depuis… Depuis qu'il y a du monde ici, je crois.

— Pourtant, à Windsor, quand tu n'es pas chez Ford ou Chrysler – ou à la mine de sel –, tu es dans l'usinage. C'est la spécialité locale.

— Oui, je sais, je sais trop bien qu'on est dans la ville de l'auto, mais, j'ignore pourquoi, je n'y ai jamais pensé sérieusement, sauf parfois pour me dire que j'aimerais mieux vivre dans un endroit moins industriel.

— Je sais ce que tu veux dire, même si, à mon avis, il y a

22

quelque chose d'hypocrite à vouloir profiter du progrès si on ne veut pas en subir les désagréments.

— Autrement dit, si l'on n'est pas content, on va vivre dans le fond du bois?

— Je ne suis pas aussi catégorique, mais il y a de ça. Les vrais écolos se retirent dans la nature, j'ai rien contre, c'est leur choix et je le respecte; les autres, ceux qui ne portent que le déguisement et dont la seule philosophie est d'avoir l'air, ceux-là... Qu'en penses-tu?

— Justement, j'essaie de ne rien en penser. Je ne veux pas juger ce que pensent ou ce que font les autres. Il me semble que penser à ce que je dois faire, moi, c'est déjà bien assez. »

Elle prend une gorgée de chocolat chaud. Lui ne dit rien pendant quelques secondes, paraît réfléchir, puis il hoche la tête:

«Tu as raison», répond-il, et elle se dit qu'elle vient de rencontrer quelqu'un qui selon toute probabilité va compter dans sa vie.

Ils échangent leurs noms. Elle raconte qu'elle s'intéresse aux mathématiques. Il explique avec conviction que la technologie non seulement améliore le sort de l'homme, mais peut le rendre meilleur. Ils se trouvent des points communs, notamment celui de rêver à une expédition de canoë-camping sur le fleuve Yukon, puis ils commandent une autre consommation jusqu'à ce que, finalement, il s'aperçoive qu'il va être en retard à son travail.

«On se revoit?» demande-t-il en se levant un peu brusquement.

Sans réfléchir, Miriam approuve en silence, avant d'ajouter:

«Ici, dimanche, même heure?

— Entendu! Dimanche!» lance-t-il en sortant.

C'est ainsi, effectivement, qu'ils se revoient le dimanche suivant, puis qu'ils établissent une relation durable qui survit aux trois années que Miriam passe à Oxford et débouche sur des fiançailles officielles.

Les propos qu'ils ont pu échanger lors de cette première

23

rencontre n'ont rien de bien particulier, sinon de révéler qui ils sont. Comment ces quelques échanges finalement des plus anodins ont-ils pu les lier? La réponse est certainement que si les mots peuvent détruire l'union la plus solide, ils ne sont finalement pas pour grand-chose dans son édification. Lorsque Miriam aperçoit Joe – et vice-versa –, les jeux sont faits. Son subconscient sait déjà que leur histoire aura une suite. Il pourrait lui annoncer qu'il est gangster ou anthropophage, tout au plus elle lui chercherait des circonstances atténuantes et se promettrait de le changer. Le langage est très curieux; d'une part, on a l'impression que les mots, ou plutôt le verbe, est tout-puissant, et d'une certaine manière il l'est, puisqu'il nomme et qu'en nommant il donne réalité; d'autre part, comme dans la rencontre de Miriam et Joe, le sens n'est pas prépondérant. Ce qui compte alors, c'est la résonance. Les grands singes autres que les *sapiens* ne parlent pas; cela signifie-t-il qu'ils ne communiquent pas? Des chercheurs ont invoqué la morphologie du gosier jusqu'à ce que d'autres, notamment l'équipe de Svante Pääbo, découvrent que le langage est le fruit d'un gène; enfin pas tout à fait un gène, mais une forme mutante d'un gène nommé FOXP2, lequel autorise la synthèse d'une protéine indispensable à la formation et donc au fonctionnement des différentes zones du langage. Bien entendu, «zone de langage» ne signifie pas verbe, mais il est curieux néanmoins que celui-ci ne puisse s'exprimer que par l'intermédiaire de circonvolutions nerveuses extrêmement spécifiques. Ce qui pourrait également signifier que toutes les espèces parlent à leur manière, mais que chacune possède sa propre structure d'entendement infranchissable pour les autres. Sauf parfois lorsque l'amour entre en scène et devient alors une véritable pierre de Rosette. Encore ici faut-il s'entendre sur le mot amour. Lorsque celui dont il est question est présent, toute la joie vient du don lui-même, et la tragédie du vivant est justement de n'y avoir qu'un accès limité. Mais est-ce ce genre d'amour qui s'est installé entre Miriam et Joe?

Ils se marient l'été qui suit leurs fiançailles. Pour lui, alors qu'elle aurait pu faire carrière dans les centres de recherche en mathématiques pures parmi les plus prestigieux – la faculté des sciences exactes de l'Université de St. Andrews, en Écosse, lui a proposé un pont d'or –, Miriam, sans même un regret, se contente d'un poste d'enseignante dans une école secondaire de Windsor. Joe aurait tout aussi bien pu exercer son métier de machiniste en Écosse, à San Francisco, à Cambridge ou à Boston, mais Miriam ne lui a seulement jamais parlé de toutes ces possibilités. Elle l'a vu dans sa famille, heureux au milieu des siens, et elle s'est forgé la conviction qu'il serait malheureux s'il devait en être éloigné. Joe est de ces hommes qui s'étiolent lorsque les événements les éloignent de leur monde. Et puis elle se ment un peu à elle-même en se faisant valoir qu'en matière de mathématiques pures les recherches peuvent être conduites depuis n'importe où puisque tout l'équipement nécessaire est à disposition dans la boîte crânienne. Il faut dire aussi que sans cependant avoir pris totalement conscience de l'abnégation de Miriam, Joe lui voue un véritable culte. Pour leur entourage, Miriam et Joe symbolisent ce à quoi tous rêvent en matière d'amour romantique et de mariage. Toutefois, beaucoup d'entre eux parmi les prosaïques changeraient d'opinion s'ils connaissaient l'incroyable entente conclue entre les jeunes mariés.

III

Il est dit que les électrons, les neutrinos et les photons sont immortels, qu'ils ne peuvent disparaître et s'évanouir dans la nuit des temps, que sous une forme ou une autre, ils seront toujours. Certains disent qu'ils sont le «corps de Dieu», d'autres que c'est la même chose. La question est de savoir s'ils conservent la mémoire, donc la connaissance, et, si tel est le cas, s'ils se reconnaissent lorsqu'ils ont déjà formé un tout ensemble et qu'ils se croisent au hasard des grandes migrations intergalactiques. En d'autres mots, deux électrons impliqués dans la formation de Miriam et se rencontrant des milliards d'années plus tard dans une galaxie lointaine sous la forme de deux êtres impossibles à imaginer pousseront-ils ces deux êtres à se reconnaître? Tout cela pour se demander si un phénomène similaire a pu prévaloir lors de la rencontre entre Miriam et Adam.

Non, il n'y a pas d'erreur; il est bien question d'Adam et pas de Joe. Qui est Adam? Son histoire connue est des plus étranges. On pourrait presque dire qu'Adam est officiellement arrivé au monde le 4 août, jour où il a été découvert sur l'île à la Pêche, une petite île curieusement déserte et sauvage à l'embouchure de la rivière Détroit, près du lac Sainte-Claire. Comment expliquer que cette île, située au cœur d'une double agglomération de plusieurs millions d'âmes, ait pu rester le royaume de quelques arbres entourés d'herbes folles? Voilà bien un autre mystère, même si certains tentent de l'expliquer par une malédiction qui s'y serait attachée depuis que les Britanniques, à la suite de la Conquête, ont délogé de force les Laforêt, une vieille famille française qui l'avait obtenue des Amérindiens. Il est cependant bien établi que Hiram Walker, magnat du whisky et père du *Canadian Club*, a voulu y construire un manoir, puis en a abandonné l'idée à la suite du décès de son épouse.

Ce jour d'été, deux pêcheurs matinaux aperçoivent un garçonnet de trois ou quatre ans assis sur le bord de l'eau. Au bout de quelque temps, intrigués de le voir apparemment seul à son âge sur cette île, ils s'approchent pour lui demander où sont ses parents. Le garçonnet leur répond dans une langue qu'ils ne connaissent pas, mais qu'ils savent n'être ni de l'anglais ni du français. De plus en plus intrigués, ils prennent pied sur le rivage pour rapidement se rendre à l'évidence que l'enfant se trouve seul sur l'île. Abandonnant l'idée de taquiner le doré, un des hommes reste avec le garçon pendant que l'autre retourne à Windsor afin de prévenir la police. Les deux policiers dépêchés sur les lieux n'obtiennent rien de plus du garçonnet. Aucune trace de parents sur l'île, et le langage de l'enfant ne correspond à rien. Les autorités du Michigan sont prévenues, mais de ce côté-là non plus on ne sait rien. D'où vient-il? Est-il américain, canadien? Le mystère est total. Si encore il parlait une langue connue, on pourrait déterminer son origine, mais de ce côté-là aussi c'est le mystère. On fait donc appel à des linguistes, mais ceux-ci également se rivent le nez à cette énigme. D'abord, il est rapidement déterminé que sa langue n'a aucune racine indo-européenne; alors, on pense au basque, mais cette supposition est vite démentie. On recherche dans les langues sémites; certains croient reconnaître de l'araméen, et l'on pense avoir trouvé la solution de l'énigme puisque Detroit abrite la plus importante communauté araméenne de la planète, mais là encore on s'aperçoit aussitôt de l'erreur. Ce n'est pas non plus de l'hébreu ni de l'arabe ou du kabyle. L'enfant est ce que les experts médico-légaux appellent de type caucasien, mais l'on essaie tout de même de rapprocher ses mots des familles linguistiques nilo-saharienne, dravidienne, austrique, amérinde, khoïsane, na-dene, nigérokordofanienne; toujours rien. Pas même de l'hyperfamille nostratique. Alors, de nouveau comme au tout début, on veut croire qu'il s'agit d'un charabia propre à l'enfant. Cependant, les experts sont formels: le garçon parle une langue très structurée et même, à ce qu'il semble, étonnamment sophistiquée pour son âge; il ne peut en aucun cas s'agir d'un jargon propre à lui-même. Sur un point, tous sont unanimes: la langue de l'enfant est d'une musicalité pareille à nulle autre. Certains parlent même d'une mélodie. Toutefois, l'enfant reste sans famille et il est décidé, en attendant d'en savoir davantage, de le placer dans un foyer d'accueil de Windsor puisqu'il a été trouvé en territoire canadien. Coïncidence? Cette première famille qui le reçoit a pour nom Laforet, sauf que l'accent circonflexe a disparu du patronyme et que la famille ne parle que l'anglais. Bientôt, les linguistes se rendent compte d'un autre phénomène: chaque fois que l'enfant apprend un mot dans sa langue d'adoption, il semble aussitôt perdre l'équivalent de ce mot dans sa langue d'origine. Bien vite, il est clair que celle-ci est en train de s'éteindre avant d'avoir pu être nommée. La seule chose que l'on croit pouvoir tirer du mystère de l'enfant est son nom. Lorsqu'on parvient à lui faire comprendre qu'on veut connaître son nom, tout ce qu'on peut saisir de sa réponse est: «Pèn-îs.» Immédiatement, il est convenu que, phonétiquement, ce nom n'est pas approprié et ne pourrait que nuire au développement de n'importe quel enfant; aussi, il est prénommé Adam du fait que l'assistante sociale en charge de son cas fait remarquer que, comme le premier, celui-ci ne semble pas avoir de parents biologiques.

Tout se passe rapidement. En moins d'un an l'enfant apprend l'anglais et ne parle plus que cela. Les linguistes sont navrés et les services sociaux, ravis. Toutefois, bien qu'il puisse à présent s'exprimer et être compris, il demeure incapable de dire d'où il vient et qui peuvent être ses parents. Si on lui demande de décrire l'endroit où il vivait avant qu'on le trouve sur l'île, il hausse les épaules avec l'expression de la plus totale ignorance. Pareil en ce qui concerne ses parents ou sa famille. Tout au plus est-il question d'un mot qui revient parfois, quelque chose comme « snaïfels », sans qu'il soit possible de lui donner une signification.

Quiconque s'intéresse à la Genèse peut apprendre que le nom Adam signifie « tiré de la terre », ce qui tend à vouloir dire que le créateur proposé dans le récit a créé une réplique de lui-même dans la matière. Aussi, Adam – celui de la Bible – aurait d'abord été créé à la fois mâle et femelle et ce n'est que plus tard, après qu'elle/il eut donné son nom à tout ce qui est, que l'une – Isha – a été tirée de l'un – Ish. Mais puisqu'au départ Adam était les deux, on ne peut pas dire qu'*elle* a été tirée de *lui*, mais plutôt qu'il/elle a été séparé en *elle* et *lui*.

On reprend : le créateur crée sa réplique dans la matière, sa réplique nomme les choses, puis le créateur divise sa réplique de manière à ce que celle-ci puisse à son tour se reproduire. Si l'on cherche la ligne directrice de tout ceci, il semble bien que la multiplication soit le but. Pourquoi? Pourquoi quelque part dans l'éternité, en autant que cela soit imaginable d'y placer un quelque part, pourquoi donc le créateur dont il est question aurait-il décidé qu'il lui fallait se reproduire puis se démultiplier? De la même façon, pourquoi lorsqu'il arrive qu'un homme et une femme *destinés* l'un à l'autre se rencontrent, leur réaction devient-elle celle de se reproduire à leur image? C'est du reste pour le père de Miriam le secret du test des tests : si l'on rencontre quelqu'un sans que les deux éprouvent le désir viscéral et irrépressible d'avoir un enfant ensemble, c'est tout simplement que ce n'est pas le bon quelqu'un.

« Bien sûr, ajoute-t-il alors, on est libre de ne pas y croire; cela gonflera le portefeuille des avocats. »

Quel rapport, tout cela, avec Adam de l'île à la Pêche? Jusqu'à ce qu'il rencontre Miriam, Adam est des plus solitaires. Non pas solitaire au sens renfermé sur lui-même, au contraire! Mais solitaire en ce sens qu'il ne peut jamais être complice de quelqu'un; que ce soit une mère, un frère, une sœur ou une petite amie. Empli d'amour pour tous et pour tout, Adam semble incapable de le partager. Cela jusqu'à ce qu'il rencontre Miriam, et à ce moment-là tout est balayé.

Mais avant d'en arriver là, il convient de survoler l'enfance et l'adolescence d'Adam pour au moins tenter d'y voir plus clair dans ce qui va se passer. D'abord, il ne reste pas chez les Laforet puisque ceux-ci n'offrent qu'un foyer d'accueil temporaire. L'année suivant sa découverte, il est adopté par un couple qui ne peut avoir d'enfant du fait intrigant que la femme, au contact de la semence de son mari, produit immédiatement de puissants anticorps qui ne laissent aucun survivant parmi les armées de spermatozoïdes lancées opiniâtrement à l'assaut de ses œufs. Que l'on ne s'y trompe pas, si le ton peut sembler badin, l'expérience est traumatisante, et Adam se retrouve avec des parents aux sentiments écorchés. Contrairement aux Laforet, ses parents adoptifs ont un nom tout à fait britannique, Woodrich, mais la femme, Alice, vient d'une vieille famille canadienne-française établie au Détroit depuis le XVIIIe siècle : les Saint-Louis. C'est donc un foyer exogame véritablement canadien, puisque George s'exprime en anglais et Alice en français. L'on peut également prétendre que, au sens littéral du terme, la langue maternelle d'Adam devient le français. Le couple réside alors à Saint-Joachim, où il exploite la ferme ancestrale des Saint-Louis, et c'est précisément sur cette terre bordant le lac Sainte-Claire, par une chaude soirée d'août, qu'Adam découvre de façon viscérale que, là, sous ses pieds, bat le cœur du continent.

Cela fait une heure que la famille Woodrich a fini le souper : blé d'Inde sucré jaune et blanc avec beaucoup de beurre fondu. Alice a débarrassé et est en train de faire la comptabilité sur la table de la cuisine. George soude l'essieu d'une *waguine* dans le garage et Adam traverse le grand champ de maïs qui s'étend jusqu'au lac en compagnie de monsieur GH, le chien, baptisé ainsi par Alice qui adore George Harrison, au point de fredonner invariablement *While My Guitar Gently Weeps* en préparant les repas.

Il fait déjà nuit lorsque Adam arrive au lac ; cette nuit particulière au Détroit où, même au plus profond de la campagne, les feux de la métropole de l'automobile laissent le ciel nocturne d'une teinte qui, selon l'heure, peut aller du rosâtre au carmin en passant par le roux. Adam est venu là juste pour le plaisir de la promenade. Parce qu'il aime à sentir la chaleur grasse de la terre sous ses pieds, il est parti pieds nus. À présent, debout entre le mur de maïs et le lac, il lève les yeux et aperçoit les feux d'un avion, très haut. Regardant ailleurs, il découvre les feux d'un autre appareil. Se piquant au jeu, il veut attendre que le ciel soit complètement débarrassé de quoi que ce soit d'artificiel, mais cela ne vient jamais. Il a déjà remarqué que les avions sillonnent souvent le ciel, mais c'est la première fois qu'il se rend compte que cela ne cesse jamais. Au-dessus du Détroit, le passage des avions trace comme une toile d'araignée dans la nuit. Adam les imagine venant de Chicago, Cleveland, Minneapolis ou Toronto et allant aussi loin que les Vieux Pays, les îles ou l'Orient. Peut-être pour la première fois, il pressent à la fois toute la vastitude du monde et sa proximité. Puis il prend conscience de la chaleur de la terre humide et grasse sous ses pieds. «Elle est vivante!» se dit-il. Alors il se demande pourquoi, de tous les lieux du vaste monde qu'il pressent, il se trouve, lui, Adam, précisément là, sur cette terre riche qui borde la rivière Détroit et le lac Sainte-Claire. Y a-t-il une raison cachée à cela? C'est alors, partant exactement du centre de ses arches plantaires, montant dans ses mollets, ses cuisses, traversant ses reins et résonnant au milieu de sa poitrine, qu'un battement très sourd vibre d'une force inouïe. Adam en ressent toute la puissance. Ses sens se mettent au diapason. Chaque battement se répercute dans son corps et il devine qu'il se prolonge loin dans l'épaisseur terrestre, sans doute jusqu'aux confins du continent. L'odeur un peu suave qui émane du lac se mêle à celle, âcre, de la terre et à celle des baumes au milieu du maïs. Sur son visage, sur la peau de ses bras, l'air de la nuit se fait caresse, un frisson monte le long de sa nuque.

«Que c'est beau!» murmure-t-il alors même qu'il imagine que chaque pulsation sous ses pieds part dans toutes les directions distribuer ce qu'il se représente comme le sang du continent; le rythme de l'Amérique, sa musique.

L'évidence se fait en lui : il est là parce qu'il ne peut se trouver ailleurs. C'est exactement dans cette région qu'il doit être, pour réaliser ce qu'il a à accomplir, même s'il ne sait pas quoi. Il s'aperçoit alors que monsieur GH a les quatre pattes bien plantées au sol, et que, tête levée, il regarde aussi vers les étoiles et les avions.

« Tu sens, toi aussi », lui dit Adam, constatant davantage qu'il ne pose la question. Monsieur GH le regarde dans les yeux. Adam ferme les siens et il a la vision fugace de la grande terre américaine qui court sous le ciel immense. Forêts blessées, terres éventrées, grands parkings déserts, échafauds abandonnés, silences hurlant du fracas des hommes, partout la destruction est à l'œuvre. Comme le cœur des hommes, celui du continent ne fait pas que pomper le sang ; il est aussi le havre des souvenirs glanés lors de la course.

Il est intrigant de constater que c'est peu de temps après cette soirée où Adam a la conviction que quelque chose de particulier l'attend au Détroit que ses parents choisissent de vendre leur terre pour aller tenter une autre aventure agricole en Saskatchewan. Cela ne se décide pas sur un coup de tête ; bien des fermiers de la région, dont beaucoup sont dans la culture intensive de la tomate, doivent faire les choix imposés par les grandes « canneries », c'est-à-dire soit investir des sommes énormes pour mécaniser complètement cette culture et surtout la récolte, soit abandonner la tomate et se consacrer presque exclusivement au blé, au maïs et à la fève de soya ; ce qui pour certains, comme les Woodrich, apparaît comme dénué de défi. C'est donc assis à la table de la cuisine, pendant qu'Alice devant l'évier chantonne du George Harrison, que George Woodrich, comme si de rien n'était, soumet la possibilité de se lancer dans l'élevage extensif du « bœuf de boucherie » dans les vastes plaines de l'Ouest. Il évoque la liberté des grands espaces, le grand air, les gains prévisibles après la débandade du secteur dans les dernières années. Davantage pour la forme, Alice lui oppose la vente de la ferme ancestrale, les habitudes, les amis.

Au printemps suivant, les deux cents acres de la ferme des Saint-Louis sont vendues, et, pour à peu près la même somme, trois mille acres bordant la frontière du Montana sont achetées près de Val Marie. Selon certains, c'est échanger la terre la plus riche de tout le pays contre un morceau de désert. Il se trouve par ailleurs que la prise de possession de la nouvelle ferme, ou plutôt du ranch, n'aura lieu qu'au mois de novembre. Que faire durant tous ces mois? Alice, qui a dû ruminer l'idée depuis longtemps, la présente ainsi après un bon repas dominical :

«Il y a longtemps que Paul nous propose d'aller passer quelque temps avec lui à Jérusalem. Ce serait peut-être l'occasion ou jamais, vous ne trouvez pas, tous les deux? »

Adam ouvre grand les yeux, et George, incapable de répondre, ouvre tout aussi grand la bouche. Il y a longtemps que le frère d'Alice, moine dominicain, poursuit ses recherches à l'École biblique et archéologique de Jérusalem. Souvent, il écrit à sa sœur que cela ferait spirituellement du bien à toute la famille de prendre le temps d'une retraite en Terre sainte, que dans l'existence il y a d'autres enjeux que ceux de produire.

«Il n'est pas question que nous allions dans ces pays-là! Ils n'arrêtent pas de s'y entre-tuer! » finit par s'écrier le père de famille.

Ce à quoi son épouse réplique :

«George, où sommes-nous allés, dimanche dernier?

— Dimanche dernier, au musée, à Detroit. Quel rapport?

— Le rapport est que si tu regardes la liste quotidienne des meurtres à Detroit, et nous l'avons tous les soirs à la télé, tu as beaucoup plus de risques d'y mourir de mort violente qu'à Jérusalem...

— Ah oui? »

George regarde sa femme et comprend que celle-ci est en train de manifester un souhait qu'il n'a seulement jamais deviné.

«Tu veux vraiment aller, là-bas? demande-t-il comme pour s'en convaincre.

— Tu sais que j'ai toujours rêvé d'aller à Jérusalem, George, je te l'ai souvent dit.

— Ah... Peut-être... Je croyais que... Ah bien! Puisque c'est ce que tu veux, nous irons cet été à Jérusalem. Après tout, il ne sera pas dit que les Woodrich n'auront pas voyagé! »

Ainsi, grâce à ce contretemps dans le déménagement, Adam va faire une expérience que l'on pourrait presque qualifier de mystique.

À Jérusalem, il ne découvre pas seulement le jardin des Oliviers, le dôme du Rocher, le marché grouillant de la porte de Damas, les odeurs de l'Orient, le murmure des siècles dans le crépuscule, une langue dont il lui suffit de prononcer des mots pour se sentir heureux; tout ceci sans parler de la lumière du ciel, l'ineffable lumière. Non, en plus de tout cela, un après-midi de chaleur blanche, il entre dans un cinéma où l'on projette *Dancer in the Dark*. Immédiatement, il comprend que la vie dite sérieuse, la vie qu'on vit pour réussir n'est pas celle qui l'intéresse. Bien que Selma, l'héroïne du film, soit poursuivie par une terrible malchance, elle incarne un peu ce qu'il veut être : prêt à tout pour les autres, sans reproche et, surtout, complètement détaché des bassesses du quotidien. Selma vient de lui montrer la voie d'une vie plus «vivante».

De retour au pays, cette recherche de soi entraîne des lectures qui aboutissent à Jean-Louis (Jack) Kérouac au moment précis où, presque irréelle, une véritable caravane de gitans venus des Saintes-Maries-de-la-Mer passe par Val Marie en route pour les collines des Cyprès. Tout cela parce que, dans un songe, l'un d'eux a eu la révélation que les Tziganes étaient parents avec les Indiens d'Amérique et que Sitting Bull, qui a trouvé refuge dans ces collines après la bataille de Little Big Horn, leur semble être l'homme qui a laissé des traces dans lesquelles ils se doivent de poser leurs pas. Ils s'arrêtent donc un soir à proximité de l'habitation du ranch des Woodrich et, après en avoir demandé la permission, établissent leur campement sur la prairie. De la fenêtre de sa chambre, Adam aperçoit leur feu et, posant *Desolation Angels*, se dit que l'occasion est bonne de connaître des gens différents. Il n'y a pas de doute, il s'agit de vrais gitans, comme dans les films qu'il a pu voir. Il y a donc l'inévitable feu de camp, les guitares, les hommes à l'œil noir, les filles et les femmes en longues jupes rouges ou jaunes qui lèvent les bras dans la nuit dans des tournoiements bigarrés. Il y a aussi le rythme des doigts frappant le bois des guitares et une voix rauque qui chante avec des paroles dont les seules intonations sont déjà musique. La première heure, il regarde, la seconde, il chante et la troisième, il danse. Lui aussi frappe des mains dans la nuit. Il a aimé la prairie dès qu'il l'a vue, il l'a parcourue, seul, durant toutes les saisons, il ne se lasse pas de l'ondoiement infini de cette terre sans arbre sous le ciel immense; et ce soir, aidé par cette musique venue d'un tout autre ailleurs, il lui semble ne faire qu'un avec les badlands.

À l'aube, sa décision est prise: il a seize ou dix-sept ans, il s'ennuie aux études, la terre est vaste et l'attend. Il ne peut pas laisser passer cette chance. Il place donc un court message sur la table de la cuisine familiale, disant à Alice et George de ne pas s'en faire et les assurant qu'il les tiendra au courant de son sort, puis, à l'aube, il lève le camp avec les gitans.

Avec eux, pendant près de trois ans, il connaît tous les chemins d'Amérique. Chez lui a pour nom mille noms de lieux. En mille jours, depuis le Chihuahua jusqu'au Yukon et de Cap-Breton jusqu'à Big Sur, des profusions d'images gravent sa mémoire. Puis un jour morne de janvier, ce sont des histoires avec ceux qui n'aiment pas que l'on se promène chez eux sans aller à l'hôtel. La loi intervient sous les traits d'agents de l'Immigration. Des Tziganes avec un visa touristique périmé ne peuvent indéfiniment suivre la trace de Sitting Bull en terre d'Amérique. Ils tentent bien de se faire passer pour Sioux, invoquent les paroles de la Liberté à l'entrée de New York, font valoir la grandeur du continent, où forcément il doit bien y avoir assez d'espace pour eux; argumentent que puisqu'ils sont gens du voyage ils peuvent passer partout, qu'ils n'appartiennent à aucune frontière; expliquent qu'un autre peuple, comme eux condamné aux fours, a pu trouver refuge en Amérique. Rien n'y fait et, un soir de ciel rouge, Adam se retrouve seul à l'aéroport d'Atlanta. Tous les autres viennent d'être mis d'autorité dans un avion à destination de la Vieille Europe. Alors, la grisaille à l'âme, plutôt que de continuer vers Charleston où, leur a-t-on dit, les esprits parlent, et puisque partout où il a chanté et claqué des doigts il n'a jamais cessé de sentir les pulsations qui viennent du Détroit, il décide de tout recommencer là où tout a commencé et se met en route pour l'île à la Pêche.

IV

De retour à Windsor, Adam se demande ce qui lui a pris de revenir en cet endroit. Il ne comprend plus. Ce n'est certes pas l'architecture, qui semble toujours hésiter entre le banal et le franchement laid, pas davantage le point de vue, encore moins l'atmosphère des lieux ni la bienveillance affichée de la population locale. En fait, il trouve tout tellement déprimant qu'il en pleurerait. Il s'en faut même de peu qu'il reprenne la route pour la Saskatchewan. Mais le destin – autant l'appeler ainsi – décide ce jour-là de lui faire rencontrer Jean-Paul, un enseignant qui vient de divorcer et qui, pour une fois dans sa vie, tente d'oublier ses désillusions dans une taverne de l'avenue Ouellette. Adam y est entré dans l'espoir de glaner des informations qui pourraient lui permettre de trouver rapidement un boulot et un gîte. L'expérience lui a appris que c'est généralement plus expéditif que les agences gouvernementales. L'endroit est comme il se doit pour attirer la clientèle recherchée : laid et malodorant. Brûleuse de la nuit ou prostituée, une quinquagénaire outrageusement fardée semble s'animer sur son passage. Adam lui sourit poliment en se dirigeant vers le comptoir où, d'habitude, se tiennent ceux qui ont envie de parler. Il prend le tabouret voisin de celui d'un client qui détonne un peu dans le décor. De petite taille, cheveux gris soigneusement peignés, l'homme porte pantalon de tergal gris bien repassé, blazer bleu marine, chemise blanche et cravate satinée grenat. Il fixe son verre, la mâchoire pendante. Lorsque Adam commande une bière, l'homme lui adresse un regard bref et lui dit :

«Tu serais mieux à l'école… »

Adam l'observe un instant, avant de répliquer :

«Tout à fait d'accord avec vous, mais l'école, quand on l'a lâchée une fois, elle est rancunière et elle ne veut plus de vous… »

Cette remarque paraît susciter l'intérêt de l'homme qui se tourne alors plus carrément vers son nouveau voisin.

«Mon ami, c'est très intéressant, ce que tu viens de dire. Je voudrais que tu viennes répéter tout cela devant ma classe.

— Ce serait peine perdue. Les jeunes, comme moi, ne croient plus à rien de ce qu'on leur dit, à moins que ce soit pour mal faire. »

L'homme au blazer approuve pensivement du menton et tend la main :

«Mon nom est Charles. J'aimerais beaucoup entendre ton histoire. Je suis certain qu'elle est édifiante.

— Salut, moi, c'est Adam. Mon histoire est tout ce qu'il y a de plus ordinaire. Quitté l'école à seize ans, parcouru le continent dans tous les sens, des jobs minables ici et là, et me voici. Rien dans les poches, pas de formation, rien; enfin, j'exagère, j'ai beaucoup de souvenirs et je ne regrette rien, ou en tout cas pas encore.

— Tu es jeune, il n'y a encore rien de perdu.

— Je voudrais bien vous croire.

— Eh bien, crois-moi! Foi de Jean-Paul Monjeaux, il ne sera pas dit que, lorsque l'occasion s'est présentée, je n'aurai pas donné l'aide que je pouvais à un jeune qui en avait besoin.

— Tout ce que je cherche, c'est du travail et une chambre. Je crois savoir qu'il y a une mine de sel en ville; je vais aller voir s'ils embauchent. Monjeaux… Vous devez parler français?

— Oui, jeune homme! C'est ma langue maternelle et j'en suis pas peu fier. Ne me parle pas de tous ces assimilés qui passent à la langue de l'autre. Une tragédie! Comment peut-on croire qu'il suffit de parler la langue de l'autre pour devenir l'autre? À ce jeu-là, on ne récolte que la perte de soi.

— J'ai été élevé en français, par ma mère.

— Cela s'entend. Mais dis donc! J'y pense: puisque tu parles français, je crois que tu pourrais avoir la place de gardien de nuit qui est offerte à l'école secondaire où j'enseigne. Il ne s'agit pas simplement de garder, il faut aussi s'occuper de l'entretien. Tu crois que tu pourrais faire ça?

— Pour moi, ce serait inespéré. Je suis prêt à commencer tout de suite s'il le faut.

— Eh bien, écoute, mon ami, je vais tout de suite téléphoner et, si ça marche, mais je suis certain que ça va marcher, je t'emmène chez moi où tu pourras séjourner le temps de te trouver un logement. Tu vois, c'est ta chance. Tu pourras travailler la nuit et étudier le jour. Ah! je suis content! Je commençais à m'en vouloir d'être tombé ici, comme si c'était une solution…

— Des problèmes?

— Je n'en ai plus!» affirme Jean-Paul Monjeaux qui visiblement reprend goût à l'existence.

Adam a déjà roulé sa bosse; il a un instant d'hésitation, essaie de jauger l'homme, mais celui-ci prend ce regard appuyé pour de l'étonnement de rencontrer ainsi sa chance et il lui tape doucement dans le dos.

«Cela me fait plaisir, vraiment!» affirme-t-il.

Adam se dit que le simple fait que l'homme ne tente même pas de dissiper un hypothétique malentendu doit être garant de sa sincérité.

C'est ainsi qu'Adam devient concierge la nuit et étudiant le jour. Lui qui est venu au monde en parlant une langue enchantée, lui dont on aurait pu facilement concevoir qu'il choisisse les lettres, il prit pour matière principale les mathématiques avec pour objectif à long terme la physique dans ce qu'elle a de plus exigeant, autrement dit, l'aventure dans sa forme la plus poétique. Il sera le *Dancer in the Dark* de la Théorie unifiée!

Moins de douze mois plus tard, il a suivi avec succès tous les cours disponibles au secondaire dans les domaines choisis et, si ce n'était des lentes procédures d'admission et des impératifs de calendrier, au lieu de rencontrer Miriam, il serait déjà à l'Université de Waterloo.

Absorbée dans une recherche personnelle, Miriam est restée en classe après les cours et même après la nuit tombée. Blanchissant le tableau de formules, elle s'arrête souvent, réfléchit en fixant un point ou un autre du tableau, efface parfois du tranchant de la main une équation pour la modifier, puis reprend, comme possédée. C'est ainsi qu'Adam la découvre. D'abord, il voit sa chevelure, qui pour le moment est teintée de craie, puis le dessin de ses épaules sous le corsage de coton blanc. Sans savoir pourquoi, il se sent ému. Pour chasser le trouble, il se concentre sur ce qu'il y a au tableau. Il ne saisit pas immédiatement la démarche et reprend au début. Alors seulement il commence à comprendre, puis tout s'éclaire soudainement et, pour la première fois depuis le départ des gitans, il entend dans sa tête cette musique qui semble vouloir nouer les fibres de son être à l'univers. Depuis des mois, il ne vit que de mathématiques, mais c'est bien la première fois que, pour lui, elles deviennent musique et couleurs. Il aperçoit même comme une légère "fausse note" dans le coin gauche du tableau, pas grand-chose, mais il croit que cela doit être mentionné et il le fait.

Surprise, Miriam se tourne brusquement. Un instant, elle reste figée, observant le jeune homme blond un peu dégingandé qui flotte dans sa chemise de coton blanc, puis elle saisit le sens de l'intervention et se retourne vers le tableau.

«Vous avez raison, c'est plus esthétique ainsi», dit-elle en apportant la correction préconisée par Adam.

Puis elle se tourne de nouveau vers lui, cette fois réellement stupéfaite.

«Comment avez-vous vu cela? Ce sont des recherches personnelles et, à ce que je sache, actuellement, c'est un domaine que je suis seule à explorer?

— Je l'ignore, cela sonnait faux...»

42

Adam est incapable d'en ajouter davantage. La voix, le regard, les lèvres, le dessin du visage, l'épiderme, la gracilité du cou, tout ce qu'il découvre de Miriam le bouleverse. Miriam aussi voudrait dire quelque chose, n'importe quoi, mais elle aussi en est incapable. C'est enfin Adam qui, le premier, retrouve un peu d'esprit pratique :

«Je n'aurais pas dû vous interrompre; ce n'était, comme vous le dites, qu'un pur point esthétique ou, si je peux l'exprimer à ma façon, une note un peu discordante dans... comment dire? Dans tout ce boléro.

— Boléro... Pourquoi boléro?

— Regardez, il y a cette attente qui tournoie, à chaque tour un peu plus vive. On sent la venue de quelque chose d'extraordinaire, on s'en approche avec fébrilité, c'est magnifique!

— Ce qui est surtout étonnant, c'est qu'une personne, par hasard, ici, puisse interpréter mes formules comme vous venez de le faire. Vous êtes mathématicien?

— Pas du tout, non, j'étudie les maths. En fait, surtout comme un tremplin vers la physique.

— C'est dommage!

— Pourquoi? Vous ne tenez pas la physique pour une discipline de premier ordre?

— Ce n'est pas cela, mais, sans doute de façon un peu partisane, je crois que seules les maths, la vraie musique et la vraie poésie permettent d'ouvrir les portes de l'inconnu.

— Si vous voulez parler d'intuition, je crois que des physiciens ont prouvé qu'ils en étaient capables. Concevoir, par exemple, des dimensions qui ne nous sont pas accessibles par les sens relève de facultés qui dépassent la simple imagination. Il faut pouvoir, comme vous dites, ouvrir les portes de l'inconnu.

— Ce sont alors des mathématiciens qui s'ignorent. Comme vous, et vous venez de le prouver. Sans vouloir me mettre en avant, il n'y a pas une personne sur un million qui aurait été capable de déceler la "fausse note" comme vous venez de le faire. Je suis sérieuse : dans tout le Canada, il n'y a sans doute que vous à en être capable; et que vous vous trouviez justement ici, au début de la nuit, précisément dans cette école, relève de probabilités infinitésimales. Mais au fait, oui, que faites-vous ici?

— Mon travail. Je suis le concierge de nuit...»

Cette révélation désarçonne Miriam. Elle regarde Adam, et celui-ci a l'impression de voir passer comme l'éclat d'une douleur dans son regard. Il ressent une pointe acérée au sternum. Miriam suppose :

«Alors vous étudiez le jour et faites le ménage la nuit, vous êtes à UoW?

— Non, en fait j'attends ma réponse pour Waterloo. Jusqu'à présent, j'ai étudié par moi-même, me contentant de passer les équivalences. Mais vous?

— Moi, j'enseigne ici.

— Oh! Vous paraissez tellement... jeune.»

Elle rit comme on le fait d'une bonne plaisanterie.

«Racontez-moi plutôt comment il se fait que vous ne soyez pas un étudiant régulier.

— C'est une longue histoire...»

Miriam regarde par la fenêtre et hausse légèrement les épaules :

«La nuit est tombée de toute façon; nous avons du temps, mon mari travaille jusqu'à minuit aujourd'hui et personne ne m'attend.

— Donc, vous êtes mariée...»

Il ne songe même pas à dissimuler sa déception. À vrai dire, il ne se rend pas compte qu'elle a pu transparaître. Encore moins du nuage qui passe dans l'esprit de Miriam.

«Si je n'étais pas mariée, je vous assure que je ne serais certainement pas ici! Enfin, pas dans cette école, à Windsor!» s'exclame-t-elle.

Il approuve en désignant le tableau :

«Il suffit de voir ça pour s'en convaincre.»

Miriam regrette déjà ses dernières paroles qui faussent ce qu'elle ressent vraiment. Comme pour les oublier, elle demande à Adam de raconter comment il se fait qu'avec ses facultés il ne soit pas lui-même déjà à l'université. Adam commence par l'arrivée des Tziganes à Val Marie et remonte plus loin dans le passé, jusqu'à sa «naissance» sur l'île à la Pêche. Il suit la chronologie en détaillant au passage l'expérience tellurique qui l'a fait revenir au Détroit, puis raconte sur un mode un peu lyrique ce qu'il nomme pour l'occasion ses chemins d'Amérique. Miriam l'écoute gravement, yeux grands ouverts, sans jamais l'interrompre, gardant ses questions pour plus tard. Lorsqu'il en arrive au présent, il termine par:

«Et voilà, vous savez à peu près tout de moi, et moi je ne sais toujours rien de vous.

— De moi... Il n'y a pas grand-chose à dire, surtout après vous avoir écouté. Des études normales, enfance et adolescence typiques de Windsor. Mes études en Angleterre sont le seul point d'exotisme d'une existence très banale.

— Je ne crois pas qu'aucune existence soit banale. Ce n'est surtout pas le fait d'avoir sillonné les routes qui fait la différence. Tenez, un écrivain japonais, Natsume Sôseki, en fait la preuve. Dans son roman *Kokoro*, le personnage principal, un étudiant tout ce qu'il y a de plus ordinaire, nous parle de ses visites chez un homme qui lui aussi est tout ce qu'il y a de plus ordinaire. Eh bien! je vous assure que le récit est des plus passionnants.

— Facile à dire pour quelqu'un qui est arrivé au monde sur une île frappée par un sort en parlant une langue inconnue, qui a senti battre le cœur du continent sous ses pieds, qui a suivi des gitans dans leur quête et qui, sans s'en rendre compte, est un génie des maths...»

Adam rit puis soudain a une sorte de grimace:

«Il y a autre chose que je ne vous ai pas racontée; ça s'est passé à Jérusalem...

— Vous êtes aussi allé là-bas?

— Oui, durant des vacances d'été avec mes parents. Un jour, je suis allé au cinéma et, maintenant je le sais, j'ai vu une personne dans un film qui vous ressemblait beaucoup. Je veux dire avec des différences physiques, mais de vous voir, là, je ne peux m'empêcher de vous associer à elle. C'est même curieux...»

Adam se souvient que Miriam a dit être mariée. Il se rend compte qu'il en est déjà très malheureux. Comme pour enfoncer le clou, Miriam dit:

«En y pensant, c'est drôle, vous aussi, vous me semblez familier. Cela dit, je vous avoue que vous ne me rappelez personne dans aucun film, même si Joe dit qu'il est parfois difficile de départager les souvenirs anciens issus de la télévision et du cinéma et ceux de la réalité.

— Joe est votre mari?»

Miriam a un bref oui de la tête. Leurs yeux s'accrochent et chacun se rend compte qu'ils n'en éprouvent absolument aucune gêne, qu'ils pourraient même se regarder ainsi jusqu'à la fin des temps.

Ils ont échangé leurs noms, leurs goûts, leurs idées et des souvenirs, il se fait tard, mais la conversation est agréable et Miriam demande:

«Qu'attendez-vous exactement de la physique?

— Oh, je n'attends rien de vraiment spécial. Je suis surtout terriblement curieux, voilà tout. Bien sûr, cela flatterait mon ego si, parmi les premiers, je pouvais contribuer à jeter les bases véritables de la fameuse Théorie unifiée, mais...

— Vous croyez à cette hypothèse?

— À vrai dire, pas tellement. Notez que je n'y connais pratiquement rien, mais, j'ignore pourquoi, j'ai justement le pressentiment que cela présenterait une "fausse note" mathématique. À première vue, l'idée peut sembler esthétique et même logique, mais, je ne sais pas, il y a quelque chose qui me dit que cela ne peut pas être ça, qu'il doit nécessairement y avoir une dualité.

— Je n'ose pas vous le proposer, Adam, mais que diriez-vous si un de ces jours nous tentions de poser les formules de ce que pourrait être la théorie; juste pour le jeu?

— J'en dis que cela me paraît formidable, mais vous vous trompez sans doute sur mes capacités.»

Miriam secoue la tête et fait valoir que, comme enseignante, elle a vite appris à reconnaître ceux qui ont des dispositions.

«Cela, évidemment, sans vouloir placer notre accord sur le mode enseignant/élève, au contraire!» ajoute-t-elle.

Ils s'entendent pour se retrouver dans cette même classe

les lundis et les mercredis soir, tout au moins pendant les périodes où Joe travaille sur le quart de soir.

Il est important, à ce stade, de préciser que pas un instant, en proposant cette offre, Miriam n'a ne serait-ce que l'impression que cela pourrait être dangereux pour son couple ou pourrait risquer de faire du chagrin à Joe ou même aboutir à une relation confuse. Tout ce qu'elle voit pour l'instant, c'est qu'elle vient de rencontrer quelqu'un avec qui, sans l'ombre d'une contrainte, elle va pouvoir se livrer à sa passion pour les mathématiques. Sans aller jusqu'à des intentions précises, c'est un peu différent pour Adam. Lui ressent immédiatement cette proposition comme la possibilité inespérée d'être de nouveau ensemble. Bon, en toute honnêteté, il faut préciser qu'il y a aussi de cela dans l'esprit de Miriam. Seulement, puisque vis-à-vis d'Adam elle n'éprouve absolument aucune crainte, pas même un soupçon, elle ne voit aucune contradiction, aucun interdit, aucun danger à proposer ce qui ne pourra être qu'une relation de pure amitié.

On peut constater que cette rencontre est narrée avec plus de détails que tout ce qui a précédé. Il y a en cela la volonté d'être précis pour la bonne compréhension de ce qui va suivre, mais aussi celle de souligner l'aspect romantique de ces premiers instants. Et, avant d'aller plus loin, sans doute serait-il bon d'être en mesure d'affirmer que cet aspect ne faussera pas l'objectivité de la narration. Car de quel romantisme est-il question? Certes pas de ces imageries avec princes charmants ténébreux, soirées devant la flamme étendus sur la peau d'un ours blanc ou déclarations flamboyantes sur fond de tempête. Non, en ce qu'elles ne se préoccupent que de décorum et ne cherchent à flatter que la surface des sens, ces aspirations, au contraire, sont à l'opposé du romantisme dont il est question ici. Celui-ci, en effet, signifie croire que la puissance de l'esprit, ou celle de l'imagination, peut renverser l'inclinaison naturelle de la matière vivante vers le bas et modifier l'ordre des choses. Pour prendre en exemple un grand succès populaire dit romantique que tout le monde pourra reconnaître, disons *Love Me Tender* chanté par Presley et placé en opposition au *Nanie* de Brahms, réputé comme étant un compositeur romantique. Il y a là deux morceaux dits romantiques, pourtant, sans conteste, le premier s'adresse au ventre érogène et le second à l'imaginaire éthéré. On le constate, il y a double usage du terme romantique. Cette explication pourra être nécessaire à la bonne interprétation de ce qui va suivre.

V

Se retrouvant comme prévu, puis de plus en plus fréquemment, Miriam et Adam ont noué davantage les liens de ce que la bienséance voudrait appeler amitié, mais que l'objectivité oblige à nommer amour. Bien sûr, lorsqu'on parle de l'amour d'une femme mariée pour un autre que son époux, le premier qualificatif qui vient à l'esprit est adultère. Cela est compréhensible, puisque, dans l'amour partagé d'un homme et d'une femme, il semble impossible de faire abstraction de la notion de désir; l'omnipotent désir charnel. Cela n'implique pas qu'il n'y a pas à ce moment aussi de cela entre Miriam et Adam, pas du tout et loin de là, mais leur amour est si profond, chacun est tellement dévoué à l'autre que, lorsqu'ils sont ensemble, ils n'ont pour ainsi dire besoin de rien de plus, et le désir s'annihile de lui-même. Sornettes! diront les sceptiques et tous ceux qui prétendent avoir les deux pieds bien plantés dans la réalité du monde, protégés de tout égarement mystique par un faible taux de monoamine-oxydase. Qu'ils attendent la suite. Et pour d'autres qui pourraient s'affliger du sort de Joe, affirmons tout de suite que Miriam ressent pour lui la même affection qu'avant de rencontrer Adam, et aussi qu'elle sait trouver la force de demeurer seule à souffrir de ce qu'il lui est impossible par nature de donner à son mari : ce plus incommensurable dont elle a douté, au point d'épouser Joe, et dont elle est en train de faire l'épreuve.

Arrive cependant le moment où Miriam et Adam éprouvent l'irrésistible besoin de se trouver ensemble ailleurs que dans une salle de classe en train de négocier quelque algorithme. Le besoin d'être seuls tous les deux sous le grand soleil, de voir s'écouler la rivière, de marcher dans la lumière, de sentir le monde et d'écouter sa rumeur depuis cette bulle presque tangible qui «s'autocrée» dès l'instant où ils se trouvent en présence l'un de l'autre. C'est Adam qui propose l'idée. Miriam, même si elle le souhaite tout autant que lui, ne se sent pas en droit de faire ce pas.

«Miriam, que diriez-vous, un de ces jours, d'aller manger un morceau au bord de la rivière?»

Elle va répondre que c'est une bonne idée, qu'elle va voir quand Joe sera disponible pour se joindre à eux, puis elle se ravise, comprenant trop bien que cette invitation ne concerne qu'eux. Elle sourit.

«Vous voulez dire: aller dans le monde, vous et moi?

— Vous savez bien qu'entre nous il n'est pas question de vouloir dire.

— Je sais, Adam, et je suis d'accord pour le bord de la rivière, mais, vous l'ignorez peut-être, il ne se trouve pas beaucoup de restaurants dignes de ce nom au bord de l'eau.

— Alors, nous nous contenterons d'une balade.»

Miriam sourit de nouveau et approuve lentement de la tête. Elle sait qu'avec n'importe qui d'autre il lui aurait fallu mettre les choses au point, définir ne serait-ce que par des sous-entendus les paramètres possibles de la relation; avec Adam, c'est parfaitement inutile. Puis il lui vient une idée:

«Adam, j'ignore pourquoi, j'aimerais aller avec vous sur l'île.

— Sur l'île à la Pêche?

— Cela doit être possible, non?

— Sans problème, un ancien ami de mon père me prêtera sa chaloupe sur simple demande.

— Nous pourrions même apporter un lunch.

— Oui! et peut-être une bouteille de vin. Je ne vous en ai pas encore parlé, mais je me suis découvert un intérêt et du goût pour le vin. Non pas pour en boire à outrance, mais pour ce qu'il représente. Savez-vous, par exemple, qu'il est dit que s'il tombe de la grêle sur un vignoble le 4 août, si vous consommez ce vin à la même date lunaire de toutes les années subséquentes, le vin sera aigre à cette date précise.

— Ce qui signifierait que le vin a une mémoire?

— Comme tout le reste, sauf que le vin ne sait rien cacher. C'est un révélateur. Ce sont des choses, comme ça, que j'ai apprises de mes amis gitans. Cela me rappelle qu'un jour, dans le Chihuahua, nous sommes allés dans un petit vignoble perdu qui ne payait pas de mine quant à l'entretien, mais dont le propriétaire était de la famille de mes amis. Là, nous avons goûté des vins issus de cépages interdits en Europe depuis les années 1950. Je me souviens d'un en particulier qui était tiré d'un cépage nommé Jacquez; un demi-verre vous emportait plus loin que toute une pipée du haschich le plus puissant. Cela dit, rassurez-vous, ce n'est pas ce genre de vin que je me propose d'apporter.

— Cela aurait pu être intéressant, remarquez... Mais c'est entendu, je préparerai ma spécialité et vous apporterez une bouteille de votre choix.

— Quelle est votre spécialité?

— Rien de mirobolant, une simple salade de pommes de terre et de hareng fumé. »

Ils rient tous les deux, heureux comme des enfants au mois de juillet qui pour la première fois découvrent la mer. Ils savent que cette excursion sur l'île sera probablement leur unique voyage et, avant même de l'entreprendre, l'un et l'autre présagent aussi que ce sera sans doute la journée la plus heureuse de leur existence. Et parce qu'ils ont la prescience qu'une telle joie ne pourra se reproduire, déjà ils conçoivent la déchirure qui suivra.

« Toute joie véritable est à ce prix, pense Adam; c'est sans doute pour ça que ceux qui en redoutent les termes préfèrent se contenter d'avoir du *fun*. »

La date de l'excursion a été fixée au premier samedi de mai. Ce jour-là, Miriam retrouve Adam à la marina de Windsor. La journée promet d'être douce et lumineuse. Déjà, de nombreuses embarcations de pêcheurs sportifs se balancent mollement sur l'onde argent pâle. Sans savoir exactement pourquoi, Miriam qualifie cette matinée de « méditerranéenne ».

Dans un léger teuf-teuf régulier, la chaloupe d'aluminium s'éloigne du ponton d'amarrage, laissant à peine derrière elle un sillon d'écume blanchâtre. La traversée vers l'île ne prend que quelques minutes. L'ancre est jetée à deux pas du rivage et, voulant aider Miriam à traverser sans qu'elle mouille ses vêtements, pour la première fois Adam a un contact physique avec elle. Le choc est tel que, durant une fraction de seconde, il croit qu'il va la lâcher. Et c'est réciproque : sur la berge, elle a du mal à se résoudre à dénouer ses bras du cou d'Adam.

«Nous y voici…» dit-il surtout pour masquer son trouble. Miriam, consciente de ce qui la révèle sous son mince corsage blanc, ne peut détacher aussi vivement qu'elle le souhaiterait son regard de ce qui le trahit, lui. Mais, comme pour signifier que tout ceci n'est que parfaitement naturel, Adam désigne le décor d'un mouvement semi-circulaire du bras.

«Et voici où commence mon état civil…

— Tout le monde ne peut pas en dire autant.

— J'aimerais pourtant bien pouvoir remonter un peu plus loin.

— Vous n'avez vraiment aucun souvenir antérieur?

— Parfois, il me semble, mais je ne suis jamais sûr si ce sont des souvenirs personnels ou des souvenirs tirés des premiers films que j'ai pu voir, ou des photos. C'est la malédiction du cinéma, comme le dit votre mari.

— Vous avez des exemples de souvenirs?

— J'en aurais bien un, mais lui, vraisemblablement, c'est du cinéma, puisque c'est un souvenir qui remonte au temps de la chevalerie, au Moyen Âge ou quelque chose comme ça.

— Racontez!

— Oh, c'est très bref. Il y a un chevalier tout de blanc vêtu, je crois que c'est moi, ou tout au moins c'est à lui que je m'identifie. Ne me demandez pas pourquoi, la scène se passe près d'un puits au milieu d'une clairière entourée de grands arbres pleureurs. Le ciel est couvert, mais il y a de grandes trouées dans les nuages où se déverse la lumière du soleil. Il y a aussi un chevalier noir. Le chevalier blanc est en train de s'abreuver au puits dont la pierre est couverte de mousse lorsque le chevalier noir lui fiche une lance dans le dos. Le chevalier blanc se retourne, d'abord il est plus étonné qu'il n'a mal, puis il comprend qu'il est touché à mort, qu'il ne peut rien faire et que tout va s'évanouir. Il est très malheureux, non pas tant parce qu'il va mourir, mais parce qu'il constate que le chevalier noir a gagné. Du reste, celui-ci rit de toutes ses dents et c'est terrifiant. Vous voyez, ça ne peut pas être un souvenir de ma petite enfance.

— Non, mais c'est peut-être celui qui est destiné à vous identifier. Votre sceau, en quelque sorte. Je vous vois très bien en chevalier blanc… Moi aussi, je vous l'avoue, j'ai des images de ce genre en mémoire, et je suis quasi certaine que je n'ai jamais vu un tel film…

— C'est à mon tour de vous demander de raconter.

— Si vous voulez, mais je ne l'ai jamais dit à personne. Cela se passe sur une plage balayée par le vent et bordée par une mer gris-vert; une plage que je qualifierais de nordique. Où exactement, je l'ignore, mais je serais portée à dire que c'est en Amérique du Nord, ne me demandez pas pourquoi. Sur cette plage, nous sommes un petit groupe, des Européens; des Européens d'un autre âge. Nous ne sommes pas seuls, des indigènes nous entourent et ils sont réellement hostiles. Pour notre groupe, il est clair que nous sommes perdus. Notre seul espoir est de mourir rapidement. Lorsque les premiers indigènes ne sont plus qu'à quelques pas de moi, je deviens comme folle et je ramasse le sabre d'un des nôtres déjà mort. Alors, poussant de véritables rugissements de bête fauve, je me dénude la poitrine et la frappe du plat de la lame. J'ignore pourquoi, mais aussitôt les indigènes sont pris d'une telle panique qu'ils se sauvent dans toutes les directions.

— Ça, c'est incroyable!

— Vous avez raison.

— Non, je veux dire que cette histoire, que vous venez de raconter, j'en ai lu une toute semblable dans les sagas islandaises. Il s'agissait, si je me souviens bien, d'une sœur ou en tout cas d'une parente d'Érik le Rouge. Vous n'avez jamais lu ces sagas?

— Non, mais à présent, je suis vivement intéressée!

— J'ai lu ça quand j'étais en Saskatchewan. Un voisin de chez nous, un vieux, vivait là, dans une petite cabane au milieu des vallons. Un type étrange. Parfois, j'allais le trouver et il avait toujours des histoires peu banales à raconter. D'autres fois, il me prêtait un des livres qui, je crois, constituaient le seul isolant thermique de sa cabane. Celui dont je vous parle en était un. C'est vraiment curieux. »

Miriam rit soudain à gorge déployée, puis s'en explique :

«Finalement, vous voyez, Adam, je crois que nous ne sommes pas si loin de la Théorie unifiée; tout semble se rejoindre. Comme si l'univers était un immense puzzle dont il s'agit de mettre les pièces en place. Le Big Bang, boum! Tous les morceaux partent dans tous les sens; il ne reste plus qu'à retrouver la place spécifique de chacun dans le grand schéma.

— Dans quel but? »

Elle le regarde un instant.

«Vous avez raison, tout cela n'a aucun sens; c'est une histoire de fous, sans chercher à paraphraser Shakespeare. Et cette île aussi est bien étrange, encore sauvage, coincée entre, pardonnez la métaphore, le gros et le petit intestin du ventre de l'auto. »

Avançant dans les taillis, ils parviennent à l'extrémité ouest de l'île. Devant eux au loin, bien qu'il soit encore de bonne heure, la silhouette dramatique de Detroit paraît trembloter dans une légère brume de chaleur. Miriam secoue légèrement la tête, comme à regret, et elle observe :

«On a beau avoir ça sous les yeux depuis qu'on est tout petit, c'est toujours un peu impressionnant.

— Impressionnant, oui, mais je ne suis pas certain que cela fasse vibrer les bonnes cordes.

— Je sais ce que vous voulez dire. Ça devait déjà être ainsi avec la Rome impériale; c'est le problème avec l'Amérique en général. Elle fait vibrer bien des cordes, comme vous dites, mais il arrive aussi souvent que ce soient celles liées à des instincts que l'on pourrait qualifier de primaires. Cela dit sans jugement de valeur; ce qui est primaire n'est pas nécessairement mauvais.

— Vous avez raison. D'un côté, il y a de la fascination pour ce qui peut symboliser la puissance matérielle, mais il y a aussi la part du rêve, souvent renvoyée par les milliers de films de notre enfance. C'est contre la façade d'un décor comme celui-là que parfois on apprend à envisager notre quotidien. C'est une image de la Cité. La cité imaginaire dont nous voulons à la fois être acteurs et spectateurs. Sauf qu'il y a un danger avec ces cités qui toutes se veulent la Cité; tous ceux qui s'en savent exclus, tous ceux qui découvrent qu'ils ne pourront jamais appartenir au rêve, tous ceux-là voudront détruire la Cité, quelquefois en tentant d'en imaginer de meilleures – et cela est positif –, d'autres fois en voulant faire sauter celle-ci. C'est ce qui arrivera fatalement un jour, vous verrez. On ne peut pas impunément proposer la Cité idéale et ne pas inviter tout le monde à en être.

— Et c'est bien pourquoi la Cité idéale est loin de l'être… Adam, je crois que là, nous sommes montés sur de bien grands chevaux…»

Leurs regards se croisent et ils éclatent de rire. Durant toute une immense seconde, ils sont douloureusement tentés de s'étreindre. Ô se serrer l'un contre l'autre! Surmontant cela, ils se sentent infiniment bien. Tout semble parfait: la lumière matinale dorée, le calme étrange, la rivière presque blanche, l'odeur vivifiante de la végétation insulaire dominant celle, sulfureuse, de la double agglomération. Sans d'autres mots que ceux servant à désigner un écureuil ou un vol de geais bleus, ils longent le rivage, se faufilant entre les troncs et les aulnes. Un passage d'histoire régionale revient à Adam:

«Je crois savoir que Pontiac avait une cabane sur cette île.»

Miriam sourit pour elle-même, il s'en rend compte, mais, sans savoir pourquoi exactement, ne lui en demande pas la raison. Il y a ainsi des choses que l'on sait ne pas devoir demander.

Le temps passe vite, beaucoup trop vite, et l'heure du déjeuner arrive, ou sans doute plus exactement, comme cela se produit souvent, leurs corps cherchent à tromper leur faim véritable en réclamant des nourritures terrestres. Ils retournent à la chaloupe où se trouvent la fameuse salade de pommes de terre et la bouteille de vin. À la demande d'Adam, Miriam détaille la très simple recette:

«Des pommes de terre *Yukon Gold* bouillies environ quarante-cinq minutes, refroidies puis coupées grossièrement, une boîte de hareng doré fumé du Nouveau-Brunswick, du persil frais, une bonne pincée de feuilles de coriandre hachées, sel de mer, poivre blanc et piment de Cayenne. Et pour la vinaigrette, trois parties d'une bonne huile d'olive pour une de vinaigre de cidre de pommes.»

Adam prend une bouchée, conscient de porter à ses lèvres ce qu'elle a préparé pour lui. N'essayant nullement de se montrer poli, il est renversé:

«Je le jure, je n'ai jamais rien mangé d'aussi bon! Des pommes de terre et du hareng, c'est tout? Incroyable!»

Miriam est heureuse; elle sait qu'il ne flagorne pas. Adam trouve cela si délicieux qu'il en oublie de déboucher la bouteille. Lorsque, enfin, il sort celle-ci du papier journal destiné à la protéger, Miriam se penche pour en déchiffrer l'étiquette usée par le temps. Dans le mouvement, sa chevelure s'écarte, découvrant sa nuque pâle. Pris du besoin d'y poser les lèvres, Adam a l'impression que tout explose blanc dans son crâne. Il lui faut toute sa volonté pour articuler normalement:

«C'est tout ce qui me vient du père de ma mère.

— Vous voulez dire de votre grand-père?»

Elle le regarde de toutes ses forces. Elle voudrait qu'il soit possible qu'ils s'embrassent, là, à cet instant. Comment faire pour rester naturelle? Ne peuvent-ils pas oublier le reste du monde une seule petite journée? Un après-midi!

«Oui, répond Adam, mais, je ne sais pas… Comme mes parents ne sont pas mes parents biologiques, même si pour moi ils sont mes vrais parents, je n'arrive pas, dès qu'il s'agit de sauter le cap de maman ou de papa, à dire mon grand-père, ma tante ou mon cousin. C'est comme ça; je m'explique mal moi-même pourquoi. Enfin bref, c'est le père de ma mère qui m'a donné cette bouteille qu'il avait rapportée d'un voyage en France quelque temps avant de mourir. Il m'a dit de bien la conserver, qu'un jour je saurais quoi en faire. À l'époque, je n'avais officiellement que onze ou douze ans, non, douze ans puisque c'est pour cet anniversaire que mon père m'a ouvert un compte en banque et aussi loué un coffre pour, m'a-t-il dit alors, apprendre à préserver ce qui a de la valeur. Un petit coffre dans lequel, justement, ne sachant quoi y mettre, j'ai placé toutes mes valeurs, dont cette bouteille. C'est un Petrus 1961, un bordeaux de la région de Pomerol. Je crois aujourd'hui que je sais exactement quoi en faire…

— Mais ça doit valoir une fortune! Vous ne pouvez pas…

— Miriam, je suis certain que boire cette bouteille ici, aujourd'hui, avec vous, est la meilleure utilisation que je puisse en faire.»

Sans lui laisser le temps d'argumenter davantage, il découpe la capsule d'étain puis visse le tire-bouchon. Pour l'occasion, il a acheté deux verres de cristal, eux aussi enveloppés dans du papier journal. Lorsqu'il commence à verser le vin, Miriam ne peut retenir un petit cri de surprise; l'éclat du printemps redistribué en mille feux par le cristal embrase la robe du vin. Adam lui tend le verre et attend, comme un sommelier peut le faire dans une grande maison. Et, comme un gourmet dans une telle maison, faisant lentement tourner le vin sur les parois de cristal, Miriam hume longuement avant de prendre une gorgée qu'elle garde en bouche, tandis que ses yeux s'écarquillent. À ce regard, Adam comprend que ce qui vient de sortir de cette bouteille est loin d'être ordinaire.

«Je ne sais quoi dire, affirme Miriam après de longues secondes, ça ne s'explique pas!»

À son tour, Adam prend une gorgée et, presque aussitôt, ferme les yeux pour retenir d'absurdes larmes. Pour la première fois de sa vie, il se rend compte que l'expression «bon à pleurer» peut être plus qu'une figure de style. En réalité, ce n'est même plus une question de goût; affirmer que ce vin est bon, succulent, exquis ou sublime lui ôterait une partie de ce qu'il possède. Pour tenter de représenter sa vraie nature, il faudrait pouvoir exprimer des sensations ne devant rien aux images, aux sons ou aux odeurs. Sans doute, en osant s'aventurer dans le ridicule, ils pourraient évoquer le nez d'un fruité intense, de framboise, de réglisse et de bois précieux, ils pourraient signaler l'attaque moelleuse suivie d'une extraordinaire concentration explosive où se mêlent des senteurs automnales de sous-bois et un fin rappel de chocolat pur, mais tout ceci ne constituerait que le seuil primaire de l'information; aussi, plus sagement, ils choisissent de se taire et de ne partager que par des regards. À la mi-bouteille, les yeux embués, Miriam ne peut s'empêcher de s'exclamer:

«Comme je suis heureuse!»

Ces quatre mots provoquent immédiatement ce qu'ils expriment dans l'esprit d'Adam. Puis tous les deux vont encore plus loin. D'abord, un peu comme un frisson sans le froid, allant jusque dans les joues puis tout au fond du crâne. Un immense courant de bien-être bientôt suivi d'un état où plus rien ne reste sinon la lumière; une lumière qui, aussi intense soit-elle, ne peut aveugler. Plus de questions, plus de pensées formulées, rien, rien que la compréhension totale et sans objet, la plénitude de tout dégagée des sens et du sens.

Revenant à elle, si l'on peut le dire ainsi, Miriam comprend immédiatement que, jusque dans la structure fondamentale de sa chair, elle n'est plus tout à fait la même. Constat identique chez Adam. En même temps, chacun comprend que jamais plus dans cette vie ils ne pourront retourner en arrière, qu'à partir de cet instant, il ne leur reste plus qu'à payer le prix; c'est-à-dire à se souvenir en sachant que cela ne reviendra plus. Jamais.

Pour l'instant, cependant, ils sont encore ensemble et cela suffit amplement à assurer un niveau de joie dépassant les plus grandes exigences. La bouteille terminée, côte à côte, ils se sont allongés, le dos dans l'herbe haute, les yeux plantés dans l'azur. Au loin, très loin, sur l'autre rive du bras de rivière, la rumeur de Motown fait elle-même écho à celle du monde. Mais là, sur cette île, ils n'en sont que les auditeurs. Aucune parole, aucun malentendu ne peut se mettre entre eux et, comme pour en faire la preuve, Miriam dit doucement, sur un ton presque détaché:

«Roméo et Juliette, Paul et Virginie, je croyais que c'étaient des amours impossibles, mais ce n'est pas vrai,

Adam. Ils avaient la possibilité et même le devoir de réagir à ce qui se mettait entre eux. Le nôtre, lui, est vraiment impossible sur le plan quotidien. Il l'est parce qu'il ferait mal à quelqu'un que j'aime et que, au risque de s'autodétruire, ce qui serait le pire, l'amour ne doit jamais faire mal à personne.

— Nous le savons depuis le premier jour, Miriam. Cela dit, je suis loin de vouloir prétendre que cela ne fera pas mal!

— Je sais…»

Ni l'un ni l'autre n'a besoin de préciser que ce qui est terrible, puisqu'ils sont de chair, c'est-à-dire de temps qui passe et qui ne reviendra pas, c'est de devoir envisager les heures, les jours, les mois et les ans sans se voir, sans se parler, sans peut-être même savoir ce que l'autre deviendra. Mais au bout du compte, est-ce la durée qui importe? Ils auront eu aujourd'hui et cela leur suffit pour qu'ils remercient le ciel d'avoir vécu.

Ils ont parlé en gardant les yeux fixés vers le ciel. Sur les derniers mots, ensemble, ils tournent la tête l'un vers l'autre et se donnent la main, ce qui sera sans doute le contact physique le plus important qu'ils auront jamais.

Après un long silence, peut-être une heure, dans un presque murmure, Miriam dit:

«Adam, il faut que je vous révèle un fait connu uniquement de Joe et de moi. Mais il me semble que, puisque c'est un secret pour tout le monde, je dois vous le dire. C'est intime…

— Je ne veux pas que vous vous sentiez mal à l'aise.

— Vous savez que ça ne peut pas être le cas, pas entre vous et moi.

— Je sais…

— Je suis vierge, Adam.

— Vierge? Mais… vous êtes mariée depuis…

— Oui, depuis assez longtemps pour ne plus l'être, mais, je suis incapable d'expliquer pourquoi, le soir des noces, comme on dit, j'ai demandé à Joe d'attendre que nous soyons totalement prêts à avoir un enfant. Il savait ce que cela signifiait, puisque je lui avais aussi dit que je voulais enseigner au moins quelques années avant. Malgré cela, il a accepté.

— Et... excusez-moi, mais vous partagez le même lit?

— Des lits jumeaux, dit-elle en riant, comme dans les vieux films américains.

— Et jamais il ne vous a demandé de revenir sur cette décision?

— Parfois, il laisse entendre que c'est difficile.»

Adam approuve légèrement de la tête, avant de dire:

«Vous avez tellement raison de dire que notre amour est impossible. J'aime beaucoup votre mari.

— Moi aussi!»

Un peu étonné, Adam constate qu'il n'en éprouve aucune jalousie ni même d'amertume. Ce que Miriam vient de déclarer ne lui ôte absolument rien. Fort de cette évidence, il ose demander:

«Il n'est jamais arrivé que le désir tente de vous faire changer d'idée?

— Souvent, trop souvent! Mais alors j'imagine le moment où je concevrai un enfant et je veux que ce moment-là soit parfait. Il me semble que c'est à ce prix que l'enfant, lui aussi, sera presque parfait. Cela vous semble drôle, non?

— Pas du tout! Au contraire, je trouve cela très beau. Je me suis toujours dit que l'acte le plus important que l'on pouvait poser était celui de procréer. Le monde va mal parce que les gens trop souvent se reproduisent sans même penser à ce qu'ils font. J'ai peut-être tort, mais je crois que les tueurs, les violeurs et ceux qui font du mal à plaisir sont souvent le résultat de viols ou de conceptions non désirées. Non, Miriam, cela ne me semble pas curieux du tout.

— Vous... Non, je n'ai rien dit.

— Moi aussi, ou plutôt moi non plus, mais ce n'est pas imputable à une décision, il y a juste que chaque fois que l'occasion s'est présentée, je me suis défilé parce que je savais que ce ne serait pas vrai, que ça ne pourrait être, au mieux, qu'une pantomime.»

Miriam va répondre «un jour vous trouverez», mais elle se tait à temps, réalisant douloureusement qu'il a dorénavant trouvé et que, selon tout ce qu'elle peut concevoir, et sans qu'il soit question de coquetterie, il ne trouvera plus jamais comme cela. Adam doit avoir suivi ses pensées, car il lui souffle :

« Ce n'est pas grave... »

Elle comprend qu'elle aussi a trouvé à présent, et que si cela avait été Adam qui était entré chez *Jerry* à la place de Joe, sans doute ne serait-elle jamais allée étudier en Angleterre et surtout, au soir des noces, elle n'aurait jamais pu, sous le prétexte d'une carrière, remettre à plus tard la conception d'un enfant qui serait le leur. Un peu étourdie, elle prend conscience que déjà le soleil glisse dangereusement vers l'ouest, que le temps file beaucoup trop vite. Adam ressent la même chose et se rend à l'évidence qu'ils en sont déjà à la fin. L'école sera fermée durant tout l'été et, milieu août, il partira pour Waterloo.

Le cœur serré, le vide au ventre, ils partagent un regard prolongé.

« On ne pourra jamais rien espérer de plus », dit-il en sachant qu'il faut parfois prononcer les mots pour que ce qu'ils expriment devienne réalité. Mais, acquérant soudain une certitude, Miriam le détrompe et affirme : « Je ne sais quoi ni pourquoi, ni où, ni comment, Adam, mais là, maintenant, j'en suis convaincue, un jour nous nous donnerons plus encore.

— Donc, rien n'est impossible ?

— Rien, pas même la Théorie unifiée ! C'est ce qui est merveilleux, n'est-ce pas ?

— C'est vrai, c'est merveilleux ! »

Cela ne les empêche pas de savoir que, dès que la chaloupe aura atteint l'autre rive, dès qu'ils se seront dit bonsoir d'un signe de la main et qu'ils s'éloigneront chacun dans sa direction après s'être retourné vers l'autre autant que faire se peut, ils vont sans aucun doute pleurer comme des enfants. Et, oui, finalement, c'est ce qui est merveilleux !

VI

Ils n'ont eu qu'une occasion de se revoir avant les vacances d'été; une rencontre dédiée à l'étude, comme ils se l'étaient fixée depuis le début. Puis Adam s'est préparé à déménager à Waterloo pour la rentrée universitaire. C'est la veille du jour prévu pour son départ que tout se produit.

Pour réaliser un de leurs projets parmi les plus accessibles, Joe a pris une semaine de congé afin que Miriam et lui puissent s'offrir une excursion de camping sauvage, non pas, comme ils en rêvent, sur le trop lointain fleuve Yukon, pas encore cette année, mais au moins sur l'île Manitoulin, dans la baie Georgienne. Ce soir, ils se trouvent au sud-ouest de l'île et ont installé leur tente dans une anfractuosité rocheuse face au lac. Quatre cents kilomètres au sud, à cheval sur la même longitude, soit, à peu de choses près, sur le 82° 55' ouest, Adam a décidé que sa dernière soirée au Détroit se passerait sur l'île à la Pêche, à l'endroit où Miriam et lui ont pique-niqué. Il ne peut imaginer meilleur endroit où se sentir plus près d'elle, pas davantage pour tenter de répondre à cette question qui ne cesse de le hanter: «Qu'allons-nous faire de tout cet amour qui ne semble servir à rien?»

La journée a été comme les autres le sont souvent l'été à Windsor, c'est-à-dire étouffante. Cependant, en fin d'après-midi, une légère brise est arrivée du nord-ouest et, sans doute pour la première fois de ce mois d'août, quelque chose dans l'air commence à laisser présager l'automne. Une vague odeur de feuilles pourrissantes, peut-être, cette exhalaison qui annonce le départ des lumières de l'été et, par association inévitable, évoque la fin de soi, mais aussi la putréfaction qui donne l'humus où germe la vie. Lorsque Adam retrouve la bouteille de Petrus, laissée sur place à dessein, il lui vient l'idée extravagante d'écrire tout ce qu'il n'a jamais eu le droit de dire à Miriam de vive voix, de le mettre dans la bouteille et de confier celle-ci à la rivière qui, elle seule, saura quoi en faire. Il saisit parfaitement tout ce qu'il y a de superstitieux sinon d'infantile dans ce geste, mais il sait tout aussi bien qu'aucune rationalité ne sera en mesure de l'aider davantage ni même autant. Ce n'est pas compliqué, ce qu'il veut pouvoir dire tient en quelques mots, sinon en trois; cette combinaison d'un verbe et de deux pronoms que chacun est toujours tenté de faire durer sur des pages et des pages et qui, depuis les débuts de l'écriture, ne cesse de remplir les livres, comme en quête perpétuelle de son sens véritable.

Lorsque, bouteille à la main, Adam s'avance sur le rivage, le ciel est comme en attente.

Même chose à quatre cents kilomètres au nord. Joe taille un morceau de bois avec son canif, et Miriam, qui a mis son maillot pour une baignade au crépuscule, longe la rive, de l'eau jusqu'aux chevilles, des larmes au bord des yeux et les pensées quatre cents kilomètres au sud.

Au moment où la bouteille lancée touche l'eau, le vent se lève brusquement, les cieux tournent rapidement au violet et une houle dentelée d'écume blanche commence à s'agiter sur l'eau. C'est plus fort que lui, Adam crie le nom qui lui emplit la poitrine. Un cri si intense qu'il semble se répercuter sur la ville, là-bas, et revient, comme un projectile, lui heurter le plexus.

À Manitoulin, les conditions du ciel et du lac sont exactement les mêmes. Si elle écoutait la voix de la prudence – et celle de Joe – Miriam retournerait vers la tente, mais au lieu de cela, sur une impulsion qu'elle ne saurait expliquer, elle prend une profonde inspiration et plonge.

Adam ignore pourquoi, mais il éprouve de son côté un

besoin aussi irrésistible qu'inexplicable de plonger. Il envoie voler ses vêtements et, à son tour, se jette à l'eau. Immédiatement, il comprend qu'il se passe quelque chose d'inhabituel. Il n'est pas seulement dans l'eau, mais au centre de tout. Son corps, lui, ne se limite plus à l'extrémité de son épiderme; il devient l'eau comme l'eau devient lui. Non seulement l'eau, mais aussi la terre, le monde.

Loin au nord, Miriam ne sait pas non plus ce qui lui arrive. Tout à l'heure, il y avait encore cette déchirure constante, mais depuis qu'elle s'est jetée à l'eau, elle ressent une formidable plénitude. Au-delà de toute explication possible, Adam est là, avec elle. Elle en est totalement persuadée.

Adam ressent exactement ce que ressent Miriam, sauf que cette joie est beaucoup trop violente pour son corps. Immergé, il comprend qu'il est en train de se diluer, de redevenir ce qu'il a toujours été.

«Voilà donc la vérité!» s'exclame-t-il.

Alors, comme lui-même, son rire devient l'onde et, de la rivière Détroit au lac Huron, les eaux deviennent émeraude sous le ciel noir.

De Detroit à Manitoulin, contredisant les prévisions météorologiques, l'orage éclate, fantastique. Ne comprenant pas pourquoi Miriam ne répond pas à ses appels lui enjoignant de sortir immédiatement de l'eau, Joe s'y précipite tout habillé. Rejoignant sa femme au milieu des vagues alors que la foudre tombe tout autour avec fracas et la voyant bien vivante, il lui demande avec force pourquoi elle ne répond pas, mais Miriam ne semble ni l'entendre ni même s'apercevoir de sa présence. Ce qui est le plus saisissant est qu'elle a sur le visage toutes les marques de la joie la plus pure. Il se demande avec horreur si elle n'a pas été foudroyée. Il prend vraiment peur et se met à hurler:

«Miriam! réponds! Réponds-moi, mon amour!»

C'est ce dernier mot qui semble la tirer de son absence. Le masque de joie cède place à un sourire contrit à l'adresse de son mari, puis, après un dernier regard vers l'horizon, indifférente aux éléments déchaînés, elle se dirige vers lui. Lui qui se rend compte à cet instant que, défiant toute compréhension, sous le ciel zébré d'éclairs, il est en train de tomber follement amoureux de la femme dont il est pourtant déjà amoureux.

VII

D'abord, Miriam croit tout simplement qu'elle a du retard. Puis, après s'être levée plusieurs jours de suite avec la nausée, elle commence à penser au cancer et elle prend peur. Avec la pollution qui règne à Windsor, elle serait loin d'être la première de son âge à développer une tumeur.

Bien sûr, lorsque la généraliste consultée lui demande si elle pense être enceinte, Miriam rit et déclare :

« Impossible !

— Impossible… Vous savez, les contraceptifs ne sont jamais sûrs à cent pour cent.

— Je n'en ai jamais pris.

— Alors…

— Alors, je suis vierge, docteure. »

La praticienne regarde Miriam un long moment sans rien dire, hésitant sur l'approche à adopter. Enfin, avec beaucoup de sous-entendus dans le ton, elle fait remarquer :

« Vous êtes mariée…

— Mariée, oui, mais également vierge. Nous avons convenu, mon mari et moi, de n'avoir de rapports que pour concevoir. C'est notre façon de dire l'importance que nous attachons à la conception d'un enfant. »

Une nouvelle fois, la généraliste reste silencieuse quelques secondes avant de déclarer qu'elle va procéder sur-le-champ à des examens préliminaires. Miriam s'isole pour uriner dans un flacon, après quoi l'omnipraticienne décide de procéder elle-même au test ; elle tient à mettre sa patiente devant l'évidence. Et, en effet, comme elle s'y attendait, le résultat est positif et sans appel. Cependant, au lieu d'en faire mention, elle déclare qu'elle doit procéder à un examen vaginal. Plus que jamais, la gorge nouée, Miriam pense au cancer. Mais, bien vite, toutes ses convictions bousculées, la généraliste constate de visu que Miriam n'a dit que la stricte vérité. Ses épaules s'affaissent. Pour Miriam, cette attitude ne peut que confirmer un verdict fatal:

«C'est une tumeur, n'est-ce pas?

— Oh, non! Non! il n'y a aucune tumeur, Miriam; et, à en perdre son latin, vous avez dit la vérité...

— Bien sûr que j'ai dit la vérité!

— Ce que je veux dire... Je ne sais pas comment vous le formuler, mais il se trouve aussi que... Eh bien voilà, Miriam, vous êtes enceinte.»

Il serait faux de prétendre que Miriam tombe des nues; quelque part, dans ce que l'on nomme le subconscient, elle en avait déjà un peu l'intuition. Mais entre cela et la connaissance directe du fait, il y a un abîme. Elle n'est donc pas terrassée par la surprise, mais chancelle sous le choc de ce qu'implique pour elle le fait d'être enceinte; enceinte et vierge! Rien, dans tout ce qu'elle a pu apprendre, ne lui indique que la chose soit possible. Pourtant, malgré cette impossibilité, la première certitude qui se fait en elle est qu'Adam, qui ne l'a jamais touchée et qui n'est pas son mari, ne peut être que le seul père possible et envisageable.

Si le fantastique se prête bien aux histoires, rien dans la formation d'un médecin n'autorise à seulement le prendre en considération; la généraliste veut une explication rationnelle.

«Essayons de comprendre, Miriam, vous êtes vierge et vous êtes enceinte. Il a bien dû se passer quelque chose qui nous échappe pour le moment. Vous ne pensez à rien de particulier qui pourrait nous éclairer?

— Je peux imaginer quelque chose, mais cela ne vous satisferait pas...

— Dites toujours.

— Bien, la seule hypothèse que je puisse donner est que c'est l'amour qui m'a mise enceinte...

— L'amour… Vous voulez dire que vous seriez enceinte du seul fait d'aimer?

— Et d'être aimée. Je ne peux imaginer d'autre explication. À aucun moment de ma vie je n'ai eu de relation sexuelle avec un homme. Jamais! En termes plus cliniques, je vous assure que je n'ai jamais été en contact physique avec la semence d'un homme.

— J'imagine que vous spécifiez le terme physique en opposition à spirituel? Autrement dit, vous concevez, et là j'ignore comment, mais vous concevez avoir pu avoir un contact spirituel avec la semence d'un homme?

— Je n'aurais pas osé l'exprimer à voix haute, mais je ne peux voir aucune autre explication.

— Je vous avoue que, d'un point de vue romantique, cette explication est attrayante, et je rêve pour moi-même du genre d'amour auquel vous faites référence, mais d'un strict point de vue médical ou scientifique, elle ne tient pas la route une seconde.

— Je sais, en tant que médecin, vous ne pouvez vous appuyer que sur des bases scientifiques… Moi-même…

— Absolument! Dans le cas contraire, nous verserions dans le chamanisme, la sorcellerie!

— C'est vraiment cela dont je vais avoir besoin pour convaincre mon mari…»

Lorsqu'elle quitte le cabinet de l'omnipraticienne, qui est déjà en train de composer le numéro d'un ami et confrère, Miriam est partagée entre deux sentiments extrêmes: d'une part le tourment quant à la réaction prévisible, et bien légitime, de Joe, de l'autre la joie. La joie toute simple et sans mesure de porter leur enfant; celui d'Adam et elle. Par quel principe, elle l'ignore, mais de la paternité elle est convaincue. Marchant vers sa voiture, elle pose doucement les mains sur son ventre.

VIII

Miriam a attendu la fin de semaine pour parler à Joe. C'est vendredi soir, ils viennent de terminer un bon repas et elle s'est assise tout près de lui sur le sofa.

«Joe, je sais que tu vas te fâcher, que tu vas être malheureux, mais il ne le faut pas. Je te jure sur ce que j'ai de plus cher que tout ce que je vais te dire est la pure vérité…

— Oh là! j'ai peur de ce que tu as à me dire…

— Et moi j'ai encore plus peur de te le dire… Enfin voilà, allons-y. Un : jamais, y compris avec toi, tu le sais, je n'ai fait l'amour avec un homme ou, pour être tout à fait exacte dans les termes, jamais je n'ai eu de relations sexuelles avec qui que ce soit. Deux : je l'ai appris cette semaine de la bouche de mon médecin, je suis enceinte. J'y suis allée croyant à une tumeur puisque, je te le répète, je n'ai jamais eu de relations sexuelles, seulement voilà, c'est un bébé, un bébé que je veux garder. Trois : je sais que la seconde affirmation contredit la première, mais, tu te souviens de cet orage sur l'île? Je ne sais pas comment l'expliquer, mais je crois que tout vient de là. Quatre : je t'aime, Joe. Voilà, je t'ai tout dit.»

Il est aisé d'imaginer la réaction de Joe. D'abord, la stupéfaction marque son visage durant de longues secondes, puis ses traits se durcissent. Miriam voit les poings de son mari se fermer et le sang se retirer de ses phalanges. Il se lève un peu brusquement, comme en mauvais équilibre sur ses jambes, passe dans le vestibule, prend sa veste et, sans avoir prononcé un mot, sort en claquant la porte derrière lui. Miriam, les yeux grands ouverts, reste assise sans essayer de le retenir, ni par un geste ni par une parole. Pour le meilleur ou pour le pire, il n'y a plus qu'à laisser le temps faire son œuvre.

Joe a pris sa voiture et, un peu rageusement, roule au hasard dans les rues de Windsor.

«Comment peut-elle essayer de me faire avaler ça?» se répète-t-il. Cependant, c'est vraiment comme s'il essayait de se persuader qu'elle a menti et non l'inverse. Il faut qu'il en soit ainsi; le reste est impensable. Non, il ne peut pas imaginer qu'elle l'ait trompé, il y a certainement autre chose, mais quoi? Un viol? Mais, si c'était ça, pourquoi voudrait-elle absolument garder l'enfant et le lui imposer? Ne dit-elle pas toujours que si tous les enfants étaient conçus dans l'amour, la terre serait un paradis, que le mal vient de ceux qui ont été conçus sans amour ou, pire, dans la haine?

Les rues de Windsor ne font rien pour adoucir son état d'esprit. Peut-être pour la première fois, il prend conscience de la somme de renoncements qu'elles représentent. Rien, dans tout ce qu'il voit, n'est bâti dans un quelconque souci de réelle beauté. Les bâtisses sont là spécifiquement pour répondre à des impératifs commerciaux ou industriels, sans autre ambition que le gain pour le gain. Et de trop nombreuses résidences sont dans le même esprit, devant répondre aux besoins les plus immédiats, allant de la simple notion d'abri à celle du tape-à-l'œil outrageux destiné à affirmer une position sociale. Rien qui soit vraiment imaginé pour accueillir la simple joie de vivre le long des rues rectilignes et froides. Pourquoi tient-il donc à ce que leur vie se passe ici? Mais est-ce différent ailleurs?

Il aborde le centre, l'avenue Ouellette, où déjà des hordes de célibataires sont en chasse.

«Tout se résume à ça! gronde-t-il en martelant le volant de son poing. Baiser! Les petits oiseaux, les fleurs, la poésie, Mozart, les bagnoles, le jardin potager, la patrie, les vacances dans le sud, les grands idéaux, le compte en banque et l'amour, tout ça et le reste, une seule et unique finalité: baiser! Pourquoi est-ce que je n'ai pas compris ça plus tôt et fourré ma queue à droite et à gauche, moi aussi? Plonger au ventre des filles, crier et les faire crier puisque, au bout du compte, elles non plus ne veulent rien d'autre. Jouir et tout faire pour recommencer au plus vite avant que la poussière nous reprenne! »

Comme en écho à ses paroles, mêlée aux odeurs à bon marché, de pizza, de parfums et de friture, celle du désir stagne dans la rue. Désir qui est en train de le tarauder. Avec un goût de sel sur la langue, il examine les adolescentes qui, comme pressées, passent en riant trop fort. Il détaille des bustes et des fesses, évalue des cambrures, se laisse aller à imaginer. Puisque, selon tout ce qu'il peut concevoir, Miriam se l'est permis, pourquoi pas lui? Lui aussi est capable de s'offrir du bon temps! Il sait déjà qu'il se forge de faux alibis, mais s'en absout d'avance : « Seule la contrepartie pourra nous remettre sur un pied d'égalité! »

Comme sortie d'un souhait à peine formulé, une adolescente remonte la rue à la hauteur de sa voiture. Taille de liane, longue chevelure de jais, courte jupe de cuir et un court boléro jaune vif. Il s'attarde sur le ventre, l'épiderme du ventre, s'étonne de tant d'appel dans si peu de peau. La vitre est baissée. Sans l'avoir prémédité, il stoppe au milieu de la rue et lui demande si elle veut prendre un verre avec lui. Elle s'arrête, l'observe, hausse légèrement les épaules et répond par un « pourquoi pas... » modulé.

Dans un bar bruyant, il commande une *Walkerville*, elle un café-cognac. Ils bavardent de tout et de rien. Ils rient souvent, changent d'établissement pour aller danser et consomment davantage. Elle lui dit se prénommer Eisa et acquiesce d'un battement de cils lorsqu'il lui suggère qu'ils seraient plus tranquilles dans une chambre pour faire connaissance. Sans chercher à dissimuler quoi que ce soit de ses intentions, il traverse à Detroit par le tunnel, tourne sur sa gauche après la douane, s'arrête devant un hôtel à proximité du Cobo Center et y entre pour réclamer une chambre avec vue sur la rivière. Il se fait valoir sans trop y croire que, puisque l'hôtel se trouve « aux États », cela le préserve du sordide des liaisons qui n'en sont pas. Dans la chambre obscure, ils n'allument pas et vont se poster devant la grande baie vitrée. Joe remarque que la vue depuis la rive américaine est beaucoup plus ordinaire. Seule la rivière est la même, telle du pétrole, reflétant les lumières orangées des deux villes. Il recule d'un pas pour distinguer la silhouette de sa partenaire à contre-jour. Le désir lui fait mal dans tout le corps. Il entreprend de défaire le lacet noir qui ferme le boléro. Eisa se laisse faire. Il se rend compte qu'elle respire plus rapidement et son excitation s'amplifie. Une nouvelle fois, il prend du recul pour mieux se convaincre que ce profil lui appartient. Il regarde autour de lui à la recherche d'un accessoire et aperçoit le combiné radio intégré à la table de chevet. Laissant Eisa qui semble un instant tanguer sur elle-même, il s'en approche et sélectionne une station de jazz qui aussitôt distille la plainte d'un saxophone dans la pièce.

Une Amérique s'évanouit, celle du travail quotidien incontournable pour payer la liste sans cesse allongée des biens qui confèrent le statut social, cette Amérique où, chaque soir, on retrouve l'autre pour oublier entre les draps du lit commun que l'on s'en va, pour rien, sans laisser de trace. Mais il suffit d'une chambre avec vue, d'une fille qui veut bien s'offrir et de quelques notes de jazz qui moulent le désir pour se retrouver dans l'autre Amérique, celle de l'évasion pour elle-même, celle qui permet de supporter la première, celle où chaque matin la route est toute grande ouverte pour nulle part, celle où tout semble toujours à recommencer, celle où le prix du rêve est le rêve lui-même, celle où l'horizon reste toujours à sa place, inaccessible, exactement comme l'assouvissement du désir pour lui-même.

Comme en filigrane sombre dans la pénombre électrisée, le corps offert est infiniment désirable. Il le veut là, dans le jazz. Pas d'autres issues que d'exploser au feu de ce ventre. Mais, s'avançant pour poser les lèvres sur l'extrémité noire du sein, fulgurance : il comprend que tout le désir qu'il éprouve n'a rien à voir avec cette fille; qu'elle n'est qu'une représentation. Elle, il ne la connaît pas, il n'éprouve pour elle rien de plus que de la sympathie. Le désir qui le brûle en ce moment vient de l'image qu'il a de Miriam dans les bras d'un inconnu. Miriam se donnant à un inconnu, Miriam jouissant, pour rien, d'un inconnu, Miriam recevant en criant la semence d'un inconnu. Image d'un Noir surgi d'une ruelle abandonnée, fort, puissant, luisant dans la nuit, symbole de la force bestiale que peut-être il a perdue. Miriam refermant ses bras autour de l'autre, offerte à la bête, au néant. Comme lui s'apprête à refermer les siens sur ce corps.

Non! Le désir qui le torture est celui qu'il a de Miriam. Il peut se vautrer mille fois sur mille filles comme Eisa, cela ne servira à rien. Par le plus grand des mystères, il n'a le vrai désir que d'une seule chair, celle de Miriam. S'il en est une, sa destinée en cette vie ne peut passer que par la chair de Miriam et, exactement pour cette même raison, celle-ci ne peut pas ne pas avoir dit la vérité. Au lieu de poursuivre le geste amorcé, il se détourne et ne peut réprimer une plainte.

Est-ce une concession à sa propre libido, il se dit alors que ce serait faire un affront à cette fille que de la laisser «comme ça». Il tombe à ses genoux et, avec quelque part l'impression d'enfreindre une loi écrite dans la chair, fait glisser la petite culotte. Il la voit qui se cambre légèrement, il sent ses fesses se contracter dans ses paumes, hume l'exhalaison un peu âcre de sa toison et, brusquement, par réflexe, y porte les lèvres. Une tempête explose dans son crâne alors que, cherchant à donner à Eisa ce qu'il estime lui être dû, il reçoit ses eaux qui, brûlantes, roulent sur son torse. Mais elle n'entend pas en rester là et il ne peut que dire «Non!» lorsqu'elle se penche, détache violemment sa ceinture et l'attire à elle. Il tente bien de rester à genoux sur la moquette, mâchoires et paupières crispées, mais, sans un mot, presque dans un mouvement de revendication, elle parvient à le recouvrir, à le saisir, à le diriger puis à refermer ses jambes autour de ses reins.

«Maintenant, tu es à moi…» lui souffle-t-elle à l'oreille.

Plus que le reste, ce ton déterminé, cette rage de le posséder comme il a voulu la posséder a raison de la volonté de Joe. Eisa rit, le rire cristallin de la victoire. Il distingue l'éclat blanc de ses dents et de ses yeux qui émerge de la pénombre alors qu'il se répand en elle.

«Pourquoi tu ne voulais plus?» lui demande-t-elle lorsque tout est terminé.

Il tente de lui expliquer, et l'expression qu'elle a peut tout aussi bien laisser entendre qu'elle comprend ou qu'elle s'en fiche. Mais il s'agit peut-être d'un masque. Elle ne montre pas de signe de mauvaise humeur à devoir repartir au milieu de la nuit. Tout au plus, elle dit :

«J'aimais bien cette chambre…

— Sans doute parce qu'on y devient spectateur de la vie, comme à l'abri derrière la vitre…

— À l'abri de quoi?

— Du quotidien. »

De retour à Windsor, il se gare à l'endroit où il l'a abordée. Elle comprend que c'est réellement fini. Se quittant, ils se sourient, lui avec un peu de gêne, elle avec du dépit dans le regard.

«Désolée de ne pas être celle de ton quotidien, dit-elle.

— C'est moi qui suis désolé de t'avoir fait ça…

— Ça va, j'ai eu ce que je cherchais… »

Elle amorce un pas sur le trottoir et lui adresse un clin d'œil. «Un éclat de feu», se dira-t-il. Puis, l'instant suivant, une terreur inexplicable le glace jusqu'aux os.

Entrant chez lui, encore tremblant, il trouve Miriam assise exactement à la même place dans l'obscurité.

«Miriam, tout ceci est incroyable, inconcevable, mais je te crois, mon amour. Je te crois! Excuse-moi… »

Elle comprend immédiatement avec un pincement de douleur qu'il y a autre chose à excuser que le fait de ne pas l'avoir crue, mais elle pardonne d'emblée, peu importe ce qui a pu arriver, et elle se lève pour entrer dans ses bras. Aussitôt, sans même qu'elle l'ait envisagé, le désir toujours intact de son mari devient le sien. Elle se rend compte que le quotidien a ses droits et que le temps est venu de faire de Joe son époux et le père de son enfant.

IX

Pourquoi Miriam a-t-elle rencontré Joe avant Adam? Selon tout ce que l'on sait, ils semblent vraiment destinés l'un à l'autre. Si, à l'origine de tout, un grand principe déterministe est à l'œuvre, pourquoi est-ce Joe plutôt qu'Adam qui est entré chez *Jerry*? La difficulté de répondre à cette question, pour ne pas dire l'impossibilité, tend à donner raison aux théories quantiques et à affirmer que seul le hasard prévaut. L'on pourrait avancer que l'amour de Miriam et de Joe est par trop éthéré pour ce bas monde, mais si tel est vraiment le cas, pourquoi justement ne pas avoir laissé les événements en faire la preuve? Mais aussi, si vraiment seul le hasard tient les guides de la destinée, est-il possible d'imaginer que ce même hasard soit à l'origine de cet amour, qui pourtant porte toutes les traces d'une détermination antérieure à lui-même?

Le choix que chacun pose à chaque instant est-il attribuable à un enchaînement de hasards qui fait ce que l'on est ou à un phénoménal calcul astronomique rendant inévitable que les choses aboutissent à ce qu'elles sont? Peut-être même que ce savant calcul repose sur les lois du hasard et que celui-ci se trouve être l'agent principal d'une détermination.

Changeons les mots, nommons Amour cette supposée détermination primordiale; nous nous retrouvons avec l'Amour qui, passons le jeu de mots, tente d'anéantir le néant. Pourquoi? Quel avantage à remplacer ce qui n'est pas par ce qui est? Quel avantage à mettre l'Amour là où rien n'existe, et par conséquent où il n'y a aucun souci, aucun problème, aucune souffrance? Une formule mathématique tend à démontrer comment l'univers – la matière – a pu surgir du vide, du néant. La matière? L'arbre, l'air que l'on respire, le soleil qui éclaire, l'oiseau, les molécules chimiques du cerveau formulant toutes ces questions; tout cela est composé d'atomes et, démentant leur propre nom, ceux-ci sont constitués de protons, de neutrons et d'électrons; à leur tour ceux-ci sont composés de quarks, de leptons et autres subparticules indescriptibles qui, à la source, ne sont finalement que de l'énergie pure. Le bois, le renard, les rêves, les étoiles et les pensées: de l'énergie. Une énergie engendrée par le néant et qui, selon ce que l'on en sait, s'est morcelée au cours d'un big bang. Une masse formidable d'énergie à l'origine de tout l'univers dont le volume initial aurait tenu des millions de fois dans la petite cuillère que l'on utilise pour remuer son café.

Tout cela semble loin de Miriam, d'Adam et de Joe, pourtant tout se tient. Pour tenter une dernière fois de surmonter le handicap posé par les limites de la capacité cérébrale humaine et suggérer une réponse concernant le pourquoi de l'apparition préalable de Joe dans la vie de Miriam, peut-être faut-il se demander ce que seraient devenus Miriam et Adam confrontés au quotidien banal; Joe n'est-il pas mieux taillé pour cela? Ou alors, plus simplement, ne faut-il y voir que le renoncement de Miriam face au rêve qui avait toujours le potentiel de se réaliser jusqu'à ce qu'elle entre chez *Jerry*?

Les miracles s'expliquent davantage par la somme de l'ignorance que par quelque pouvoir divin.

Il est parfois tentant de relier des chiffres entre eux, de faire coïncider des hasards numéraux, d'essayer d'arracher un sens primordial à des combinaisons, comme si, plus que les lettres, qui ne sont que les briques des mots, les chiffres avaient une vie propre et recelaient en eux-mêmes les clefs de la connaissance. Chiffres chanceux, néfastes, diaboliques, la numérologie fait des adeptes parmi les personnes dites les plus sérieuses. Pourtant, qu'est-ce d'autre, un chiffre, que la représentation d'une valeur pouvant être interprétée par les sens ou les outils qui les prolongent? Lorsque ces chiffres se trouvent associés à des événements ou des dates, leur sens n'en devient que plus lourd. Qu'y a-t-il de commun, par exemple, entre l'édit de Cardique, par lequel l'auguste Galère a autorisé le culte chrétien; l'élection de George Washington à la présidence de la jeune république américaine; la publication, par Lamennais, des *Paroles d'un croyant*; la première de *Pelléas et Mélisande*; le prétendu suicide d'Adolf Hitler; la nuit de Walpurgis – des démons –, mais qui est aussi l'ancienne fête de sainte Walburge; le *Roodmas*, en Angleterre, qui marque le passage étroit vers le renouveau solaire et le retour de la lumière printanière? Le point commun est que tous ces événements se situent le 30 avril, date où Miriam va donner le jour à Hella. À l'énoncé de ce qui précède, faut-il se demander si le chiffre 30 a une signification particulière? De même pour le 4, puisque avril est le quatrième mois? Libre à ceux qui en éprouvent le besoin de jongler avec ces chiffres et de tenter d'établir des corrélations numérologiques qui finiront bien par ressembler à des révélations.

Dans la famille de Miriam, la tante Pauline et l'oncle Thadée, de Pain Court, célèbrent leurs noces d'or et, bien entendu, toute la parenté a été invitée à se retrouver dans la salle paroissiale du village pour participer à l'événement. Il y a eu des hésitations avant de partir; Miriam est vraiment grosse, presque à terme, et Joe s'est demandé s'il était raisonnable de se rendre jusqu'à Pain Court, une distance d'environ quatre-vingts kilomètres. Miriam a balayé ses objections d'un mouvement de la main :

«Si les contractions commencent, nous aurons tout le temps voulu pour revenir à l'hôpital.»

Ils sont donc partis et ça a été une joie pour tous de se retrouver. Les petits-enfants ont lu des anecdotes amusantes colligées par la famille pour l'occasion, l'oncle et la tante ont reçu de nombreux cadeaux, bien que visiblement, pour eux, le plus beau soit d'être toujours ensemble. Il y a eu le repas à l'ancienne avec une soupe à l'orge, de la dinde, des *glissantes**, du vin du Niagara et de la tarte au sucre nappée de crème. Une fois les tables débarrassées, la veillée a commencé et, connaissant son auditoire, le D.J. embauché pour l'occasion a fait tourner des sets carrés, du mambo et de la polka.

Vers vingt et une heures, choisissant de se montrer raisonnables, Joe et Miriam embrassent les leurs pour prendre la route du retour. Dehors, c'est une belle nuit irisée par la lune. La campagne autour de la voiture baigne dans une tranquillité presque géologique. Uniformément plate, la plaine s'étend jusqu'à la ligne d'horizon. Droit devant, le ciel est roux au-dessus de Detroit. Par la vitre à demi baissée, une brise s'engouffre, portant en elle des exhalaisons de terres du Sud. Tous deux prennent de profondes inspirations. Dans un virage, apparaissant soudain dans le halo des phares, une tortue énorme traverse la route. Joe a juste le temps de se dire qu'il n'en a encore jamais vu une aussi grosse, il fait une embardée pour l'éviter et, sans très bien comprendre comment, perd le contrôle du véhicule. Comme libérée de la pesanteur, la voiture s'envole prestement par-dessus le fossé et atterrit sur ses quatre roues dans un champ labouré. Pour Miriam, davantage que le choc lui-même, la surprise déclenche les contractions. Comme en écho aux injures de circonstance lancées par Joe, elle a un «oh!» significatif.

Joe descend pour évaluer la situation. La voiture est prisonnière de la terre molle. Même en considérant la possibilité d'avancer de quelques mètres, le fossé s'impose, infranchissable, entre le champ et la route.

«Au moins, la tortue est sauve», fait Miriam dans un souffle, sans que Joe puisse déterminer si c'est dit en toute sincérité ou pour désamorcer la tension qui menace. Regard écarquillé par l'angoisse, il fixe sa femme.

«Je n'ai pas le choix, il faut que j'aille chercher de l'aide.

— Non, Joe! Je ne veux pas que tu me laisses seule maintenant. Quelqu'un va finir par passer, ce n'est pas comme si nous étions en plein désert.

---

*Rondelles de pâte émincées et cuites dans un bouillon gras.

— Mais qu'est-ce qu'on va faire si le bébé arrive? »

Pour toute réponse, Miriam plisse les paupières sous l'effet d'une nouvelle contraction. Sans pouvoir se l'expliquer, elle comprend alors que tout va être rapide et que les choses sont ainsi parce qu'elles ne peuvent pas être autrement. Soudain, elle pense à Adam, dont elle n'a aucune nouvelle. La pensée est si fulgurante qu'elle lui arrache des larmes que Joe attribue à la douleur. Cette même pensée, toutefois, convainc Miriam que tout ce qui arrive doit être ainsi. S'il faut qu'elle accouche cette nuit dans la voiture au milieu d'un champ, c'est qu'il doit y avoir une bonne raison à cela.

Dans la partie la plus méridionale de ce qu'il est convenu de nommer le Sud-Ouest ontarien, il est possible de récolter jusqu'à cent tonnes de tomates à l'hectare; en conséquence, le prix de la terre prohibe toute velléité de pratiquer l'élevage, et les sols y sont donc presque exclusivement destinés aux cultures intensives. Citadine, Miriam ignore toutefois ce détail et, lorsqu'elle aperçoit deux grands yeux à la vitre de la portière, elle croit tout d'abord qu'il s'agit d'une vache. Ce n'est que lorsque Joe s'exclame : « un cerf! » qu'elle se rend compte de son erreur, mais aussi sait hors de tout doute que ce sera bien ici, dans ce champ, qu'elle va mettre son enfant au monde.

Sidéré, Joe regarde alternativement son épouse et le cerf qui, selon toute logique, devrait décamper. Comme pour rassurer son mari, réprimant une grimace sous l'effet d'une nouvelle contraction, Miriam tend le bras pour mettre la radio. Retransmise par une station de Detroit, la musique du film *Exodus* emplit la voiture. Plus encore que le reste, cela devrait pousser le cerf à la fuite, mais celui-ci reste à la vitre avec comme dans le regard toute la curiosité d'une pipelette de village accrochée à la fenêtre.

Joe s'étonne en maugréant que, justement en cette circonstance, personne ne passe sur une route où, selon lui, au moins un véhicule devrait passer toutes les cinq minutes.

Enfin, un bruit de moteur se fait entendre. Scrutant la route, Joe voit apparaître trois phares. Il en est surpris jusqu'à ce qu'il comprenne qu'il s'agit de trois motos.

De retour d'un meeting qui durant les trois derniers jours s'est tenu dans une grange des environs de Chatham, un peu éméchés et autrement affectés par divers inhibiteurs mis au ban, Damion, Luiz et Chuck, ce dernier avec Lizzy en croupe, essaient de retrouver l'autoroute 401 qui les ramènera au plus vite à Dctroit. Originaires du Puerto Rico, Damion et Luiz ont été introduits par Chuck dans le chapitre du Lower Woodward des *Motown Riders*. Chuck est originaire de Birmingham, Alabama, avec tout ce que cela peut comporter de ressentiment vis-à-vis des «petits Blancs», y compris avoir fait de Lizzy, née Elizabeth White, ni plus ni moins que sa servante sexuelle.

Les découvrant, Joe se fait la réflexion qu'il aurait préféré personne. Mais, apercevant la voiture au milieu du champ, les trois ralentissent puis s'arrêtent pour rigoler. Considérant les bolides rutilants, Joe se demande s'il doit leur réclamer de l'aide ou affirmer que quelqu'un, peut-être la police, est déjà en route. Il ne craint rien pour lui-même, mais ne peut imaginer d'association possible entre ces quatre-là et l'accouchement probable de Miriam au milieu de ce champ.

Lizzy, la première, aperçoit Miriam dans la voiture. Elle demande si elle est blessée. Secouant négativement la tête et se demandant quoi répondre, Joe la détaille un instant. Elle lui rappelle un peu cette fille qu'il a emmenée à Detroit. Mais, avant qu'il ne trouve une réponse, Lizzy se précipite vers la voiture, parle avec Miriam puis se retourne vers ses compagnons pour leur dire:

«La dame, là, elle va accoucher, ce ne sera pas long…»

Les événements échappent alors quelque peu à Joe. Comme prenant la situation en main, Chuck demande à Luiz d'enfourcher sa moto, de trouver le téléphone le plus près et de réclamer de l'aide. Lizzy, elle, est déjà à croupetons près de Miriam et, comme si elle n'avait fait que cela durant sa vie, lui indique comment respirer, comment s'installer et, surtout, comment ne pas s'inquiéter:

«Il fait doux, on est avec vous, la situation ne pourrait pas être meilleure. Vous avouerez que c'est tout de même mieux d'avoir son bébé ici, sous le beau grand ciel plein d'étoiles, plutôt que dans un hôpital triste, pas vrai?»

Damion tourne un moment autour de la voiture, cherchant visiblement comment se rendre utile, puis il déclare qu'il va aller essayer de trouver de l'eau, qu'il a vu dans des films qu'il fallait absolument de l'eau. Chuck l'approuve, tire un inquiétant coutelas attaché à son ceinturon et entreprend d'en passer la lame à la flamme d'un briquet en expliquant:

«S'il faut couper le cordon, il faut que ce soit stérilisé.»

Ce à quoi Joe réplique qu'il n'est absolument pas question de couper le cordon dans ce champ, que, de toute manière, ils n'ont rien sous la main pour l'occlure. C'est sur ces mots que Chuck aperçoit le cerf qui, contre toute attente, est demeuré à proximité.

«Bon Dieu! Qu'est-ce que tu fous là, toi?»

Bien que Joe soit nettement plus préoccupé par ce qui se passe à l'intérieur de la voiture, il le voit s'approcher de l'animal, tendre la main puis lui flatter le museau sans même provoquer un tressaillement. C'est à ce moment précis qu'il se dit à son tour que tout ce qui est en train de se passer doit avoir été planifié; que, bien entendu, la grossesse inexplicable de Miriam ne pouvait trouver son aboutissement dans de banales circonstances.

Cette réflexion en appelle une autre: puisque tout semble programmé, l'aboutissement ne pourra être mauvais. Tout cela, qui de prime abord semblait fâcheux, doit avoir la meilleure raison d'être. Pour lui, à présent, c'est presque un acte de foi. D'autres diront une technique développée par l'esprit humain pour faire face à de trop grandes angoisses.

Miriam, elle, cherche une échappatoire dans l'imaginaire. Tandis que son enfant se fraye une ouverture vers le froid, elle se fait la réflexion que tout ce que l'on nomme le progrès consiste le plus souvent à perdre contact avec la brutale réalité, et donc avec la vie, pour tendre vers la mort, puisque le but semble bien être celui d'échapper à l'interaction entre les sens et la matière trop tangible.

Pour l'instant, elle n'éprouve aucune de ces grandes

émotions qu'elle pensait devoir prêter à une femme sur le point de mettre au monde, ni non plus de ces douleurs tant redoutées depuis qu'elle a appris comment naissent les mammifères. Non, tout ce qu'elle est en train de comprendre est que la lessive dans une machine à laver automatique n'a rien à voir avec les odeurs de l'eau savonneuse dans un baquet de bois et les exclamations des femmes dans les vapeurs du lavoir, que le chauffage central n'a rien à voir avec la flamme d'un feu où s'abîme le regard, que les nouvelles télévisées en apprennent moins sur l'humaine nature que les commérages de la rue et que, s'il fait appel aux mêmes aspirations, le cinéma dit d'action n'a rien à voir avec les anciens jeux de l'arène, où la boue était réellement faite de sang et de sable. Pour échapper à sa propre souffrance, Miriam est en train d'établir pour elle-même que le progrès technologique ne consiste en rien d'autre que d'essayer de se soustraire à l'emprise de la matière. Puis, alors qu'elle se demande si cela est un bien ou un mal, ou encore s'il faut se poser la question d'une façon aussi manichéenne, la réalité matérielle la rappelle à l'ordre, et la douleur fait valoir ses droits.

«Je suis vraiment hors sujet!» se dit-elle.

La nuit est presque douce et des étoiles scintillent à la verticale. Le silence est profond, presque révélateur, même si, à la radio, une chanteuse berlinoise à la voix suave interprète une version germanique et sensuelle de *Stranger in the Night*. Témoin délégué de l'ordre des mammifères non *sapiens*, naseaux frémissants, le cerf est toujours planté devant la voiture. Lizzy, paupières écarquillées, pupilles brillantes, lèvres entrouvertes, se tient toujours à croupetons, faisant face à Miriam par la portière ouverte. Chuck ne dit plus un mot et paraît complètement métamorphosé, ayant apparemment oublié qu'en toutes circonstances il se doit d'être dur.

Soudain, Joe ne peut empêcher ses lèvres de trembler ni ses larmes de jaillir sans qu'il soit seulement capable de déterminer si c'est de joie ou de détresse. Sur la banquette arrière, Miriam est dressée sur ses mains, jambes ouvertes, pieds ramenés vers les fesses. Fixant l'éclat de ses yeux, Joe se dit qu'il n'a jamais rien contemplé de si beau, de si absolu. Tout autour, le champ jusqu'à l'horizon, et sans doute le reste de la terre au-delà, tout semble en attente.

Dans les bras de Lizzy, le premier cri de l'enfant ressemble à une exclamation de surprise heureuse. C'est une fille. Il y a comme un instant d'arrêt, puis le monde reprend sa course. Damion revient avec de l'eau, Luiz avec un éleveur de porcs davantage motivé par la curiosité que par le désir de se montrer utile. Puis, sirènes hurlantes, phares stroboscopiques balayant la nuit, une ambulance fait son apparition.

Des paroles pressées, des gestes appris, des décisions sans appel et, transportant une trinité toute neuve, le véhicule hurlant escorté par trois engins criards repart vers l'horizon roux. Au bout de la route, ce sont des lumières vives, de l'air aseptisé, des voix comme des éclats, des murs et des couloirs rationalisés. À l'unisson, Miriam et Joe se demandent si tout cela est compatible avec une naissance, si pour leur enfant ce n'est pas déjà le baptême de la brutalité.

«Je ne veux pas rester ici!» déclare Miriam sitôt sa fille lavée et emmaillotée.

Joe hésite, partagé entre le cœur et la raison, puis il approuve d'un hochement de tête à la fois entendu et volontaire, ce qui dessine un sourire fier aux lèvres de Miriam.

Lizzy et les trois autres sont restés et ne semblent plus du tout pressés de rejoindre Motown. Joe songe à leur dire merci puis se ravise, comprenant que cela pourrait être perçu comme un au revoir pressé. Émerveillé devant sa fille, il comprend qu'ils seront désormais nombreux ceux qui s'attacheront à elle. Il est clair que ces quatre-là n'ont déjà d'yeux et d'intérêt que pour elle.

Il pousse un profond soupir, cherchant une nouvelle fois à échapper à la question qui le taraude depuis des mois: pourquoi tout cela lui arrive-t-il, à lui? Il hausse les épaules et remet une nouvelle fois la question à plus tard; son rôle pour l'instant consiste à convaincre les autorités médicales qu'il doit rentrer chez lui avec toute sa famille.

Comme aucune loi ne permet à l'hôpital de les retenir, à bord d'un taxi escorté des trois motos, la nouvelle famille rejoint son bungalow. Chemin faisant, alors qu'ils longent la rue Wyandotte et ses alignements, Joe se pose une nouvelle fois la question de savoir si Windsor est un endroit sain où élever une famille. Il est sur le point de le demander à Miriam, mais, apercevant le sourire qu'elle affiche en même temps qu'elle tente de masquer sa douleur, il oublie cette question et contemple la frimousse de leur fille.

« Comment allons-nous l'appeler ? » demande-t-il à Miriam.

Pour une raison qu'aucun des deux n'a encore prise en considération, le sujet n'a jamais été abordé. Cependant, dans un souffle, Miriam propose :

« Que penses-tu de Hella ?

— Hella… Pourquoi Hella ?

— Je ne sais pas, c'est le nom qui me vient à l'esprit en la regardant…

— Tu connais quelqu'un qui s'appelle Hella ?

— Non, en fait je ne sais même pas comment ce nom m'est venu à l'esprit, ni même s'il existe. C'est curieux, tout de suite en la voyant, il m'a semblé voir ce nom écrit en toutes lettres.

— Hella… Oui, tu as raison, c'est son nom, ça ne peut pas en être un autre. Hello, Hella ! »

Sitôt le taxi garé devant chez eux, Miriam et Joe se font offrir par la bande des quatre de monter la garde. Joe s'étonne de cette proposition :

« Monter la garde, mais pour quelle raison ?

— Pour protéger la petite », répond Chuck.

Lizzy ajoute :

« La petite est encore faible. Demain, avec le jour, elle sera assez forte, mais pour l'instant il faut la protéger du mal. C'est pour ça qu'il faut qu'on reste là…

— Le mal… Mais quel mal ? » demande Joe.

Chuck se fait grave :

« Le mal, il n'y en a qu'un. Nous, ça se trouve qu'on le connaît vu qu'on s'amuse un peu avec depuis longtemps. Le mal, il n'a rien de plus pressé que de convertir ou de faire taire ceux qui risquent de se mettre en travers de son chemin, et la petite, elle est de ceux-là. C'est pour ça que, juste pour cette nuit – qui est celle de Walpurgis –, on croit qu'il faut qu'on reste. Autour de la maison, ça suffira. On ne vous dérangera pas. »

Joe s'apprête à répondre que tout ceci n'a aucun sens commun, mais, un peu chancelante, Miriam lui touche le bras pour lui laisser comprendre que cela n'a aucune importance. Puis elle dit aux quatre :

« On ne veut pas que vous restiez dehors. Entrez, vous trouverez à manger dans le frigo. »

Pendant que, dans la cuisine, les invités prennent place autour de la table, dans la chambre à coucher, Joe veille à ce que Miriam et Hella ne manquent de rien.

La première tétée les plonge dans le ravissement, puis, encore à moitié assise dans ses oreillers, la mère suit rapidement sa fille au pays des songes. Joe se retrouve seul éveillé, se sentant investi de la charge du bonheur de sa famille et se demandant ce que ce type a bien voulu signifier avec son histoire de mal qui rôde. Pourquoi a-t-il parlé du mal comme s'il s'agissait davantage d'une personnalité mue par sa propre volonté que d'un état ? Souvent on désigne certains états par des métaphores ; ainsi, on peut parler de la solitude comme d'une fiancée, de la mort comme d'une faucheuse, mais il est clair que ce gars, en bas, n'a pas utilisé une métaphore en parlant du mal. Sans vouloir croire à ce qu'il qualifie de délire, Joe a hâte que les premières lumières de l'aube viennent balayer la nuit.

À la fenêtre, il remarque qu'une certaine grisaille se substitue subtilement au voile roux qui marque la nuit au-dessus de l'agglomération. En grondement sourd, le bruit des véhicules en route pour les premiers quarts de la journée. De part et d'autre de la rivière, la routine poursuit son cycle et pourtant Joe a le sentiment teinté d'angoisse que ce n'est pas seulement une nouvelle journée qui commence.

Un fracas de chaises renversées le fait sursauter. Sans

réfléchir, avant que Miriam ne soit réveillée, il descend précipitamment vers la cuisine d'où est venu le bruit et vers ce qui semble maintenant être une altercation.

«Que se passe-t-il?» demande-t-il en pénétrant dans la pièce. Mais il n'a pas le temps d'en ajouter davantage. Dure et froide, une douleur fulgurante lui traverse le sternum. Il ne comprend plus rien. Les voix se sont tues et, grotesque, un manche de bois patiné brun sort de sa poitrine.

Il n'a pas même le temps de remarquer la tache sombre qui s'épanouit sur sa chemise, encore moins de se formuler ce qui lui arrive vraiment; il tend les bras en avant comme pour se retenir, mais c'est sans effet contre les ténèbres qui l'engloutissent.

Essayant de maîtriser Luiz, qui est loin d'être calmé par ce qu'il vient de commettre et qui se débat sauvagement pour tenter de monter à l'étage, Chuck, Damion et Lizzy sont sur lui.

«Putain! tu l'as tué!» s'exclame Lizzy tandis que Chuck tente de lui faire reprendre ses esprits.

«Reprends-toi, Loki, t'as disjoncté, mon frère!»

Mais rien ne peut calmer Luiz; ses yeux jettent des éclairs noirs, il bave et cherche à mordre. Comprenant qu'ils ne pourront plus le retenir bien longtemps, Chuck secoue la tête, se penche de côté un instant pour arracher le couteau de la poitrine de Joe, hésite encore une seconde, prévient Luiz qu'il va le saigner, mais ce dernier ne s'en débat que plus. La rage fait jaillir sa veine jugulaire et, presque comme un réflexe, Chuck la sectionne d'un seul mouvement du couteau. Luiz émet quelques gargouillis noyés, s'arc-boute tandis que les autres tentent toujours de le retenir, mais il est secoué de plusieurs sursauts, a un dernier râle et s'affale sur le flanc.

Les trois autres essaient d'encaisser le choc. Lizzy a la bouche et les yeux grands ouverts, Damion grimace, Chuck secoue la tête et ânonne, d'une voix éteinte:

«Putain! il a pas voulu comprendre… Pas eu le choix… Putain!

— Qu'est-ce qu'on va faire? demande Lizzy, davantage

pour essayer de reprendre pied dans une réalité ordonnée que pour obtenir une réponse.

— On appelle les flics, répond Chuck, pas d'autre solution.

— Pourquoi on ne se tire pas? demande Damion.

— Parce qu'on n'a rien fait de mal, au contraire! Même si je me suis gouré; j'ai pas pensé que ça pouvait venir de l'un de nous. Et puis, même si on se tirait, comme tu dis, on ne sortirait pas d'une histoire comme ça. Jamais!

— Qui va aller parler à la femme, là-haut? » demande Lizzy.

Personne ne donne de réponse et chacun baisse les yeux, cherchant sans succès un endroit sans histoire où les poser.

Il convient de se représenter la scène qu'offre la cuisine. Outre les chaises renversées et la table de travers, Joe gît, le visage contre le carrelage maculé de son sang et de celui de Luiz. Ce dernier paraît fixer le plafond, l'étage où il fallait absolument qu'il monte. Les trois autres, barbouillés du sang de leur ami, restent sur leur séant à même le sol. Là où régnait l'ordre imposé par l'affection, le chaos est passé. Les survivants sont hébétés et ne parviennent pas à donner cohérence à ce qui les entoure. Un observateur neutre, en autant que cela soit possible, tirerait immédiatement la conclusion que rien ici n'est accidentel, que le chaos qui prévaut actuellement n'est rien d'autre qu'un décalage nécessaire permettant à l'ordre de passer sur une autre dimension.

En d'autres mots, personne dans cette pièce, les vivants comme les morts, n'est vraiment auteur dans la mise en scène, seulement un acteur à l'interprétation limitée. Ce même observateur pourrait ressentir que l'atmosphère de la cuisine est imprégnée d'une présence ne pouvant appartenir ni aux gens, ni aux morts, ni aux choses, pas plus à leur ensemble. Pour les trois survivants, sans qu'ils se le verbalisent, plus que les répercussions à venir, plus que le constat de ce qui est arrivé, plus que l'horreur qui souille le carrelage, c'est cette présence qui est la plus difficile à supporter.

À l'étage, plus que le vacarme qui a précédé le silence, c'est aussi cette présence qui alerte Miriam. La chambre est grise, les murs trop froids; seule, au-dessus du berceau attenant au lit, semble flotter une lueur rosée. Elle appelle Joe et, le cœur battant, sait déjà qu'un événement irréparable est survenu. Elle se surprend à souhaiter pouvoir entendre une réponse de son mari.

X

Au même moment, dans l'ouest de la ville, un autre drame voit son aboutissement. Des mois plus tôt, après que Joe eut laissé Eisa sur l'avenue Ouellette, tout est allé de travers pour elle.

Caissière au *Drug Mart* du grand *mall* de la ville, des années d'évasion à travers des romances de type Harlequin l'ont conditionnée à n'avoir pour tout espoir en cette existence que de pouvoir retenir le prince charmant qui lui est destiné. Cela seulement pourra lui assurer de fonder une famille et d'être heureuse. Mais ce ne sera pas avec Joe. En fait, alors que la voiture de celui-ci disparaît au coin de Riverside, elle doit s'appuyer contre un réverbère pour tenir debout. Là, seule sur le trottoir, un long sanglot fuse entre ses lèvres. Il semblait si gentil! Du point de vue d'Eisa, c'est vraiment la fin du monde. Tout ce qu'elle a bâti d'espérance au fil des romances à quatre sous s'écroule.

Le lundi suivant, elle retourne bien au travail, mais, puisque plus rien ne semble avoir de raison, pour une broutille, elle s'engueule avec le gérant, le traite de lèche-cul à cravate rose et quitte les lieux avant même de lui laisser le temps de le lui ordonner. À la fin du mois, elle ne peut pas payer son loyer. Fière et indépendante, comme les romances lui ont appris qu'une jeune fille se doit d'être, elle ne veut pas non plus demander d'aide, ni à sa famille – des agriculteurs dans le comté de Kent – ni aux services sociaux. Elle tient deux mois encore dans son loyer, se disant qu'elle trouvera bien une solution pour payer les arrérages, mais, un matin, elle se retrouve dans la rue; sur le trottoir et enceinte.

La dégringolade est rapide avec, dans l'ordre: vol à l'étalage, mendicité, le viol par une de ces bandes de Detroit qui viennent boire à Windsor en attendant d'avoir l'âge légal de le faire au Michigan, colle à inhaler proposée par un consolateur de fortune, et puis prostitution. D'abord auprès de voyageurs de commerce en transit à la frontière et qui prennent une chambre dans les motels longeant la route Huron Church, puis rapidement sa clientèle se réduit à des pervers surtout émoustillés par l'idée de «se faire» une fille enceinte.

Vers Noël, elle prend l'habitude de dormir sous une des premières piles du pont Ambassador, entretenant là une collection de vieux sacs de couchage destinés à la protéger du froid. Ce n'est que vers le milieu d'avril qu'elle rencontre enfin quelqu'un qui se préoccupe d'elle. Au début, elle ne le reconnaît pas comme tel. Il est vrai que rien dans l'apparence de Loki n'évoque les prototypes masculins proposés dans les romances. Peut-être parce qu'il a les cheveux en bataille et qu'il est mal fagoté, elle croit d'abord qu'il en veut à ses sacs de couchage. En réalité, il ne cherche qu'un abri provisoire. Depuis déjà plusieurs mois, il a quitté son Islande natale pour découvrir l'Amérique «à la façon de Suttree», lequel est un vagabond et le personnage principal d'un roman du même nom de Cormac McCarthy et dont, pour des raisons ayant sans doute à voir avec sa personnalité, Loki a fait son livre de chevet.

Le jour de leur rencontre, Eisa est déjà mal en point. Depuis quelque temps, elle a de la difficulté à se traîner, elle souffre d'élancements dans le ventre et dans la poitrine et se sent nauséeuse en permanence, nausée qui n'a rien à voir avec celles qu'elle a connues quelques semaines plus tôt.

«Tu vis ici? lui demande Loki.

— Ouais, c'est ma place. Tire-toi!»

Il ne la distingue qu'à peine dans le crépuscule gris, mais il lui répond:

«Tu sembles vouloir te faire plus dure que tu ne l'es.

— Tu vois ça, toi!

— Je le vois et je l'entends. Cela dit, je ne cherche pas d'histoires, juste une place où dormir sans me faire tremper.

— Je te l'ai dit, c'est ma place.

— Je te crois, je t'ai bien entendue. Je ne veux pas voir tes titres de propriété, tout ce que je te demande c'est un peu d'hospitalité.

— T'as un drôle d'accent, d'où tu viens?

— Je suis islandais.

— Qu'est-ce qui peut amener un Islandais sous ce foutu pont?

— Ça, si je l'ai déjà su, j'ai tout oublié. Des conneries, j'imagine.

— Alors, on a ça en commun.»

C'est ainsi qu'elle se trouve amadouée, qu'ils commencent à parler de leurs expériences respectives puis qu'il comprend qu'elle ne va pas bien.

«Il faudrait que tu voies un toubib; dans ton état, on ne peut pas se laisser aller.

— J'y ai pensé, mais, en ce moment, aller à l'hôpital, ça me paraît le bout du monde.

— C'est loin d'ici?

— Une heure de marche, ou presque. J'ai pas la force.

— Si tu ne bouges pas, tu ne l'auras jamais.

— Ça va revenir, je suppose. Je dois juste avoir une foutue grippe. Il faut le temps que ça se passe.»

Elle le voit glisser la main sous sa ceinture puis la ressortir en tenant une chaussette de laine qu'il déroule pour y puiser une poignée de pièces et déclarer:

«Je n'ai pas grand-chose, mais il doit y avoir assez pour deux tickets d'autobus jusqu'à l'hôpital.»

Pour la première fois depuis des mois, Eisa a l'impression de rencontrer un être humain selon la définition qu'elle s'en donnait dans un autrefois qui se dissout. Elle veut parler, dire quelque chose de gentil, mais un sanglot silencieux étouffe ses paroles.

«Viens, dit-il, il doit même y avoir assez en plus pour deux cafés chauds.»

Ils entrent à l'Hôtel-Dieu Grace Hospital par les urgences

et se présentent à l'inscription. C'est là que tout se gâte. Double menton, le trait des lèvres sévère, regard sans chaleur, fonctionnaire modèle dans l'âme, la préposée jauge Eisa d'un seul battement de paupières, plisse le nez et lui dit, sur un ton acide :

« En société, l'hygiène corporelle n'est jamais de trop...

— Je suis dans la rue, tente de se justifier Eisa.

— Et, bien entendu, j'imagine que vous n'avez pas non plus de numéro d'assurance-maladie?

— Je n'ai plus ma carte, c'est vrai, mais je me souviens du numéro.

— Pas de carte, pas de soins, ou alors il faut payer comptant. »

La préposée a lancé ces derniers mots sur un ton de défi, certaine à l'avance de sa petite victoire. Loki veut argumenter :

« Vous voyez bien qu'elle est enceinte...

— Le règlement, c'est le règlement.

— Foutons le camp d'ici! s'exclame Eisa. Tu vois bien que cette truie est en train de jouir. »

La préposée s'empourpre. Eisa ne lui laisse pas le temps de parler :

« Ne bouge pas, mégère! Tu bouges et je te fais la tête aussi grosse que ton cul. »

Sur cet avertissement, sans se précipiter, sans vouloir rien laisser paraître de la douleur qui lui vrille le ventre, elle se dirige vers la sortie. Loki lui emboîte le pas non sans avoir adressé un doigt de mise en garde à la préposée.

Ils longent l'avenue Ouellette en direction des tours de Detroit, de l'autre côté de la rivière. Une fine bruine tombe sur la ville, quelques voitures passent, comme dans une autre dimension où doivent régner chaleur et bien-être. Les rares piétons ne sont que des ombres et les lumières des tours ainsi que les néons au bas de l'avenue ne font qu'ajouter au sentiment que tout n'est que solitude.

Malgré son éclairage trop violent, le *coffee shop* miteux où ils entrent leur fait presque l'effet d'un havre de paix. Une fois installés devant leurs tasses fumantes posées sur une table de formica gris, Loki demande à Eisa ce qu'elle compte faire.

« Je vais dormir et ça va passer, comme tout le reste.

— Et quand va venir le moment d'accoucher?

— On verra bien.

— Il te reste combien de temps?

— Je ne sais pas, j'ai perdu le compte.

— Qu'est-ce que tu vas faire quand le bébé sera au monde?

— Qu'est-ce que tu veux que je fasse! Je vais le donner, il n'y a rien d'autre à faire. Je vais le donner sans me retourner, comme l'enfoiré qui me l'a fait. Le pire, je dis ça, mais ce n'était peut-être même pas un enfoiré. Les véritables enfoirés sont ceux qui font circuler le message que l'amour et toutes les niaiseries qui vont avec existent. »

Loki s'apprête à soutenir que cela doit bien exister quelque part, mais il se ravise en se faisant la réflexion que cette fille a dû passer par l'enfer et que cela ne servirait strictement à rien de se faire bonimenteur de grands sentiments. Au lieu de cela, happant des lèvres une gorgée de café qui n'a pour seul mérite que d'être chaud, il prend la résolution de lui prouver non pas que l'amour existe, mais qu'au moins il y a l'entraide, l'amitié, l'empathie, « enfin, tous ces trucs-là ».

Durant les jours qui suivent, c'est lui qui chaque matin part ratisser pour ramener de quoi manger pendant qu'elle reste dans son nid de sacs de couchage, à tenter de lutter contre ce qu'elle appelle toujours une foutue grippe. Est-ce réellement une grippe ou s'agit-il d'une autre affection? Toujours est-il que sa faiblesse va en augmentant.

Un jour, Loki revient avec un paquet de hamburgers obtenus au terme de plusieurs heures à demander de la monnaie à la sortie d'un immeuble administratif du gouvernement fédéral.

« J'ai vraiment pas faim, soupire-t-elle.

— Il faut que tu manges, tu n'es pas toute seule.

— Je peux pas, je suis toute barbouillée, mais merci quand même.

— Eisa, ça ne peut pas durer, je vais te ramener à l'hôpital et, carte ou pas, rombière ou non, il va falloir qu'ils s'occupent de toi.

— Non, je ne veux plus jamais y aller. On n'en parle plus.»

Il n'insiste pas et se dit qu'il lui faut trouver comment s'y prendre pour qu'elle soit enfin où elle devrait être en ce moment, c'est-à-dire dans un lit d'hôpital et entourée de soins professionnels. Comme pour le divertir de telles pensées, les paupières baissées, elle lui demande:

«C'est comment, le pays d'où tu viens?»

Il comprend qu'elle cherche un peu de rêve, mais il n'a pas besoin de fabuler:

«L'Islande est un pays magique. C'est maintenant que je suis ailleurs que je m'en rends compte.

— Magique? Qu'est-ce que tu veux dire par là?

— Je ne sais pas comment te l'expliquer, mais, là-bas, tout ce qui t'entoure est vivant. Oui, c'est ça: vivant. Pas seulement les bêtes ou la végétation, mais aussi tout le reste, le sol, les roches, l'eau, tout.

— C'est pas comme ça partout, quand on est dans la nature?

— Je ne sais pas; j'ai traversé pas mal de "nature" avant d'arriver jusqu'ici et, non, ce n'est pas tout à fait pareil. Ou alors c'est parce que je ne suis pas d'ici et que je le sens moins. Peut-être qu'on est plus à l'écoute de la terre où l'on est né, j'en sais rien. En tout cas, chez moi, chaque coin de terre vit, je peux le sentir.

— Et ça ressemble à quoi?

— À quoi ça ressemble? Il y a des montagnes, des montagnes de tous les genres, il y a des cascades, des chutes, de l'eau vive partout, il y a des plages de sable noir, aussi noir que tes yeux, il y a des aurores boréales, il y a… Bon Dieu! à t'en parler, comme ça, j'ai envie d'y être.

— Pourquoi t'es venu ici?

— Ici, à Windsor, c'était juste un point de passage. Je suis venu découvrir cette Amérique dont on parle tant, partout. Je voulais voir si c'était comme dans les livres que j'ai lus.

— Faut jamais croire les livres.

— Il y avait du vrai dans les miens.

— Qu'est-ce qu'ils disaient, les tiens?

— Grosso modo que la terre est très belle, cruelle aussi, mais que le monde qui s'agite dessus est pourri. Pourri, mais rachetable.

— On n'a pas dû lire les mêmes bouquins. Parle-moi plutôt encore de l'Islande, c'est beau à entendre. »

Il poursuit, décrivant dans le détail chaque coin et recoin qu'il connaît, s'étonnant lui-même de tant savoir sur son pays alors qu'il pensait ne jamais y avoir porté attention. Eisa s'endort pendant qu'il parle. Il mange un hamburger et des frites froides, se disant qu'il va garder les autres pour lorsqu'elle se réveillera. Il fait gris. De ce gris qui semble avaler la couleur. Seule la rivière coule brunâtre. Cette fois, il y est, dans le monde des *hobos* qu'il a voulu connaître. Quelle idée il a eue de vouloir connaître l'Amérique depuis ce point de vue, comme si c'était le plus réel. Un point de vue peut-il avoir plus de réalité qu'un autre? Mais non, il ne regrette pas, sinon il n'aurait pas rencontré Eisa. Il ne la connaît pas encore vraiment, pourtant, il se sait déjà attaché. À bien y repenser, cela a dû commencer lorsqu'elle lui a dit de se tirer. Pas à cause des mots, évidemment, mais du ton. Il y a perçu – ou cru percevoir, ne jamais perdre son sens critique – la véritable personnalité de cette fille. Oui, quelques mots dans la pénombre ont suffi et voilà qu'au lieu de poursuivre sa route vers l'ouest, laissant derrière lui ce patchwork de rêves bon marché, seraient-ils Corvette rutilante, façade Renaissance italienne ou retraite sécurisée, il reste sous ce pont infernal, assourdi par le défilé jamais interrompu des poids lourds, à veiller une fille bien davantage déformée par la désillusion que par la grossesse.

Ce soir-là, Eisa ne se réveille pas. Loki se dit qu'un long sommeil lui fera peut-être du bien, cette fois. Mais lorsque l'aube pointe, sans émerger de ce qui ressemble à un sommeil comateux, elle commence à râler. Cette fois, il n'y a plus à hésiter; il faut la faire transporter coûte que coûte à l'hôpital.

«Je reviens, ce ne sera pas long», lui dit-il, bien qu'il sache qu'elle n'est pas consciente de ce qu'il peut lui dire.

Juste avant de la quitter, il a comme une hésitation et vient lui poser les lèvres sur le front.

«Je reviens, répète-t-il, ça va aller.»

Il se rend à l'hôpital au pas de course. Il se figure toujours qu'en expliquant clairement ce qui se passe il obtiendra une ambulance. Il ne peut pas en aller autrement puisqu'elle est si malade. La réalité est autre: on ne l'autorise même pas à expliquer la situation à un médecin. Une autre préposée du type de la première, moins le préjugé trop facile, lui répond:

«Qu'elle vienne ici et l'on s'occupera d'elle.

— Mais puisque je vous dis qu'elle est inconsciente, sous le pont.

— Alors, il faut appeler une ambulance.

— Mais je suis ici! À quoi bon appeler? Elle est toute seule, là-bas, inconsciente, vous ne pouvez pas la laisser comme ça!

— Allons, on ne meurt pas comme ça. Pourquoi vous n'appelez pas la police?

— La police peut faire ce qu'il faut?

— Si la police nous la réfère, il n'y aura pas de problème.

— Donc, dans votre pays, lorsqu'on est malade, on appelle la police?

— Inutile de prendre ce ton. Dans notre pays, on ne laisse pas les gens mourir dans la rue.»

Loki ne parvient pas à croire ce qu'il est en train de vivre. C'est impossible! Un cauchemar! Une jeune fille enceinte est en train de crever sous un pont, mais puisque la procédure n'est pas régulière, tout le monde s'en fout. Il ne reste donc qu'à appeler la police, alors qu'il est déjà sur place.

«Je peux utiliser votre téléphone pour appeler la police?

— Il y a des postes publics, là-bas, dans le couloir.»

Perdre du temps à quémander une pièce de monnaie dans la salle d'attente, trouver le numéro dans l'annuaire, composer, expliquer la situation et se faire dire d'appeler le 911. De nouveau quémander une pièce, composer, expliquer, puis entendre demander : « Quelle adresse ? Mais je vous dis qu'elle est sous un pilier du pont. Quel pilier ? » Expliquer de nouveau, attendre et se faire demander sa propre adresse. Garder son calme. Encore expliquer que lui non plus n'a pas d'adresse, que lui aussi réside sous ce pont. Non, pas de numéro de téléphone non plus. Où se trouve-t-il ? À l'hôpital, venu chercher de l'aide qu'on ne lui donne pas, bordel ! Qu'il attende sur place, on va envoyer quelqu'un le rencontrer. Qui ? Un agent, une patrouille. Mais il vient juste d'appeler la police et… Qu'il reste où il est, quelqu'un va venir. Mais ce n'est pas lui qui a besoin d'aide, c'est une urgence, est-ce que personne ne comprend ? Puis attendre encore. Le temps passe. Personne ne vient. Qu'est-ce qu'ils foutent ? Ils font exprès ! Toujours personne, ce n'est pas possible ! Retourner voir Eisa, la pauvre ! Peut-être s'est-elle réveillée ? Peut-être va-t-elle mieux ?

À son retour, Eisa est, en effet, à moitié consciente, mais ce n'est que pour vivre une douleur visiblement insupportable. Sur le dos, elle s'est extirpée de ses sacs, une suée perle à son front, un filet verdâtre a séché au coin de sa bouche. Elle s'est dénudé le ventre et appuie dessus de ses deux mains, râlant qu'elle a mal.

« Eisa, écoute-moi, crois-tu que tu vas accoucher ? »

Elle secoue la tête pour nier, ce qui est pire que bien ; un accouchement en tout cas est quelque chose qui, normalement, se passe bien, mais avec la maladie, on ne sait jamais. Il ne cesse de se répéter qu'il doit trouver une solution au plus vite, lui et personne d'autre. La vie d'Eisa dépend de lui. Il tourne sur lui-même à la recherche désespérée d'une idée. Considérant au loin le parking de l'université, il se fait la réflexion qu'il peut emprunter une voiture. Avec une voiture, il pourra emmener Eisa jusqu'aux urgences, quitte à défoncer les portes pour se faire remarquer. Oui ! il lui faut une voiture, pas d'autre choix. Il fouille dans son sac à dos et en tire un tournevis qu'il traîne à titre des indispensables de la route, comme des allumettes ou des comprimés pour bloquer une éventuelle diarrhée. Il court jusqu'au parking. Pas le temps de fignoler, tant pis et même tant mieux si la police lui tombe dessus, au moins il pourra les conduire jusqu'à Eisa. Il avise une longue et vieille Chrysler qui fera l'affaire. Il fait sauter la serrure de portière, s'attaque à ôter le barillet du contact, ce qui est fait en trois violents coups de tournevis. Il ne reste plus qu'à introduire celui-ci dans le contact et à tourner. La voiture crachote et démarre. Il ne lui faut que quelques instants pour venir la garer à proximité de la pile du pont.

«Eisa, j'ai une bagnole pour t'emmener te faire soigner», annonce-t-il sur un ton qu'il veut résolument optimiste.

Elle n'a pas bougé. Ses yeux sont presque révulsés et elle halète très rapidement, beaucoup trop rapidement.

«Tiens bon, je te porte à la bagnole, tout va bien aller...»

Il se baisse pour la prendre à la fois sous les reins et sous les genoux et est surpris, sinon affolé, d'abord de son poids de moineau qui ne correspond pas du tout à son ventre, mais également du fait qu'elle ne tente même pas de se raidir pour tenir dans ses bras. C'est lorsqu'il l'étend sur la banquette arrière qu'elle a comme un hoquet de stupeur. Son regard devient immense. Immense et noir.

«Ne me fais pas ça!» lui crie-t-il.

Mais le ton ne suffit pas à la ramener. Il en faudrait davantage pour la retenir. Quoi?

«Ne me fais pas ça, Eisa! Je tiens à toi! Je... je t'aime, tu m'entends, je t'aime! Tiens bon! Ils vont te faire une piqûre, tu vas aller mieux et on partira dans mon pays. On va élever des moutons, on tricotera des pulls pour les touristes en regardant la mer, on aura des enfants qui courront partout, on visitera les glaciers et les volcans, tu m'entends? C'est vrai ce que je te dis! Réponds-moi, Eisa, s'il te plaît!»

A-t-elle entendu et compris ce qu'il vient de lui dire? Rien ne permet seulement de le supposer. La poitrine de Loki se déchire à l'idée qu'elle puisse partir sans l'avoir entendu et savoir que c'est vrai. Mais elle continue de fixer le vide, comme paralysée de terreur par ce qu'elle voit. Soudain, son regard se fige, perd sa transparence et elle a un petit «oh!» Alors, tentant la dernière chose qu'il puisse concevoir, Loki pose sa bouche sur celle d'Eisa, non pour l'embrasser, mais pour retenir en elle le souffle de vie. Rien n'y fait; la blessure est mortelle.

Le souffle de vie qu'il tente de retenir est triple: celui de la mère et ceux des jumeaux qu'elle porte. Il veut le contenir, mais, de glace et de feu, il le reçoit. Il le sent passer entre ses lèvres et descendre dans sa poitrine.

«Eisa! Reste!»

Mais le masque de souffrance physique déserte le visage de celle qui a cru au bonheur tout simple des romances. Seule la peine a à jamais sculpté sa chair.

Là, malgré tout ce que la misère et surtout le mensonge lui ont fait, il se rend compte à quel point elle était belle. Il pense à une fleur piétinée par de grosses bottes. Au creux de sa poitrine, le triple souffle se dilate, il pénètre à présent son cœur, son sang, se répand dans ses vaisseaux, se propage dans chacune de ses cellules. Et avec ce souffle, une haine sans appel. La haine à l'état pur.

Lorsqu'il se redresse après s'être essuyé les yeux, le Loki parti à la recherche de la beauté du monde dans ce qu'il a de plus pitoyable n'existe plus. Celui qui se redresse porte en lui la destruction. Et le charisme et la séduction, qui en sont les compléments lorsqu'elle est impitoyable, émanent déjà de lui.

Il part sans se retourner alors que, désormais trop tard, la sirène d'une auto-patrouille retentit. Son dernier geste d'humanité a été de mettre le feu à la voiture.

XI

On comprendra que Miriam ait tenu à quitter Windsor et sa région aussi vite que possible après les obsèques. Le temps passant, on comprendra également qu'elle se soit demandé si elle ne devait pas tenter de retrouver Adam. Mais à cette question, elle n'a pu se résoudre à l'affirmative. Le destin les mettra de nouveau en présence si cela doit se faire.

Au départ, elle s'est dit que quitter la région de Windsor et plus généralement le centre industriel du continent suffirait non pas bien sûr à oublier et à recommencer une nouvelle vie, mais au moins à ne pas regarder le malheur en face en s'éveillant chaque matin. C'est dans cette optique qu'elle a répondu à l'offre d'un groupe de Las Vegas, propriétaire de nombreux casinos et à la recherche d'un mathématicien dont les fonctions consisteraient à imaginer de nouvelles martingales, jour après jour, de façon à pouvoir modifier les règlements des différents jeux avant qu'un joueur ne les découvre le premier. Il faut l'avouer, au départ, l'énergie et le strass de cette ville ont agi comme un dérivatif et lui ont permis de surseoir à son chagrin, suffisamment au moins pour lui permettre de fonctionner.

Ainsi, des mois puis des années ont passé, centrés sur l'enfance de Hella. Hella chaque jour plus belle, chaque jour plus éveillée, au point que Miriam ne sait pas toujours comment interpréter les dons de sa fille. Comment réagir lorsque son enfant de six ans s'intéresse au jazz au point de se mettre au piano (loué sur son insistance) et, quelques mois plus tard, d'accompagner Ray Charles sur ses enregistrements aussi bien que lui-même aurait pu le faire? Et puis, le jazz est-il une musique indiquée pour une fillette de son âge?

«Qu'aimes-tu dans cette musique? lui a-t-elle demandé.

— Le rythme, maman. C'est un rythme qui vient comme du fond du corps et qui demande à sortir. Pas comme toute cette musique qu'on entend à la radio et qui, elle, ne vient pas, mais va vers le corps. Et puis il y a les images…

— Quelles images?

— Tu ne vois pas d'images, toi, quand tu écoutes de la musique?

— Oui, mais je crois que ces images ont surtout rapport avec des souvenirs.

— Moi aussi.

— Mais tu n'as que six ans, Hella.»

L'enfant a réfléchi quelques secondes avant de répondre par cette question:

«De quoi je suis faite, maman?

— De quoi tu es faite? Mais, comme tout le monde, de chair, d'os, de sang…

— Oui, ça, je sais, mais d'où ça vient, la chair et le sang?

— Là, c'est un peu compliqué. C'est tout un processus biologique qui commence avec la cellule qui elle-même vient de l'ADN.

— Qu'est-ce que c'est, l'ADN?

— C'est ce qui contient toute notre information biologique. Ça ressemble un peu à une hélice dont une moitié vient de la maman et l'autre du papa.»

Le visage de Hella s'est éclairé:

«Tu vois! Ça veut dire que j'ai tes souvenirs et ceux de papa, et puis aussi ceux de vos parents et de ceux d'avant. J'ai donc les souvenirs de tout le monde avant moi!

— Je ne veux pas te décevoir, ma chérie, mais je ne crois pas que les souvenirs se transmettent avec l'ADN.

— Alors, à quoi ça servirait, ton ADN?

— À transmettre les caractères comme la couleur des cheveux, celle des yeux, les traits, la taille, enfin tout ça.

— Ce serait stupide que ça ne serve qu'à ça!

— Qu'est-ce que tu veux dire?

— Eh bien, à quoi ça servirait de se reproduire si la mémoire ne venait pas avec? Ça n'aurait pas de sens, maman, réfléchis!»

C'est ce genre de réparties qui effraye un peu Miriam. Ce n'est pas tant qu'elle trouve que la précocité de sa fille en elle-même soit préoccupante, elle s'inquiète surtout de la réaction des autres lorsque cette maturité inhabituelle devra affronter l'imbécillité qui ne manque jamais de courir les rues.

Du jazz, sans pour autant délaisser ce genre, Hella s'est éprise, selon son expression, de compositeurs plus intemporels. D'abord par l'intermédiaire du répertoire profane des compositeurs puis, de plus en plus, par celui dit sacré. En état quasi extatique, elle peut repasser certaines compositions indéfiniment durant des jours et des jours. Miriam croit devenir folle avec le trop wagnérien *Hojotoho! Hojotoho!* Un jour, elle demande à sa fille quels souvenirs, par exemple, la *Cinquième* de Sibelius évoque pour elle, ce à quoi Hella, qui vient d'avoir sept ans, lui répond:

«Avec Sibelius, ce ne sont plus des souvenirs, maman, c'est l'avenir.

— L'avenir! Et que vois-tu dans cet avenir?»

Hella s'est rembrunie:

«Je ne peux pas le dire, même pas à toi.

— C'est donc une imagination de l'avenir?

— Non, voyons! Si on voit l'avenir, c'est une vision, mais ça ne veut pas dire que ça va automatiquement arriver. C'est comme pour dire de faire attention.

— C'est donc terrible, l'avenir?

— Ce qui serait surtout terrible, ce serait qu'il n'y ait pas d'avenir, maman, et ça, on peut presque le voir avec Wagner.

— Tu sais que tu m'inquiètes, parfois?

— Je sais, maman, et je m'en excuse, mais je sais aussi que tu peux me comprendre, pas comme les autres…

— Quels autres?

— Les gens. Les somnambules, tous ceux qui traversent leur vie sans s'en rendre compte.

— Peut-être justement ont-ils peur de s'en rendre compte?

— C'est bien ce que je veux dire. S'ils ne pouvaient pas s'en rendre compte, on ne pourrait pas le leur reprocher, mais ce qui les retient, c'est la peur; et la peur est immonde. La peur est ce que je déteste le plus! C'est par elle que le mal se répand. C'est à cause d'elle que les gens préfèrent les légendes à la vérité. »

Outre la musique et, il faut le dire, la réflexion, Hella fait également preuve de précocité dans au moins deux autres domaines : la cuisine et le jardinage. Miriam n'a presque jamais à préparer le dîner lorsqu'elle rentre du travail; Hella tient mordicus à s'en charger. Presque chaque soir, elle se met en tête de composer un plat correspondant à l'esprit du jour. Pour cela, elle cultive avec passion des plantes dans le jardinet attenant au pavillon. D'où tient-elle ses informations? À côté du thym, du basilic ou de l'origan, assez communs dans les potagers, se trouvent de la maniguette, du combava, de l'agastache, de la livèche ou de la pimprenelle. Et, selon les besoins, ces plantes entrent dans la composition de ses recettes qui, selon l'humeur, sont destinées à inhiber rêverie, rire ou méditation. Tous les états y passent, et il est vrai que ses plats, dans lesquels n'entre aucune viande, semblent porter à ce qu'elle a annoncé.

On peut s'interroger et se demander comment les professeurs de Hella réagissent face à ses aptitudes; le fait est qu'ils le font le plus normalement du monde avec des considérations du type : « Hella travaille bien », « Hella se montre parfois un peu dissipée », « Hella est un peu rêveuse ». Mais jamais aucun n'a appelé Miriam pour lui tenir des propos du genre : « Votre enfant est très nettement en avance pour son âge. »

Au début, Miriam s'est demandé quand cela se produirait, mais elle a cessé de s'y attendre lorsque, à la suite d'un risotto devant susciter les confidences, Hella lui a dit :

« *À Rome, fais comme les Romains*, je crois que c'est un bon conseil.

— Que veux-tu dire?

— Qu'à l'école, je fais attention de ne pas être meilleure que les autres.

— Tu crains qu'ils te mettent de côté?

— Non, ça, je m'en fiche. Ce qui m'ennuierait, c'est de décourager les autres.

— Ça va, tu ne manques pas de modestie…

— Se cacher ce que l'on est, c'est encore avoir peur et, je te l'ai déjà dit, la peur, ça pue et ça rend malade. »

C'est le jour où Hella démontre qu'elle possède des dons cette fois vraiment particuliers que Miriam se fait la réflexion qu'après la mort de Joe ce n'était peut-être pas seulement la région de Windsor qu'elle aurait dû quitter, mais aussi l'Amérique du Nord.

Ce que ce continent a d'incompatible avec ce qu'il faut bien appeler les pouvoirs de Hella, elle ne saurait l'exprimer, mais l'impression se fait de plus en plus impérative.

Cet après-midi, comme cela lui arrive souvent, Hella vient rejoindre sa mère à son bureau, dans une des ailes du casino réservées à l'administration. À l'heure de partir, elle lui demande de passer par les salles de jeu sous prétexte de lui montrer quelque chose. Alors qu'elles foulent l'épaisse moquette or et azur d'une salle de tables de roulette, Hella dit, à voix basse :

« Regarde ce qui se passe, maman. »

Rapidement, Miriam se rend compte que le casino perd systématiquement au profit du client qui prend le plus de risques aux tables près desquelles, d'une pression de la main, sa fille lui demande de s'arrêter. Comment est-ce possible? À une table en particulier, un jeune homme au visage ravagé par l'acné venu risquer cinquante dollars se retrouve rapidement à la tête d'une cagnotte assez faramineuse. Elles poursuivent vers d'autres tables et, chaque fois, le scénario se répète. Finalement convaincue qu'il ne peut y avoir de hasard dans tout cela, Miriam entraîne fermement sa fille vers l'extérieur. À l'ombre d'un imposant lion ailé faisant face à une piscine romaine d'un bleu méditerranéen dans laquelle jamais personne ne se baigne, elle lui pose l'incroyable question :

«Comment fais-tu?»

Pour toute réponse, Hella l'entraîne dans un autre casino. Cette fois, la moquette est grenat et or. Comme toujours, le grand hall des machines à sous vibre dans son bourdonnement perpétuel baigné par une musique diffuse genre *ballroom orchestra*. Entretenues avec ce qu'il faut d'euphorie par des diffuseurs d'oxygène, des rangées de têtes blanches bouclées enfilent sans relâche des pièces dans les machines.

«Qu'est-ce qu'ils font, tous ces gens, ici? demande Hella.

— Ils s'amusent. C'est pour ça que les gens viennent à Vegas.

— Tu trouves qu'ils ont l'air de s'amuser, toi?

— Pour l'instant, ils sont occupés à espérer gagner.

— Pourquoi?

— Ils tentent leur chance de gagner le gros lot, beaucoup d'argent, pour s'offrir ce dont ils ont envie.

— Alors ce serait formidable si tout le monde gagnait!

— Oui, mais ce n'est pas possible. Mais la question n'est pas là, vas-tu enfin me dire comment…»

Miriam n'a pas le temps de terminer sa question. De partout, dans un vacarme assourdissant de sonneries victorieuses, toutes les machines sans exception alignent qui les étoiles, qui les lingots, qui les signes de dollar annonçant le gros lot. D'abord, chacun se laisse aller à exprimer son excitation, puis, voyant que tout le monde se trouve dans cette situation parfois si longtemps envisagée, une vague d'inquiétude se répand sur les visages. La direction a dû prendre une décision rapide, car soudain tout s'éteint à l'exception des projecteurs de secours. Sans attendre davantage, Miriam tire Hella vers l'extérieur et, dans les jardins du casino, ne peut retenir des larmes.

«C'est toi qui as provoqué tout ça, hein, mon trésor?

— Tu disais que ce n'était pas possible.

— Mais justement, ce n'est pas possible, Hella!

— Pourtant, il suffit de vouloir.

— Hella, je veux que tu me promettes une chose: tu ne dois plus jamais vouloir ce qui est impossible. Ou en tout cas, pas comme ça, pour rien.

— C'était rigolo de voir la tête des gens!

— Promets-moi, Hella.

— Même pour toi? Avec assez d'argent, tu n'aurais plus besoin d'aller travailler et on pourrait partir vivre où tout est beau.

— Oui, même pour moi. Et puis j'aime bien travailler, tu sais.

— Bon, d'accord.

— Tu promets?

— Je te promets que je ne voudrai plus des choses qui ne sont pas absolument utiles. Mais, toi aussi, il faudrait que tu arrêtes de vouloir des choses inutiles.

— Comme quoi?

— Bien, par exemple, qu'est-ce qu'on fait, ici, dans cette ville déguisée. Qu'est-ce qu'on attend? Pourquoi tu passes ta vie à travailler pour des casinos qui tout à l'heure ont préféré faire croire à une panne plutôt que de payer les gens? »

Ces questions déclenchent chez Miriam une remise en question de l'existence qu'elle mène.

Hella a raison : que font-elles, ici, à Vegas? Depuis quand dure-t-elle, cette existence sans signification? Et pourquoi Hella possède-t-elle un tel pouvoir; sa fille est-elle appelée à une destinée particulière? Comment l'y préparer si c'est le cas? Ou comment l'en soustraire? Les grandes destinées n'ont-elles pas pour point commun d'être courtes?

Souvent, elle appelle mentalement Adam à la rescousse, mais ses appels restent sans réponse, ou du moins c'est ce qui lui semble. Depuis quelque temps, elle commence à concevoir l'idée que même si elle le faisait de façon tangible, Adam demeurerait inaccessible. Chaque fois, elle se dépêche d'enfouir cette impression terrible. D'où est-il venu, où est-il reparti? Peut-être que si elle pouvait parvenir à le découvrir, elle aurait la réponse à toutes ses questions. Mais elle-même, d'où vient-elle? Des histoires de famille la font remonter à Pontiac, et avant cela à un Normand débarqué au Detroit avec Cadillac et à une Amérindienne qui avait une mèche blonde. Pourquoi une mèche blonde; chez une Amérindienne? Y a-t-il une signification? Hella, elle, n'est pas blonde; au contraire, ses cheveux sont noirs et, même longs, ils tiennent tout seuls en l'air. Souvent, elle lui dit qu'elle a l'air de sortir de la sécheuse à linge. Et cet emploi qu'elle a trouvé à Vegas, est-il, lui aussi, inscrit dans une quelconque destinée? Las Vegas, l'Amérique. Dans son esprit, les deux noms sont presque synonymes. Adam disait avoir senti battre le cœur du continent au bord du lac Sainte-Claire; encore là, y a-t-il un rapport? L'Amérique, un continent volé à ceux de sa race par ceux de son autre race, mais dans quel but? Tout tient-il à ce kaléidoscope gigantesque où tout se télescope comme dans une finale de Gershwin pour, au bout du compte, ne donner que ces mornes et interminables banlieues, toujours identiques, où le sens lui-même semble aboli? Toutes les questions s'entrechoquent, aucune ne trouve de réponse.

Le jour anniversaire des huit ans de Hella, Miriam écrit une lettre de proposition de services à l'Université de St. Andrews, en Écosse, qui, des années plus tôt, lui avait fait des offres fabuleuses. La réponse ne se fait pas attendre, mais cette fois l'offre est beaucoup plus rationnelle. Peu importe, Miriam ne cherche pas à faire fortune. Sitôt cette réponse en main, elle donne sa démission au groupe à qui elle a sans doute fait épargner des millions, mais qui justement est en train de lui reprocher de ne pas avoir prévu ni d'être capable d'expliquer ce qui a pu se produire presque une heure durant aux roulettes.

Le soir même, elle fait part de la nouvelle à Hella:

«Devine quoi, Poussinette! Nous quittons Vegas.»

Hella se précipite dans ses bras:

«Bravo! maman. Nous allons où?

— Loin, en Europe. J'ai obtenu un poste à l'Université de St. Andrews, en Écosse.»

Hella ferme les yeux un instant.

«L'Écosse, dit-elle. J'imagine une mer agitée, elle est verte, bleue, grise et blanche. Il y a des montagnes rousses et aussi de l'eau vive, beaucoup d'eau. Oui, je crois que j'y ai des souvenirs.

— Allons bon! Comme pour la musique?

— Oui, un peu comme ça. Et là, je crois que ça se passe sur une île, ou en tout cas on voit de la mer partout. Le ciel est gris comme du plomb. Il y a de grandes pierres dressées debout dans le ciel, des pierres comme de l'or. Oh! je suis heureuse, maman. Nous sommes dans la bonne direction, je le sens.

— Quelle direction?

— J'en sais rien. Dis donc, parlant de direction, est-ce qu'on va passer voir la famille de papa en allant là-bas?

— Tu veux qu'on aille à Windsor?

— Je ne parlais pas de ce papa-là…»

Miriam s'affole:

«De quoi parles-tu?

— Je parle d'un Adam à qui tu parles lorsque tu dors. Un Adam à qui tu dis que je vais bien et qu'il faudrait qu'il vienne me voir.

— Je dis ça quand je dors?

— Tu dis ça.»

Un instant, Miriam est sur le point d'affirmer qu'il ne doit s'agir que de rêves sans signification, mais elle prend conscience que ce serait davantage qu'un mensonge. Soudain, c'en est trop pour elle; incapable de se contrôler, elle est secouée de sanglots.

«Qu'est-ce que tu as, maman?

— Rien. Ce n'est rien, ma chérie. Mais il ne faut pas, jamais, que tu considères que Joe n'est pas ton papa. Oui, c'est vrai que ton ADN n'est pas fait du sien, mais il t'a acceptée et il t'a voulue comme sa fille. S'il avait vécu, tu aurais eu le meilleur des pères. Je sais bien que c'est facile à dire, mais c'est aussi une vérité dont je suis convaincue. Du reste, si ça n'avait pas été le cas…

— Je sais tout ça, maman, et je n'ai pas de problème à avoir deux papas. Il y a seulement que j'aimerais bien savoir qui est l'autre, celui dont tu ne m'as jamais parlé.»

Miriam l'invite à venir se blottir contre elle et commence à lui raconter l'histoire d'un petit garçon trouvé sur l'île à la Pêche. Le récit se termine où il devient inexplicable.

Miriam est soulagée que, outre l'ADN, sa fille n'en sache pas plus sur la fabrication des bébés et puisse se contenter, pour l'instant, de cette belle histoire. Que va-t-elle pouvoir lui répondre lorsqu'elle reviendra sur le sujet et voudra savoir pourquoi et comment Adam peut être son père puisqu'elle était la femme de Joe? Et aussi, pourquoi ce père biologique n'est jamais venu les voir. Cependant, Hella éclate d'un rire contagieux qui agite toute sa chevelure, dévoile ses oreilles un peu grandes et fait briller ses deux larges incisives.

«Je suis la seule enfant de l'amour que je connaisse!» déclare-t-elle à sa mère abasourdie.

Elles se regardent un instant, puis éclatent de rire.

XII

C'est par Glasgow que Miriam et Hella arrivent en Écosse. Le vol depuis Las Vegas leur a fait passer la nuit au-dessus de l'Atlantique, aussi, avant de franchir la courte étape qui les sépare de St. Andrews, Miriam décide de prendre une chambre dans la métropole écossaise. Ainsi, elles arriveront plus fraîches à leur destination finale. Cette décision lui permet d'apprendre que les hôteliers de la métropole écossaise sont intransigeants sur l'heure d'inscription; impossible d'obtenir une chambre avant quinze heures. Lorsqu'elles s'écroulent enfin sur le lit inconfortable d'un hôtel morne situé sur Sauchiehal, et dont pourtant le coût permettrait un palace à Vegas, c'est pour s'enfoncer dans un sommeil plus abrutissant que réparateur. En s'éveillant dans la chambre grise plus haute que large, la tête lourde et l'estomac à l'envers, Miriam se demande si son état est dû à la tristesse de la pièce ou au décalage.

Dans la soirée, elles font un tour à pied dans le centre-ville, dépaysées et se sentant un peu écrasées par l'architecture massive où la pierre taillée domine. Une pierre dont la teinte, fort heureusement, oscille entre l'ocre et le rose. Visiblement une architecture dont l'ambition est de braver le temps; rien à voir avec Vegas ni même avec l'Amérique en général, où le projet architectural tend bien davantage vers le seul bénéfice du présent. Sur ce point, Miriam n'est pas certaine de ce qu'elle préfère et, sans trop vouloir se l'avouer comme tel, se demande un peu si elle a

113

eu raison de choisir l'Écosse. Elle tente de mettre son blues sur le compte de la fatigue, du dépaysement et aussi des teintes et de la température déjà automnales en ce début de septembre; un type d'atmosphère dont elle a perdu l'habitude dans le Nevada. Elle se dit que tout ira mieux après une vraie bonne nuit.

Pour dîner, c'est un inévitable *fish and chips* dans un restaurant situé près de l'université où Hella remarque que pas deux chaises ne sont identiques, pas plus que les tables, au point qu'elle demande à sa mère s'il s'agit d'un vrai restaurant, ce à quoi Miriam lui répond qu'en Europe les gens s'attachent davantage au caractère propre des choses qu'à la valeur monétaire qu'elles peuvent représenter.

« Tu trouves qu'elles ont du caractère, toi, ces vieilles chaises? »

Miriam concède qu'elles ne sont pas terribles, mais qu'elles font partie d'un tout.

« Un tout pas terrible », ajoute Hella.

Miriam se fait la réflexion que Vegas a déjà laissé son empreinte sur sa fille, ce qui la conforte un peu dans sa décision de venir en Écosse.

De retour à la chambre, elles s'endorment immédiatement, mais Miriam s'éveille presque aussitôt. D'abord, elle croit qu'il y a quelqu'un dans la pièce et, le cœur battant douloureusement, se redresse, tentant de sonder l'obscurité baignée dans la lueur blafarde d'un réverbère qui s'infiltre autour du rideau misérable. Se persuadant au bout de quelques secondes qu'il n'y a évidemment personne, elle met aussi cette crise d'appréhension sur le compte de la fatigue et du déplacement. Toutefois, la sensation d'une présence étrangère persiste. N'a-t-elle pas déjà éprouvé cette sensation le jour de l'orage, et aussi lorsque Joe s'est fait tuer?

« Allons! veut-elle se rassurer. Ce n'est pas parce que je suis en Écosse qu'il faut aussitôt que je plonge dans des histoires d'esprits baladeurs. C'est ridicule! Essayons de penser à autre chose de plus productif, un théorème, par exemple. »

Elle essaie bien, mais sans succès. Si ce n'était la crainte de réveiller Hella, elle allumerait, prendrait un livre, ferait n'importe quoi, mais là, elle se sent prisonnière de la nuit.

« Qu'est-ce que ça peut me vouloir? se demande-t-elle. Qu'est-ce que c'est? Adam, où que tu sois, il faut que tu nous aides. Il y a quelque chose ici qui cherche à nous faire du mal. J'ai beau essayer de me persuader que c'est mon imagination, je me souviens trop bien que c'était exactement la même présence lorsque Joe a été tué. »

Elle se persuade que, quoi que ce soit, cela ne doit pas pouvoir directement s'attaquer à elles sans intermédiaire, quelqu'un comme ce Luiz qui a poignardé Joe pour tenter de s'en prendre à Hella.

« Pourquoi est-ce que je tourne autour du pot? se demande-t-elle. Ce n'est pas "quelque chose" qui essaie de nous faire du mal, c'est tout simplement le mal qui rôde dans cette chambre. Le mal qui cherche à accomplir son œuvre. »

Secouant la tête comme pour échapper à cette idée, elle a ce qui lui semble être une réminiscence. Une image très ancienne, comme celle dont elle avait parlé à Adam sur l'île à la Pêche. Mais cette nouvelle image doit se situer dans un autre temps, quoique pas très éloigné. Il y a la mer, déchaînée, verte et argent, des flocons de neige à l'oblique dans le ciel gris-violet, l'entrée d'une caverne profonde et sombre d'où s'échappent des volutes de brume, et puis… Non, ça ne peut pas être un souvenir, seulement un accès de délire, sans doute le *fish and chips* qui ne passe pas!

« Qu'est-ce qui m'arrive? »

Elle a l'impression que si elle parvient à mettre une explication sur ce qu'elle ressent, si elle peut définir exactement la nature de cette présence malfaisante, celle-ci s'évanouira. La connaissance n'est-elle pas l'antidote à toutes les peurs? Encore une fois se pose la question de savoir si le mal est une volonté ou un état. C'est curieux, pour la bonté, la question ne se pose pas; on est bon et aucune force extérieure à soi n'incite à la bonté pour elle-même. Mais peut-être qu'être bon, c'est tout simplement ne pas se trouver sous l'influence du mal? Dans ce cas, il n'y aurait pas grand mérite à être bon. C'est une tout autre affaire que de ne pas céder au mal. Elle-même, est-elle capable de lui résister? Non! Tout cela est absurde; elle divague, le bien, le mal, ce ne sont que des mots. Le mal ne peut s'emparer d'elle pour l'excellente raison qu'il n'existe pas. Il n'y a que l'ordre et le désordre. L'état naturel est le désordre, le chaos. L'ordre est seulement ce que l'on tente de faire afin de ne pas être englouti. Un instant de relâchement et le chaos vous emporte. Ce n'est que cela, le mal. Tout ce qu'elle ressent durant cette nuit qui n'en finit pas n'est que la conséquence du décalage géographique. Il faut seulement laisser le temps à son organisme, et donc aussi son esprit, de s'acclimater. Rien de plus. Que de sornettes peuvent germer dans l'imagination! Cela dit, la question demeure : serait-elle capable de céder face au chaos? Si les circonstances s'y prêtaient, serait-elle une personne susceptible, par exemple, de devenir bourreau, de torturer pour arracher une vérité? Pourrait-elle se poser comme celle qui décide entre qui va survivre et qui va directement à la chambre à gaz? Pourrait-elle assassiner la petite vieille au coin de la rue pour lui arracher son sac? Pas ainsi, bien sûr, pas comme ça, mais en admettant qu'elle soit toxicomane, qu'elle vive dans un squat puant dans l'attente de sa prochaine dose. Ou en admettant qu'en lieu et place des mathématiques son principal pôle d'intérêt soit les choses du sexe, serait-elle capable de devenir la servante sexuelle d'un dépravé, pourrait-elle s'empêcher de l'assister, quitte à kidnapper de jeunes âmes qu'il s'agirait de chercher à souiller? Et si son obsession était la connaissance pour elle-même, saurait-elle, par exemple, s'empêcher de vouloir quantifier le seuil de douleur physique ou mentale que peut endurer un animal ou un humain? Et si...

Elle a un cri bref et se redresse dans le lit, cœur battant à tout rompre. Elle ôte sa main d'entre ses cuisses et cherche de toutes ses forces à se défaire de ces images. Cette fois, elle n'a plus de doute, le mal, peu importe son nom, est bien là, dans cette chambre. Il essaie tout bonnement de prendre le contrôle de sa personne. À quelles fins? Que veut-il faire, ici, dans cette chambre?

Elle se lève, va dans la salle de bains pour se passer le visage à l'eau froide. Elle s'apprête à en ressortir pour retourner se coucher, mais stoppe devant le miroir, cherchant à discerner de possibles marques prouvant l'abandon qui a bien failli avoir raison de sa volonté. Le froid lui monte le long de l'échine comme elle en discerne au coin des yeux; des lignes remontant dans le mauvais sens, des lignes presque infinitésimales, mais là néanmoins. C'est la première fois qu'elle les remarque.

«Cette fois, tu ne m'auras plus! déclare-t-elle mentalement à la présence. Je sais que tu es là, j'ignore ce que tu veux, mais tu ne l'obtiendras jamais de moi. Fous le camp!»

Bien entendu, il n'y a pas de réponse, mais c'est pire: un souffle. Un simple souffle à la fois frais et brûlant traverse l'étoffe légère de son pyjama, telle une caresse, et glisse au bas de son ventre. Sous le choc, Miriam s'assoit sur le rebord de la baignoire, secouée d'un désir aussi violent qu'il est sans objet, en proie à un besoin sans concession de s'assouvir, de s'humilier, là, dans la lumière jaune triste de cette salle de bains. Elle se mord les lèvres, porte les doigts vers son entrecuisse et les en retire aussi vite. Elle ne sait que faire, ne voit pas d'issue possible autre que l'assouvissement, ne peut trouver d'armes pour lutter, ni même de raisons. Pourtant, il le faut, absolument! Céder, c'est succomber. Oui, mais pourquoi pas? Qu'est-ce que c'est, après tout? Et puis comment faire autrement? Une masturbation de plus ou de moins ne peut pas porter à conséquence. Une fois! Après tout, ce ne sera pas la première ni sans doute la dernière fois; quelle différence avec les autres? Pourquoi se mettre martel en tête pour si peu!

La lumière clignote; elle prend ce fait comme une invitation. Oui, éteindre cette lampe et verrouiller la porte; elle sera tranquille. De toute façon elle ne peut rester ainsi. Elle ferme les paupières, imaginant déjà une délivrance. Jamais, elle n'a autant eu besoin de… Non, c'est faux! Ce jour-là, sur l'île à la Pêche, elle aurait tout donné, sans réfléchir, si Adam avait… Adam! Pourquoi n'est-il pas avec elle? Avec lui, ce serait si facile. Avec lui, le mal ne se serait pas même présenté, elle en est convaincue. Que penserait-il s'il la voyait, là, livrée à… Cette pensée est plus dangereuse que les autres, mais c'est une pensée à deux tranchants, ou plutôt une pensée quantique; rien ne permet de déterminer sur quel penchant elle se poursuivra. Elle s'imagine alors qu'en ce moment Adam peut la voir, ici, sur ce carrelage, prête à... Parce qu'elle est tordue, grotesque et sale, cette image ne fait qu'ajouter à l'urgence. Une nouvelle fois elle se mord les lèvres, mais pas dans le même esprit. Elle en est au point où l'on ne se questionne plus, où tout ce qui importe est de se soumettre. Du reste, ce qui s'échappe d'elle prouve bien que tout est hors de sa volonté. Dans le fond, elle ne se soumet même pas, elle n'a pas de choix, elle n'est que le jouet d'une force contre laquelle elle ne peut rien. Adam doit bien s'en rendre compte...

Cette tentative de se disculper implique qu'Adam est malheureux, et c'est ce qui la rappelle à elle-même. Rendre Adam malheureux, serait-ce en idée, est impossible, pas venant d'elle! Elle se redresse, passe encore une fois de l'eau froide sur son visage, aperçoit la brosse à dents de Hella au manche en forme d'ourson et fond en larmes en silence.

C'est fini pour cette nuit, elle le sait. Elle n'a pas chu, mais, à ses yeux, elle ne s'en tire pas indemne. Est-ce que tout ceci n'est que partie remise? Sans doute, mais quoi qu'il puisse advenir, elle sait à présent que, d'une manière ou d'une autre, Adam est là pour l'épauler. Elle se fait la réflexion que cette conviction ressemble fort à de la religion et, à ce propos, se souvient de cette phrase de Sôseki qu'Adam lui a justement récitée un jour alors qu'ils en étaient à discuter de la probabilité de Dieu : «*C'est que l'amour digne de ce nom n'est pas, voyez-vous, tellement différent de la foi : de cela, je suis fermement persuadé.** »

De retour dans le lit, elle écoute la respiration régulière de Hella, a la nostalgie de sa propre enfance, ou tout au moins de l'enfance, puis, enfin, s'endort au tournant d'une pensée.

---

*Kokoro (Le pauvre cœur des hommes) de Natsume Sôseki.

XIII

Après quelques mois à partager ses activités entre sa tâche de maître de conférences à la *School of Mathematics and Statistics*, sa participation au groupe de recherche en statistiques et la poursuite de ses études en géométrie fractale sous la direction du professeur Aalto, Miriam est convaincue qu'il se trouve autant de prédateurs entre les vénérables murs universitaires que sous les grands lustres des casinos. L'unique différence étant que les premiers visent d'abord l'autorité et la reconnaissance, tandis que les seconds sont davantage motivés par le pouvoir et le profit.

Cela dit, elle trouve nettement plus stimulante l'atmosphère universitaire et, tout compte fait, puisque rien en ce monde ne peut être parfait, l'existence qu'elle mène à St. Andrews est loin de lui déplaire. De plus, elle trouve en Écosse, du moins à l'extérieur de Glasgow, un style de vie opposé à ce qu'elle a pu connaître à Windsor, où le mot d'ordre était de consommer et de tout mettre en œuvre pour le faire au maximum. En Écosse, il y a bien sûr un peu de cela, comme partout, mais l'on y semble accorder plus d'importance à la place que l'on occupe dans l'environnement et, de ce fait, dans une certaine mesure, l'on privilégie davantage les choses de la réflexion. Ceci ne devant pas être étranger au fait qu'avec une population qui n'a jamais atteint cinq millions d'âmes, l'Écosse compte parmi les siens plus de dix pour cent des prix Nobel, sans oublier les inventeurs de la première machine à vapeur fonctionnelle, du pneu, de la bicyclette, de la première machine à enregistrer, de la première lampe, de la télévision, de la théorie des logarithmes, du golf, du téléphone, des antibiotiques et du clonage. De savoir ceci conforte Miriam dans l'impression qu'elle se trouve dans un milieu pouvant mieux lui permettre de s'épanouir sur le plan professionnel.

Elle découvre que l'Écosse lui a réservé encore d'autres raisons de se féliciter de son choix lorsque, durant le congé de Pâques, se fiant aux conseils du docteur Aalto, lui-même membre d'une association de marcheurs sur longue distance, elle traverse une partie du pays dans une petite Fiat de location afin de se rendre pour une randonnée pédestre de quatre jours sur l'île de Skye, plus exactement en un lieu nommé Sligachan.

Des années auparavant, pour aller de Windsor à Las Vegas, elle a traversé les États-Unis et elle pensait qu'en matière de paysages, après des États comme le Nebraska, le Wyoming ou l'Utah, il lui serait difficile d'être surprise. Mais rien ne l'a préparée à la petite route qui borde le loch Lomond, à l'étrangeté de la forêt d'Argyll ou à l'âpre splendeur des Highlands. Traverser tant de beauté en une journée de voiture lui semble presque inconvenant. Elle se souvient encore trop bien des longs voyages de son enfance dans la voiture familiale pour se rendre de Windsor à Montréal, alors que la monotonie du paysage avait raison de toute l'excitation qu'il pouvait y avoir à l'idée d'aller dans une autre province.

Il est prévu que, de Sligachan, la randonnée se fera jusqu'au loch Coruisk. Après une nuit dans un hôtel d'un faste ancien agréablement figé dans une époque où le terme explorateur possédait encore un sens mythique, Miriam et Hella, chacune son sac sur le dos, se mettent en route le long d'un étroit sentier balisé de bruyères entre les monts Cuillin. Dans le grand air embaumé et la lumière radieuse, environnées de sommets dont chaque crête ne cesse d'appeler le regard, elles marchent toute cette première journée sans rencontrer âme humaine. Le soir venu, après un repas identique à celui du midi et composé de noix et de fruits séchés, à la demande de Hella qui dit préférer « la toile du ciel», elles ne montent pas la petite tente de toile bleue et se contentent d'étendre leur sac de couchage à même une plate-forme de basalte. Sitôt allongée, alors que le seul son perceptible est celui d'une des innombrables cascades bordant leur parcours, alors que toute la végétation exhale ses arômes, alors que les étoiles ne semblent évoquer l'infini que pour elles, Hella fait une réflexion que Miriam prend pour une simple métaphore:

«Je n'ai jamais autant ressenti comme la terre est vivante. Tu ne trouves pas qu'on vit souvent comme si on cherchait à l'oublier?

— Tu as raison, il suffit parfois de si peu pour se sentir tellement bien.

— L'harmonie est parfaite!» décrète Hella avec une certaine emphase.

Miriam se dit que sa fille a parfois de ces réflexions que l'on prêterait davantage à ces sages de pacotille auréolés d'ésotérisme et de Nouvel Âge et qui font le bonheur des médias.

Le lendemain est une autre journée radieuse. Depuis qu'elles ont quitté l'hôtel, elles n'ont rencontré personne et, sinon le sentier balisé, elles n'ont pas non plus posé l'œil sur quoi que ce soit qui puisse sembler être le fait des hommes. Tant et si bien qu'avec un peu d'imagination elles en arrivent à se croire seules de leur espèce, allant selon leur gré dans un monde neuf et inviolé. C'est exactement ce que Miriam espérait trouver en se fiant aux conseils du professeur Aalto: se retrouver, sa fille et elle, loin du quotidien et peut-être aborder des questions qui doivent l'être. Depuis ce qu'elle nomme pour elle-même «l'affaire des casinos», sa fille n'a plus fait appel à de quelconques facultés. C'est ce qu'elle lui a demandé, mais elle s'étonne un peu à présent que tout ait cessé comme s'il n'y avait jamais rien eu. Plus le temps passe, plus il lui paraît inconcevable que, dotée de pouvoirs comme ceux dont elle a fait preuve, Hella ait fait une croix dessus pour ne plus y revenir. En d'autres termes, elle a le pressentiment que quelque chose se prépare et ces quelques jours dans la nature, outre leur effet bénéfique sur le corps et l'esprit, devraient permettre de renouer avec sa fille un contact qu'elle sent quelque peu relâché depuis qu'elle lui a demandé de ne plus utiliser ses facultés. Peut-être aussi n'est-ce qu'une impression sans fondement, quoique sans doute inévitable lorsque sa propre enfant est en mesure de prouver qu'elle peut déterminer le hasard sur un simple souhait. Cependant, la randonnée se poursuit sans que ces questions soient abordées. En revanche, il ne se passe pas dix minutes sans que Hella s'extasie de ceci ou de cela ou s'exclame: «Que c'est beau! Regarde si c'est beau!»

Vers la fin de la journée, elles arrivent en vue du loch Coruisk. Bien que de forme oblongue, celui-ci fait penser à un œil que la terre se serait donné pour contempler les cieux. Un œil améthyste uniquement accessible à ceux qui veulent bien faire le voyage à pied.

Le professeur Aalto lui a expliqué la géologie de ce loch qui, comme d'autres en Écosse, n'en est pas vraiment un puisque son accès à la mer a été coupé au cours des âges. Il repose dans le bassin d'un ancien glacier et est alimenté en grande partie par la Coir'-uisg. Miriam a reçu ces informations, mais elle se rend compte que celles-ci paraissent surtout destinées à tenter de masquer son ignorance et son incompréhension devant la beauté d'un tel décor. Pour elle, il en est souvent ainsi des connaissances ou des statistiques destinées à expliquer une situation; placée en présence de la situation elle-même, elle se rend compte que tout ce qu'elle en a appris n'a le plus souvent que réussi à effacer l'intuition qu'elle en avait au préalable. Faut-il en tirer la conclusion que la réalité des choses ne se rencontre que par l'expérience directe? Pas facile à accepter pour une mathématicienne.

Hella résume à sa façon ce qu'elle ressent face à ce loch:

«C'est drôle, tu ne trouves pas, de penser que personne ne vive ici, qu'aucune route n'y passe et que pourtant c'est là, comme si ça ne servait à rien?»

Miriam évoque le chat de Schrödinger; ce loch avait-il une réalité déterminée avant qu'une conscience ne le découvre, et maintenant qu'elles le découvrent, ou tout au moins en ont l'impression, sa réalité est-elle justement de provoquer la réflexion quant à sa réalité?

«Pourquoi voudrais-tu que ça serve à quelque chose? demande-t-elle à sa fille.

— Je ne veux pas que ça serve, maman; ça sert, qu'on le veuille ou non.

— À quoi, selon toi?»

La réponse de Hella est des plus sibyllines:

«À la même chose que nous.»

Ce soir-là, elles établissent ce qu'elles nomment leur bivouac sur un surplomb rocheux dénudé bordant ce qui, même en prenant en compte le beau soleil des derniers jours, paraît être une étendue d'eau glacée. Au milieu de la nuit, alertée par un sixième sens, ou par l'instinct maternel, Miriam s'éveille en sursaut. Il ne lui faut que quelques instants pour s'apercevoir que Hella n'est pas dans son sac de couchage, pas davantage dans les parages immédiats. Aussitôt, elle l'appelle de toutes ses forces, crie le nom de sa fille, mais n'obtient aucune réponse en retour. Un frisson presque solide la parcourt douloureusement. Où est Hella? Elle fixe le loch et ne conçoit qu'une seule hypothèse. La surface liquide se détache, noire, dans l'obscurité irisée par une lune invisible et les étoiles au firmament. Non! Ça ne se peut pas! Soudain, elle croit apercevoir un bois flottant, à moins que ce ne soit un corps inerte. Ce n'est qu'en écarquillant les yeux qu'elle distingue un mouvement léger et se rend compte qu'il s'agit de Hella. Elle hurle et se précipite à l'eau où elle croit figer sur place. Cette fois, Hella entend sa mère et, le plus naturellement, répond:

«Je suis là, maman.

— Je vois bien que tu es là! Mais pourquoi? Tu vas bien?

— Mais oui, ça va. J'arrive, ne reste pas dans l'eau.»

Miriam a l'impression d'être de pierre en reprenant pied sur la berge. Jamais elle ne pourra parvenir à se réchauffer! Elle est tellement contractée qu'elle est incapable de prononcer une parole lorsque Hella la rejoint, apparemment tout à fait à l'aise, sans même grelotter. Pour ajouter à la fureur que Miriam sent sourdre au fond d'elle-même, sa fille semble lui faire un reproche:

«Mais pourquoi est-ce que tu t'es mise à l'eau, elle est beaucoup trop froide pour toi!

— Et… et toi! réussit à articuler Miriam. Et toi, qu'est-ce qui t'a pris? Pourquoi tu m'as fait ça?»

La réponse de Hella arrive droite et brutale, jetant immédiatement une douche de stupeur sur une colère de mère sur le point d'exploser:

«Et toi, maman, pourquoi me cherchais-tu? Tu ne sais pas encore que je dois répondre aux affaires de ma mère?»

Il va de soi que Miriam ne comprend pas à quoi Hella fait allusion. Que peut-elle entendre par les affaires de sa mère?

«Mais c'est moi ta mère!

— Oui, je sais, maman, mais c'est aussi la Terre. C'est pour lui obéir que je suis là.»

Miriam ne sait plus. La Terre, sa mère? De quoi veut-elle parler? Est-ce une métaphore ou le début d'une réponse?

«Je ne comprends pas de quoi tu parles, Hella. Je ne comprends rien du tout!»

Hella se rend compte que sa mère est sur le point de pleurer. Elle l'entoure de ses bras à la fois pour la réconforter et la réchauffer, et c'est ce qui se produit sur-le-champ. De nouveau déconcertée, Miriam se rend compte qu'il a suffi à Hella de l'entourer de ses petits bras pour que le froid se retire de ses os et de sa chair.

«Peux-tu au moins m'expliquer ce que tu faisais dans cette eau glacée au milieu de la nuit?

— L'expliquer, c'est difficile… Je ne sais pas, il fallait que j'aille à sa rencontre…

— À la rencontre de qui? Il n'y a absolument personne d'autre que toi pour seulement songer à se baigner dans ce loch.

— Je te l'ai dit, maman, à la rencontre de la terre. C'était pour être plus près d'elle qu'il fallait que j'y aille. Là, dans l'eau, j'avais vraiment l'impression d'être à la maison.

— Mais, Hella, la terre est partout! La maison, la vraie maison, c'est toi et moi; c'est nous, mon trésor!

— Je sais ça, mais tu oublies papa…»

Miriam se rappelle en quelles circonstances Hella a été conçue. Elle croit voir un lien entre ce mystère et la réponse de sa fille, mais y en a-t-il un spécifiquement avec ce loch, ou celui-ci ne constitue-t-il qu'une généralité? Elle ne veut pas trop s'aventurer sur ce terrain qu'elle sait ne pas maîtriser, mais demande néanmoins:

«Ce loch représente-t-il quelque chose de particulier pour toi, ou il se trouve qu'il faisait simplement l'affaire?

— C'est difficile à dire, j'ai l'impression qu'il y a long-temps, très longtemps, nous sommes passées ici.

— Tu sais bien que c'est la première fois que nous y mettons les pieds.

— Je ne parlais pas directement de toi et moi, mais de ceux qui ont vécu avant nous, nos ancêtres.

— Voyons, Hella! Comment pourrais-tu te souvenir de ce que faisaient nos ancêtres?

— Je te l'ai déjà dit, tu ne m'écoutes jamais! J'ai des souvenirs, des images.

— Rien ne prouve que ces images ne sortent pas directement de ton imagination.

— Et rien ne prouve que l'imagination n'est pas faite de souvenirs. As-tu déjà imaginé quelque chose d'inimaginable?

— Tu as le don de toujours retourner les questions en d'autres questions qui ne peuvent avoir de réponses convaincantes.

— Tu exagères, c'est moi qui venais de te poser une question.

— Eh bien, pour répondre à ta question, oui, par exemple, je peux imaginer que ce sac de couchage se transforme en petit canard vert.

— Tu n'es jamais sérieuse, maman! Moi aussi je peux composer toutes sortes de montages comme ça, mais tu avoueras que, même pour ça, il faut avoir le souvenir de ce qu'est un sac de couchage, un canard et la couleur verte. Ça n'a rien à voir! Tiens, l'autre jour, à l'école, j'ai appris ce qu'étaient les pellicules. Diana, ma voisine en classe, en a plein la tête et quand elle se gratte, ça tombe partout. Les pellicules sont des petites peaux mortes, et ces petites peaux sont formées de cellules, les mêmes qui constituent notre corps. Toutes ces cellules sont mortes et Diana les répand partout. Des fois, elle s'amuse à en recouvrir son livre de géographie. Pourtant, ces cellules font partie de ce qu'elle est. Les cellules de Diana, c'est Diana. C'est pareil pour le monde, nous faisons partie du monde, nous sommes les cellules du monde, et quand le monde se gratte la tête, les cellules mortes, mais aussi des vivantes, tombent par terre. Tout retourne à la terre, chargé de souvenirs; et tout vient de la terre, chargé de souvenirs.

— C'est une belle analogie, mais tu ne me diras pas que, comme nous, les pellicules qui forment ce que nous sommes ont une conscience.

— J'en sais rien.

— C'est bien ce que je voulais dire: nous ne savons rien. Tiens, par exemple, c'est beau ici, n'est-ce pas?

— Oh oui! c'est très beau, pourquoi?

— Bien, tu ne crois pas que c'est justement parce que tu trouves cela très beau que tu voudrais que nous y soyons rattachées par des liens ancestraux et que, de cette façon, cela fasse partie de nous?»

Hella ne répond pas immédiatement. Elle semble se perdre dans ses pensées en fixant le loch, puis elle approuve les paroles de sa mère:

«Tu as raison, nous devons avoir des ancêtres partout. Il y a juste que, lorsque les gens s'installent quelque part, ça devient souvent moche et l'on ne reçoit plus rien. On dirait que les gens font tout ce qu'ils peuvent pour se couper de ce qu'ils sont. C'est encore de la peur. Je déteste la peur!

— Nous avons tous peur à un moment ou à un autre, Hella. J'ai eu très peur, tout à l'heure, quand j'ai vu que tu n'étais pas dans ton duvet.

— Ça, ce n'est pas de la peur, maman, c'est de l'amour. La peur, c'est lorsqu'on a quelque chose à faire et qu'on ne le fait pas. Ne pas faire ce pour quoi on est destiné, c'est se renier soi-même. Ne pas accepter son rêve par peur des conséquences, c'est se tuer.

— Tu es bien catégorique. Toi, par exemple, sais-tu ce que tu as à faire?»

Hella éclate de rire:

«Je suis encore trop petite pour ça! C'est ce qui fait la vraie différence entre les enfants et les adultes.

— Moi, je ne suis pas certaine de savoir, Hella…

— Je te connais, maman, lorsque tu le sauras, je veux dire consciemment, je sais que tu ne reculeras pas. »

Miriam a un frisson qui cette fois ne doit rien à l'eau froide. Les paroles de sa fille la placent devant l'évidence : quelque chose qu'elle ne peut nommer, l'inimaginable, justement, va survenir, et ce sera une épreuve, elle le sent dans toutes ses fibres. Elle secoue la tête pour tenter de chasser la pensée et propose :

« Et si l'on se recouchait à présent ?

— Ça me va. J'aime bien dormir dehors, la communication est plus directe et les rêves sont meilleurs. »

Miriam se garde de lui demander ce qu'elle entend par là ; elle en a eu assez pour cette nuit. Toutefois, ce n'est pas terminé ; une fois qu'elles sont étendues l'une contre l'autre, à voix basse, presque comme une musique, Hella évoque sa baignade :

« Tu sais, maman, étendue dans l'eau, je devenais l'eau ; j'étais l'eau avec la conscience. Pas seulement l'eau, mais aussi la roche, la montagne, le cosmos qui se reflétaient dans mes yeux et le silence. C'est quelque chose, le silence. Ce n'est pas rien comme on pourrait le croire. C'est un peu comme la nuit noire, ce n'est pas rien non plus, quoique, je ne sais pas pourquoi, quand on parle du silence, je le vois blanc. Étendue dans l'eau, j'étais la terre qui respirait, j'étais la terre qui baigne dans l'univers et j'étais l'univers. Être l'univers, ce n'est pas être tout ; au contraire, c'est s'apercevoir qu'on n'est rien. C'est merveilleux de se sentir ce rien sans lequel le grand tout serait impossible. Je me demande ce que je vais faire de toute cette joie que j'ai ressentie ; je ne peux pas la garder pour moi, elle serait perdue… Tu dors ?

— Non, je t'écoute. Je t'écoute et je me dis qu'à ton âge je n'avais pas toutes ces idées, ni à ton âge ni même maintenant, d'ailleurs.

— Ça ressemble à un reproche.

— Pas du tout, à de l'inquiétude. Celle de ne pas savoir où toutes ces idées vont te conduire.

— Quelle importance ?

— Comment ça, quelle importance! De quoi veux-tu que je me soucie si ce n'est pas de l'avenir de ma fille?

— Je voulais dire: puisque les idées d'une personne sont le produit de ce qu'elle est, souhaiter que ses idées puissent être différentes revient à dire que l'on voudrait que cette personne soit différente.

— C'est logique, mais je n'ai pas dit que je souhaitais que tu aies des idées différentes, seulement que je ne savais pas où elles allaient te mener.

— Inutile de te faire du souci pour moi, maman, ça n'aurait aucune utilité.

— Facile à dire, mais c'est inscrit profondément dans ce que l'on nomme l'instinct maternel. Dans le fond, tu as raison; si tu avais des idées, disons, plus standard, je me ferais autant de souci.

— C'est décevant.

— Allons bon! Pourquoi?

— Parce que je croyais que c'était juste parce que tu tenais beaucoup à moi.

— Tu es bête! Tu sais bien que je tiens énormément à toi.

— Oui, mais si c'est juste à cause d'une réaction normale inscrite dans l'ADN des mammifères, ça veut dire que tu ne tiens pas énormément à moi parce que je suis moi, mais parce que je suis ta fille et qu'il est normal que tu tiennes à ta fille.

— Là, je ne sais plus quoi dire… »

Il fait trop sombre pour qu'elles puissent voir les expressions de l'autre; tout est dans le ton. Toutefois, ce qui n'a été qu'un échange se voulant badin les laisse toutes les deux dans des réflexions qui le sont moins et qui peuvent se résumer ainsi: les grands sentiments ne tiennent-ils qu'à quelques codifications génétiques propres à assurer le bon fonctionnement de l'espèce?

La question est décourageante, peut-être trop et, bientôt, chacune se laisse glisser dans le sommeil.

Hella peut-elle réellement avoir des souvenirs ou, comme Miriam l'a suggéré, ne s'agit-il que d'un exercice d'imagination? Un fait établi peut soutenir les assertions de Hella.

Au XIᵉ siècle, un *lendr madr,* un baron norvégien répondant au nom de Ulfr, aventure son navire, un *knorr,* dans ce qui sera nommé ultérieurement le loch Scavaig. Ce qui l'attire précisément dans cette direction n'est pas la perspective d'un butin, pas cette fois, mais une impulsion que l'on pourrait qualifier de touristique, puisqu'il s'agit de pouvoir savourer au plus près la beauté du relief de la chaîne des monts Cuillin.

Ce soir-là, le navire est mis à l'ancre dans le loch à proximité de la côte et, comme à l'accoutumée, l'on monte la tente pour la nuit directement au-dessus de la coque. C'est un grand navire transportant une trentaine d'hommes ainsi que du bétail et des esclaves razziés dans les Hébrides. Il convient ici de préciser que le terme esclave n'a pas exactement la même connotation pour l'ensemble des Scandinaves qu'en Europe méridionale ou dans le bassin méditerranéen; il s'agit le plus souvent de Celtes capturés au cours de razzias et qui sont fortement incités à devenir soldats, servantes, ouvriers, voire épouses. En général, il leur est loisible de racheter leur liberté et de devenir membres à part entière de la société. Quoi qu'il en soit, cette nuit-là, alors que tout le monde dort à l'exception des deux vigies occupées à se remémorer leurs faits d'armes et force détails sur les façons dont elles ont occis des adversaires, une jeune fille prénommée Ana réussit à se défaire de ses liens et, sans émettre un son, à ramper furtivement jusqu'au plat-bord d'où elle se laisse glisser à la mer. Elle a déjà parcouru plusieurs brasses en direction de la côte lorsqu'une des vigies l'aperçoit et donne l'alarme. Ulfr s'éveille aussitôt. Comprenant la situation, il s'apprête à tancer les vigies et à leur ordonner d'aller récupérer la fille, mais il se ravise soudain, davantage sous le coup d'une impulsion que d'un quelconque calcul. En fait, tout simplement, il lui paraît des plus réjouissant de plonger à la poursuite de cette fille. De toute façon, il a déjà fait ses rêves de la nuit et il n'en viendra certainement pas d'autres à présent; le sommeil à venir serait donc inutile. C'est dans cet état d'esprit qu'il plonge après avoir demandé de garder le navire à l'ancre jusqu'à son retour.

Il y a de la lune, le ciel est d'un bleu encre profond et, en plus sombre, la mer a la même teinte. Tout cela est fort plaisant et il se sent vivre. Quelques minutes plus tard, il se rend toutefois à l'évidence que la fille est agile et qu'elle va aborder la côte avant qu'il ne la rejoigne, ce qui l'oblige à la garder constamment en vue au cas où elle disparaîtrait derrière un rocher ou se glisserait dans une anfractuosité. Elle pourrait ainsi s'effacer à jamais avant que le jour ne se lève. Il se pique au jeu. Il ne s'agit pas tant de récupérer un butin que de gagner sur cette fille dont la témérité le séduit. Comme prévu, elle prend pied bien avant lui sur un large rocher poli comme un galet et, sautant vers un autre, s'élance vers ce qui semble être un défilé. Touchant la berge à son tour, Ulfr la perd de vue. Il prend la lune à partie et lui reproche de ne pas se montrer. Comme obtempérant à sa demande, la lumière argentée du satellite illumine la crête d'un cumulus, répandant assez de clarté pour qu'il situe la fugitive. Ana comprend qu'elle est dans le champ de vision de son poursuivant. Pour elle, pas question de retourner; sa nature lui fait préférer envisager de périr de faim dans ces montagnes plutôt que d'être obligée à quoi que ce soit. Une course effrénée qui comporte une part de quasi-escalade la conduit au bord du loch où, plus de neuf siècles plus tard, Miriam et Hella viendront camper. Elle se retourne et se rend compte que le *lendr* qu'elle a reconnu à sa taille imposante est presque sur elle. Ayant l'impression qu'elle est plus rapide que lui à la nage, elle choisit l'option de tenter de traverser le loch plutôt que d'essayer un quelconque trajet terrestre où elle n'aurait pas une chance contre lui. Elle s'aperçoit de son erreur aussitôt après avoir plongé; l'eau, si c'est possible, lui semble plus froide que de la glace. Mais il est trop tard pour reculer. En la voyant plonger, Ulfr n'a pas besoin de le faire à son tour pour savoir qu'elle vient de commettre une grosse bourde. Il lui suffit de regarder la surface du loch pour deviner que cette étendue d'eau d'un noir presque absolu ne peut pas constituer un environnement viable plus de quelques minutes.

«Reviens, lui lance-t-il, tu ne pourras pas aller loin, ou alors il sera trop tard pour renoncer.»

On l'a dit, Ana est indépendante jusqu'à l'obstination.

Elle ne veut pas entendre le conseil, pourtant donné d'un ton sans animosité, et, tremblante, avec l'impression de se changer en pierre, elle poursuit. Cela ne dure pas; Ulfr la voit ralentir puis s'immobiliser, visiblement incapable de faire un geste de plus. Ulfr est un chef viking et, de ce fait et selon tout ce que l'on peut en savoir, une personne habituée non seulement à côtoyer la mort, mais aussi à la donner avec une générosité qui n'a d'égal que son plaisir au pillage ou son goût pour la bière. Mais là, tout simplement, il ne peut envisager d'assister passivement à la noyade de cette fille. D'abord pour elle-même dont le caractère qu'implique son évasion lui plaît, mais aussi pour la laideur qui résulterait de ne rien faire. Non! Ce n'est pas envisageable.

«Par le serpent de glace! s'écrie-t-il. Au banquet de Hel tu nous as tous deux conviés!»

Comme beaucoup des siens, Ulfr aime ainsi à utiliser la métaphore lyrique avant de se lancer dans une action d'éclat. Ana, cependant, n'a pas entendu ses derniers mots. Tout ce qui lui reste de conscience est qu'elle est en train de se noyer et qu'elle n'y peut absolument rien. Plongeant à son tour, Ulfr comprend immédiatement qu'il lui faut faire appel à son *hamr*, sa forme interne, et se faire saumon. Seul un saumon peut survivre dans cette eau. Nageant de toutes ses forces, il ferme les yeux et se concentre. Son corps est d'argent, le feu irrigue sa chair… Oui! le saumon est en lui et il est le saumon. Et le saumon ne craint pas le froid; il a le feu vermeil en lui. Il voit Ana s'enfoncer sous la surface. Seul le saumon peut plonger dans l'onde enténébrée et glacée pour la rejoindre. Voilà! il ne sent plus le froid, il est même très bien. N'est-ce pas agréable de se mouvoir ainsi dans l'abîme liquide, porté par l'eau! Un véritable bonheur que de se sentir ainsi partie de tout et que tout soit en soi. Le saumon est en tout, et tout, l'ours, la montagne, les étoiles et cette fille, oui, tout est dans le saumon.

Il ne redevient Ulfr, l'homme, qu'en sortant de l'eau. Dans ses bras, Ana est inconsciente, mais il sait quoi faire. Elle rend l'eau et ouvre les yeux, ne sachant pas immédiatement où elle se trouve. Son corps la fait trop souffrir, il est trop froid. Ulfr sait cela et il fait ce qu'il peut; c'est-à-dire qu'assis sur le rocher où il a repris pied, il l'enveloppe de lui-même puis, au bout d'un moment, commence à la bercer comme on berce un enfant dans ses bras. Il est content de lui.

Lorsque l'aube se lève, il est toujours là, dans la même position, contemplant à l'horizon les monts pour lesquels il a détourné son navire. Ana est demeurée sans bouger, sachant bien à présent où elle se trouve, sentant petit à petit la chaleur réinvestir son corps. Elle comprend aussi ce qu'il a fait pour elle et voudrait lui dire merci, mais elle n'ose prononcer un mot de crainte de... Oui! de crainte que cela finisse. Car, elle se l'avoue, elle est bien, là. Bien comme jamais. Fixant toujours les monts, Ulfr se dit exactement la même chose, surpris de constater comme les meilleurs moments arrivent sans crier gare, sans que l'on ait rien préparé en vue de les accueillir. Pourtant, il ne peut rester là jusqu'à la bataille de la fin des temps, car ses hommes vont se poser des questions.

L'aube étend ses couleurs au-dessus des Cuillin lorsque leurs regards se rencontrent. Il se souvient: petit garçon, lorsqu'il avait gardé dans ses mains un moineau naufragé, il avait alors croisé l'œil noir de l'oiseau. Sauf qu'aujourd'hui c'est différent; l'œil qu'il croise ne parle pas de deux mondes qui se rencontrent, mais bien plutôt d'un même monde qui retrouve sa partie perdue. Il demande:

« Le feu d'Ulfr rallume-t-il la braise dans tes os? »

Elle bat des cils en signe d'acquiescement et ils réalisent à l'unisson qu'il n'y a qu'un seul moyen sans douleur de faire évoluer leur situation. Il n'a pas à demander, elle n'a pas à accepter; ils se veulent et savent que c'est pluriel. Il n'y a pas d'échappatoire.

C'est ainsi qu'au printemps suivant, alors qu'Ulfr a officiellement fait d'Ana sa concubine et l'a ramenée comme telle dans sa ferme sur la côte ouest de l'Islande, naît un garçon nommé Thordr. Un garçon turbulent qui sera surnommé l'Insoumis et qui, vers la fin de son adolescence, sera du voyage d'établissement vers le Nouveau Monde où il assurera la descendance de la petite-fille de Guillaume le Conquérant.

XIV

Bien que les soirées printanières portent généralement à plus de laxisme dans le temps accordé aux choses dites sérieuses, Miriam reste toujours assez tard sur le campus à travailler soit avec son groupe de recherche, soit à sa thèse, soit avec ses étudiants; ce n'est pas l'activité qui manque. Cela n'affecte pas Hella qui, après l'école, vient directement à l'université pour profiter de la bibliothèque principale sur North Street, ou encore, comme ce jour-là, de celle départementale de mathématiques et de physique sur North Haugh. Étudiants, chercheurs et enseignants se sont habitués à la présence de cette enfant qui passe son temps à pêcher au hasard tout ce qui peut titiller son immense curiosité, sautant, par exemple, des rites agraires des Cambodgiens aux propriétés et contraintes du béton.

Assise sur les barreaux d'une échelle d'accès, elle est, en cette fin d'après-midi, plongée dans un article sur l'indécidabilité du problème des dominos lorsqu'elle surprend une conversation se déroulant deux rangées plus loin. La voix d'un homme d'un certain âge demande à un autre s'il a des problèmes en ce moment, car il semble, à ce qu'elle entend, soucieux et sans son entrain habituel. L'interlocuteur qui, à en juger au timbre de voix, doit être du même groupe d'âge – la quarantaine et donc «vieux», selon Hella –, répond, un ton plus bas:

«Je peux compter sur ta discrétion?»

Bien entendu, cette demande attire l'attention de Hella qui en oublie momentanément les questions de déterminisme appliquées aux dominos.

«Parole d'ancien scout! affirme le premier.

— Eh bien, George, je crois que je me suis fait prendre… Peux-tu imaginer…

— Si tu étais plus clair…

— Je suis amoureux, George. Amoureux! Comme dans Roméo et Juliette, sauf que cette fois Juliette n'est pas au courant.»

L'appelé George reste sans répondre quelques instants. Hella ne peut déterminer s'il est surpris ou amusé. Pour sa part, elle trouve presque surréaliste d'entendre un homme «aussi âgé» déclarer qu'il est amoureux.

Le George demande enfin :

«Ne me dis pas qu'il s'agit d'une étudiante, une jeune poulette?

— Non! non, pas du tout, grands dieux!

— Où est le problème, alors? Oh! je vois : c'est la femme d'un autre?

— Non plus, voyons! En fait, je dirais qu'elle est tout ce qu'il y a de plus libre.

— Eh bien, alors? Je sais que tu as toujours prêché que l'amour romantique n'était que du sirop pour les midinettes, et que toutes ses composantes ne servaient qu'à donner l'assurance de sa propre existence, mais je suis foutument content que tu y goûtes à ton tour. Et content pour toi, Ralph. Qu'est-ce que tu attends pour foncer?

— Il y a que je n'ai aucune chance, George, elle est trop… Trop tout. Que pourrait-elle me trouver?

— Si tu me disais d'abord qui est cette "elle" tellement extraordinaire? Je la connais?

— Bien sûr, il s'agit de Miriam, la Canadienne qui nous est arrivée cet automne.

— Bon sang! C'est vrai que tu frappes fort. Tout ce qui porte pantalon a le béguin pour elle.

— Je le sais trop bien, sauf que moi, ce n'est pas le béguin. Je me sens comme le dernier des couillons. Je n'arrive même plus à penser, je passe mon temps à me trouver des excuses pouvant justifier que je la croise dans un couloir ou un escalier. J'ai même renouvelé ma garde-robe; à elle toute seule, cette chemise a dû me coûter plus cher que toutes celles que j'ai achetées ces dix dernières années. Je sais que tout ceci est hautement grotesque, mais cela n'y fait rien.

— C'est justement ça, l'amour, Ralph. Nous savons tous que nous sommes ridicules, mais on continue, on ne peut faire autrement.

— Il faudrait inventer une pilule, quelque chose. On ne peut pas laisser les gens ainsi!

— Es-tu certain que tu la prendrais, la pilule en question?

— Non, tu as raison. C'est dramatique.

— J'ai bien l'impression qu'il ne te reste qu'une seule possibilité…

— Laquelle?

— Potasser le Grand manuel du parfait séducteur et l'inviter à un dîner romantique avec chandelles quelque part comme au *Road Hole Grill*.

— À quoi bon? Je n'ai aucune chance. Je suis un vieux garçon, ça doit se voir des lieues à la ronde.

— Tu es en train de chercher des encouragements; ça ne te ressemble pas de te déprécier ainsi.

— Tu as raison, il faut que je me ressaisisse. Il reste un mois avant l'été; je suppose qu'à la rentrée j'aurai oublié cette affection saugrenue.

— Je ne veux pas te décourager, mais tu n'auras rien oublié du tout. Crois-moi, le *Road Hole* est une bonne adresse; rien de tel qu'un bon dîner dans un joli décor pour mettre une femme en condition.

— Miriam n'est pas de celles-là! »

Hella jauge le rire compatissant de George qui va crescendo, puis les deux hommes doivent se quitter ou partir ailleurs, car elle ne les entend plus. Elle reste sur son échelle, confuse entre deux types de sentiments contradictoires qui l'assaillent. Il y a d'une part la colère: qui peut avoir l'audace de tomber amoureux de sa mère comme on tombe amoureux de n'importe quelle femme, alors que le seul homme qui peut prétendre à sa mère est bien entendu son père? D'autre part, elle ressent une certaine fierté amusée, surtout induite par la déclaration laissant entendre que tout le monde aurait le béguin pour sa mère. De cette confusion de sentiments naît une question majeure : sa mère peut-elle être heureuse à ainsi vivre seule? Car tout le monde, partout, va par deux! Et puis aussi, que doit-elle faire de cette information? A-t-elle seulement le droit de l'utiliser? Ne pouvant trouver de réponse qui la satisferait, elle prend la résolution de parler le soir même à sa mère. Il ne lui reste qu'à préparer la façon d'aborder le sujet.

Plus tard dans la soirée, après avoir tenu elle-même à préparer une ratatouille et invité Miriam à se détendre en écoutant quelque chose de léger, elle entame ainsi le sujet auquel elle veut en venir :

« Maman, toi qui es dans les maths, peux-tu me dire si celles-ci sont un produit de l'esprit humain où si elles ont toujours été, indépendamment de l'existence des hommes?

— Je comprends maintenant pourquoi tu m'as demandé d'écouter quelque chose de léger… Non, je ne peux pas répondre à ta question, du moins pas en te garantissant d'avoir raison. Je crois que les lois qui président aux mathématiques sont les lois qui font que l'univers est l'univers; cependant, pour les maths, qui dans le fond ne sont que le moyen à notre portée d'interpréter les lois, sans doute celles-ci sont-elles le produit de notre esprit, comme tu le dis. Mais pourquoi cette grande question, ce soir?

— On y vient : l'amour, est-ce un produit de l'esprit humain ou a-t-il toujours été?

— De quel amour veux-tu parler?

— Il y en a plusieurs sortes?

— Disons qu'il se manifeste de plusieurs façons.

— Je parle de celui entre une femme et un homme.

— Oh! Éprouves-tu quelque chose pour un garçon?

— Non, voyons! Ma question est purement hypothétique.

— Ah! Bien, je crois que ma réponse est la même que pour les maths, à ceci près que j'aime l'idée voulant que l'amour soit la loi qui gouverne toutes les autres lois dont nous parlions tout à l'heure et que l'on interprète par l'intermédiaire des maths.

— Mais aimer l'idée ne signifie pas que cela soit une réalité, n'est-ce pas?

— Exactement. On ne peut pas mieux qualifier le drame de ce monde.

— Donc, on peut aussi dire que lorsqu'un homme dit aimer une femme, ou une femme un homme, il ou elle exprime une idée qui lui plaît, mais qui ne correspond pas nécessairement à la réalité?

— Je suppose que cela peut arriver, comme il peut arriver, espérons-le, que ce le soit.

— Donc, ça peut être l'un ou l'autre?

— Oui, enfin, je crois.

— Bon, admettons maintenant qu'un homme te dise qu'il est amoureux de toi et que la probabilité soit forte que ce soit plus qu'une idée qui lui plaît, qu'est-ce que tu fais?

— Tu as de ces questions, ce soir! Qu'est-ce que je fais? Je lui réponds que je suis désolée, que, moi, je n'éprouve pas pour lui le sentiment dont il parle.

— Alors, il est malheureux?

— Oui, mais je n'y peux rien.

— Mais si, au lieu de te dire qu'il t'aime, il t'invite par exemple à dîner dans un bon restaurant, qu'est-ce que tu fais?

— Je présume que s'il est sympathique et tout ça, j'accepte l'invitation, au moins pour ne pas lui dire non carrément, ce qui serait grossier.

— Mais, en disant oui pour le restaurant, c'est un peu comme si tu lui donnais des espoirs, non?

— Oui, j'imagine, mais je m'en donne également. Il n'est pas interdit de penser qu'il puisse me plaire. Je parle là, évidemment, d'un pur point de vue hypothétique.

— Et qu'arrive-t-il s'il te plaît, que tu le trouves gentil et qu'ensuite il te dise qu'il t'aime?

— La même chose que je t'ai dite tout à l'heure : s'il ne fait que me plaire sans plus, je lui dis que je n'éprouve pas pour lui l'amour dont il parle.

— Ce serait donc plus généreux de ne pas accepter l'invitation, à moins d'être déjà attirée par lui?

— Oui, sauf qu'il est un peu dans la nature de la femme de laisser à l'homme la chance de la séduire. Mais je me demande si tu n'es pas un peu jeune pour entendre cela. Et puis, de toute façon, il n'y a pas de danger que quelqu'un m'invite pour un dîner en tête à tête...

— C'est triste, alors!

— Non, pas du tout. Pourquoi dis-tu cela?

— Dis-moi, maman, pourquoi est-ce que tu restes toute seule?

— Parce que je sais que je n'aimerai jamais personne comme j'ai aimé... comme j'aime ton... tes deux papas.

— Je n'ai encore jamais osé te le demander, mais, où il est, mon papa, le biologique? Il est mort aussi?

— Je ne sais pas, Hella. Je ne sais pas du tout.

— Est-ce que tu cherches à savoir?

— Non, non, je ne cherche pas parce que je sais que si nous devons encore nous rencontrer cela arrivera quand cela devra arriver. Ne me demande pas pourquoi je le sais, c'est ainsi.

— Puisque tu le sais, si un autre homme que tu pourrais estimer t'invitait à dîner, lui laisserais-tu la chance de te séduire?

— Tu as de ces questions embarrassantes... J'ai bien envie de te demander ce que tu aimerais que je te réponde.

— Ça, en soi, c'est déjà une réponse. La mienne est égoïste puisque je crois bien que je préférerais que toutes les chances soient réservées à mon père biologique.

— Elles le sont, Hella. Elles le sont plus que tu ne peux l'imaginer. »

Hella a son sourire mutin. Elle enlace sa mère et appuie sa tête sur son épaule.

« Je sais, maman. Je sais aussi que, même si nous ne sommes jamais vraiment seules puisque nous ne sommes que les parties d'un tout, des fois, on peut se sentir seule et qu'à cause de cela on s'écarte de soi-même.

— Je me demande où tu vas chercher tout ça.

— Comment crois-tu que je passe mon temps à la bibliothèque... »

La semaine qui suit, Ralph Aalto propose un dîner à Miriam afin, selon ses dires, de faire plus ample connaissance de façon agréable. Sur-le-champ, Miriam se souvient de sa récente conversation avec Hella. Sa fille a-t-elle pu prévoir cette invitation? Non, impossible, il ne doit s'agir que d'un pur hasard. Elle considère son collègue et directeur de thèse, plutôt grand, le port altier, visage avenant sans cependant évoquer quoi que ce soit de mignon, et se souvient s'être fait la réflexion en le rencontrant que ce n'était pas un point négatif que d'avoir un bel homme pour mentor.

«Je ne sais pas», répond-elle, exprimant par ces mots le fond de sa pensée.

Non, elle ne sait pas du tout. Lorsque tout n'était qu'hypothèses, l'autre jour avec Hella, il semblait facile de répondre: elle aimait Adam, point final. Il était inutile de chercher plus loin.

«Qu'est-ce que vous ne savez pas, Miriam?» demande-t-il.

L'intonation qu'il vient de mettre dans son prénom ne laisse guère de doute sur les motifs de cette invitation. Elle répond néanmoins:

«J'ignore ce que vous attendez d'un tel dîner, Ralph. Je veux dire, ne vous méprenez pas, sur le plan sentimental.

— Ce que j'attends? Nous devrions plutôt parler d'espérance; il est clair pour moi que je n'ai aucun droit d'attendre quoi que ce soit.

— Je ne doute pas de cela, Ralph, mais il y a que, toujours sur le plan sentimental, je suis engagée à cent pour cent. J'aime un homme depuis longtemps et je ne pense pas jamais avoir assez de place pour seulement oser laisser croire à quelqu'un d'autre qu'une relation de ce type soit possible.»

Il hausse les épaules, affichant un sourire qui visiblement ne veut faire appel à aucune sorte de commisération.

«Ne parlons plus de cela, Miriam. Vous étiez seule, enfin je le pensais, et puisque vous m'êtes éminemment sympathique, je me suis dit… Enfin, voilà. Cela dit, pourquoi ne pas néanmoins partager le plaisir d'un bon dîner qui, nous le savons, ne se fera que sur le terrain de la camaraderie?»

Là, à cet instant, Miriam trouve son interlocuteur extrêmement séduisant. Est-ce de découvrir le pouvoir que, si bon lui semblait, elle pourrait avoir sur lui? Est-ce plus prosaïquement parce que cette histoire de dîner évoque un prolongement logique dans une chambre d'auberge où l'on se retrouve amante et amant? Pourquoi refouler les impératifs de la chair? Mais, surtout, pourquoi se poser cette question, puisqu'elle en connaît la réponse?

«Je ne dis pas non, dit-elle, mais pourquoi ne remettrions-nous pas cela à la rentrée d'automne? Je dois vous dire que je suis un peu débordée en ce moment et puis, d'ici là... Qu'en dites-vous?

— Soit. Si d'ici là les circonstances s'y prêtent toujours, je vous rappellerai cette sage invitation l'automne prochain.»

Il est d'autant plus déçu qu'il avait envisagé de profiter de ce dîner pour la convaincre de se joindre, avec sa fille, à son groupe de marche durant les vacances d'été pour un circuit déjà établi en Corse. Miriam a l'impression de l'avoir blessé.

«Il y a du dépit dans vos mots, Ralph, je ne veux pas!

— Vous savez, aussi bien intentionnée soit-elle, la volonté des autres n'a aucun pouvoir sur le dépit. Celui-ci ne se nourrit que de la confrontation des illusions à la réalité.»

À vouloir continuer à s'exprimer auprès d'elle, Ralph Aalto ne s'est pas rendu compte que ce qu'il vient de dire constitue une véritable déclaration. Ils se font face, debout sur la pelouse, et Miriam regrette de n'avoir aucun mur ni même un arbre où s'appuyer.

«Il serait plus juste de dire: de la confrontation des illusions à sa propre perception de la réalité, Ralph, répond-elle. Ne vous trompez pas, vous ne m'êtes pas indifférent et c'est bien pourquoi j'ai suggéré de reporter cette invitation.»

Comme pour lui signifier de ne pas s'en faire pour lui, Ralph Aalto effleure le poignet de Miriam de ses doigts. Ce n'est presque rien, mais elle s'en trouve saisie.

«Excusez-moi pour tout ceci», dit-il aussitôt en s'éloignant.

Plus loin, il a un hochement de tête presque imperceptible lorsque Miriam lui lance:

«Vous n'avez vraiment pas à vous excuser, Ralph!»

XV

Pour les vacances d'été, encouragée par son séjour à Skye, Miriam a de nouveau projeté de la randonnée pédestre. Attirée par ce qui, au simple vu de la carte, semble avoir un petit côté à l'écart de la marche du temps, c'est aux Hébrides qu'elle a planifié passer juillet avec Hella. Sitôt la session terminée, elle loue donc une voiture compacte, y charge le matériel de camping et elles partent le dernier jour de juin. La première étape consiste à rejoindre Oban, d'où elles prendront le ferry à destination de South Uist.

De nouveau, elles remontent le loch Lomond, s'extasiant comme la première fois de la beauté du paysage et, encore une fois, elles s'arrêtent dans la forêt d'Argyll, où Hella affirme qu'elle a causé avec une hamadryade pendant qu'elle faisait pipi à l'abri d'un chêne millénaire. À Oban, petite station touristique résolument tournée vers la mer, pour leur dernière soirée dans «la civilisation», elles tombent d'accord pour s'offrir un repas gastronomique sur le port et une chambre au *Corrlemar*, une maison de prestige. Le repas est davantage astronomique dans l'addition que ce qu'il promettait dans l'assiette. Toutefois, le cadre portuaire, le ballet incessant des mouettes, le mouvement des petits chalutiers, tout ceci contribue à les convaincre qu'elles sont bien en vacances et qu'elles vont passer du bon temps. La chambre, elle, remplit toutes ses promesses. Ouvrant directement sur la mer et l'île Kerrera, vaste comme un salon littéraire new-yorkais, meublée comme le boudoir d'une reine, la pièce évoque ce que pouvait être, autrefois, la vie dans un manoir. Alors que, debout devant la croisée, Miriam, sans trop savoir pourquoi, se souvient de *Rebecca* – une lecture de jeunesse –, étendue sur le couvre-lit brodé, Hella déclare qu'elle aime le luxe et qu'elle pense être faite pour cela.

«Qui ne le serait pas? lui répond Miriam.

— La racaille, maman.»

Toute l'éducation que l'on peut recevoir dans un État-providence à tendance progressiste afflue à la tête de Miriam:

«La racaille! Que veux-tu dire? Explique-toi! On ne parle pas ainsi des pauvres gens!

— Je ne parle pas des pauvres gens, maman, je parle des gens pauvres en goût; tous ces gens pour qui la beauté n'est pas essentielle.

— Tu n'as pas vécu, Hella; il y a des gens qui ont des besoins plus urgents à combler que les considérations esthétiques.

— Je sais bien qu'il y a des cas dramatiques où il s'agit avant tout de se nourrir et de s'abriter, mais il y a aussi beaucoup trop de gens qui ont tout ça et qui pourtant n'ont aucun désir de vraie beauté. Pire, entre la beauté et la vulgarité ils choisissent invariablement la seconde. Désolée, maman, je n'ai et je ne veux rien avoir à faire avec ces gens.

— Là, tu me surprends; j'ai toujours cru que tu avais de la compassion et de l'empathie pour les gens.

— Pourquoi devrais-je avoir de la compassion pour des destructeurs et des salisseurs? Je ne dis pas, si je rencontre n'importe qui en situation de souffrance, je voudrai sûrement lui apporter toute l'aide dont je suis capable, mais pourquoi, autrement, je devrais les encourager dans ce que je veux combattre?

— Au moins, je suis heureuse d'apprendre que tu te fixes des objectifs…

— Pourquoi "au moins"? Tu dis toi-même que dans ta ville natale, c'est laid parce que les gens n'ont rien d'autre en tête que de posséder tout ce qu'ils ont l'impression qu'il faut posséder pour être, alors que ça signifie passer sa vie à ne pas être. Ce sont tes paroles, pas les miennes!

— Je me souviens, mais je n'ai jamais voulu croire ou penser qu'une catégorie de gens encourageait cet état des choses. Et puis, savons-nous seulement ce qu'est la vraie beauté?

— Facile! La beauté, c'est ce qui réjouit l'esprit. Quand cela ne fait que réjouir le corps, c'est autre chose.

— Tu as toujours réponse à tout, n'est-ce pas?

— Non, ce n'est pas vrai, j'ai beaucoup plus de questions que de réponses. En fait, je ne sais rien et c'est terrible. Te rends-tu compte que, si je me retrouvais sur une île déserte, je ne saurais absolument rien fabriquer de ce qui fait le monde moderne. Rien!

— Moi non plus.

— Tu vois, nous vivons au milieu des produits de la science et, presque tous autant que nous sommes, nous ne savons presque rien. On parle de tout, j'ai à peine neuf ans et des idées sur la marche du monde, mais je ne serais pas capable de fabriquer une petite allumette ni une bougie ni même dire bonjour à la majorité des gens de cette planète dans leur langue.

— Toi, tu as encore toute la vie devant toi pour apprendre.

— Le problème, c'est que, comme tous ceux de mon âge, j'ai déjà presque tout appris. Non, à présent il ne me reste qu'à me spécialiser dans un tout petit domaine pointu pour avoir l'air de savoir quelque chose et pouvoir être un peu utile. Mais quoi? Toi, tu as les maths. Moi, je ne vois pas quoi choisir; je suis curieuse de tout, mais rien ne me passionne vraiment sinon de penser. Mais, penser sans direction spécifique, ça ne donne rien de bien concret. C'est dramatique, tu sais, je crois que j'ai tout ce qu'il faut pour être philosophe, politicienne ou curé, mais c'est justement à cause de ce type de personnes qui veulent modeler le monde à leur image que le monde va mal.

— Pourtant, ce que tu dis là, en soi, c'est déjà de la philosophie.

— Je sais, maman, c'est un sort.

— Allons, tu es encore à l'âge où l'on se cherche, c'est normal. Un jour, tu te réveilleras et tu sauras pour quoi tu es faite.

— Peut-être que je suis faite pour pas grand-chose. Des fois, même, j'ai l'impression que je ne suis qu'une circonstance.

— Qu'est-ce que tu racontes!

— Une circonstance, c'est le détail insignifiant qui fait qu'un ensemble de choses arrive. Remarque bien que c'est important quand même, puisque sans elle ce qui doit arriver n'arriverait pas.

— Je sais ce qu'est une circonstance. Tu es en train de dérailler, ma chérie. Allons! Descendons plutôt faire un tour sur la plage avant de dormir, et sachons profiter du simple bonheur d'être, le reste…»

Au retour, un peu saoulées par l'iode, elles tombent comme une masse dans leur lit. Au milieu de la nuit, cependant, Miriam s'éveille brusquement sans comprendre pourquoi. Par la fenêtre laissée ouverte, elle écoute le ressac, et ses pensées reviennent aux paroles de Hella: «une circonstance.» Un événement se prépare, inexorable. Il se profile comme une ombre dans l'obscurité. Elle respire profondément et tente de se concentrer de nouveau sur le mouvement marin. Elle imagine qu'elle s'abandonne aux profondeurs de l'abîme océanique. Petit à petit, tout s'éteint, la lumière, les sons. Les sens eux-mêmes se désagrègent, et avec eux la perception de ce qui n'est pas l'oubli. C'est reposant, tentant! Lorsque cela surviendra, y aura-t-il moyen d'échapper à ce qui l'attend si cela devient insupportable? Quelles en seraient les circonstances? Est-ce que ce ne sont pas justement les conséquences d'un abandon qui seraient insupportables?

Le lendemain, le ferry quitte le port d'Oban en milieu d'après-midi. Cinq heures de mer les attendent jusqu'à Lochboisdale. C'est une belle journée, avec juste ce qu'il faut de nuages pour donner du relief à la lumière. Miriam a déjà traversé la Manche durant ses études en Angleterre pour un séjour d'une fin de semaine en Normandie, mais pour Hella c'est un baptême de la mer, et son excitation est palpable. Elles montent directement sur le pont d'observation et déjà s'émerveillent du panorama. Miriam a entendu dire que tout paraissait plus beau depuis le pont d'un navire; elle peut le vérifier ici. Les cornes de brume annonçant le départ retentissent et Miriam est émue de s'apercevoir que les yeux de sa fille brillent intensément. Tout en sachant qu'il n'y a rien là d'héroïque ni même de remarquable, elle se sent fière de l'avoir amenée ici et, ainsi, de lui avoir permis cette joie. Hella court de bâbord à tribord, revient à son point de départ et repart, voulant tout voir, poussant des ah! et des oh!

Alors que le navire entre dans le détroit de Mull, que les châteaux Duart et Torosay se découpent sur la côte escarpée, comme échappés d'une légende, Hella ne cesse de regarder de l'un à l'autre, étourdie.

«C'est si beau, maman, j'ai l'impression d'être dans un rêve. J'ai peur que ça s'arrête. C'est normal?

— C'est souvent ainsi quand on est heureux, mais il ne faut pas penser au futur dans ce cas-là, car ça gâche le présent.

— D'accord, je n'y pense plus. Je ne pense plus à rien, je laisse aller!»

Et, comme elle l'a dit, elle semble s'abîmer en contemplation durant les deux heures que dure la traversée du détroit. Le ciel se couvre sérieusement lorsque le navire croise Ardmore Point et, devant, la mer paraît plus houleuse. Lui recommandant d'être prudente et de ne surtout pas trop se pencher, Miriam laisse Hella, qui tient à rester le long du bastingage, pour aller s'asseoir sur un des sièges de résine au centre du pont. Là, elle sourit comme pour elle-même, regarde autour d'elle et croise le regard d'un homme qui semble être l'unique autre passager à avoir pris place sur ce pont.

«Votre fille?» demande-t-il avec un fort accent.

À cause de son teint cuivré et de ses longs cheveux noirs, Miriam, répondant par un assentiment du menton, lui prête le type amérindien et se demande ce qu'un «Indien» fait sur un bateau à destination des Hébrides. Puis, se fustigeant de cette question stupide, elle lui adresse un sourire poli.

«Elle me fait terriblement penser à un ami ancien, ajoute-t-il.

— Nous sommes Canadiennes», indique Miriam, voulant spécifier par là qu'il ne peut certainement pas s'agir de l'ami en question.

Le visage de l'homme s'éclaire et Miriam remarque le feu qui vient de s'allumer dans ses yeux.

«Mon ami aussi était Canadien, dit-il. Je l'ai rencontré dans les Grandes Plaines, en Saskatchewan, si j'ai bonne mémoire.»

Miriam a l'impression que son cœur hoquette. Est-ce possible? Se peut-il qu'elle soit enfin en train de retrouver la piste d'Adam? C'est trop beau, il ne doit s'agir que d'une de ces énormes coïncidences. Elle répond cependant:

«Quelle coïncidence, son père a bien habité à Val Marie, en Saskatchewan.

— Val Marie! C'est ça, je me souviens! Nous avions campé un soir sur les terres de ses parents et le lendemain il avait fait son sac pour nous suivre. C'est comme ça qu'il a voyagé avec nous tout le temps que nous sommes restés en Amérique. Val Marie était un tout petit village, il ne peut s'agir que de la même personne, une telle ressemblance...»

Miriam se détourne brusquement vers la mer, tentant de dissimuler son émotion. L'homme respecte ce silence, sans même essayer de lui demander ce qui ne va pas.

«S'appelait-il Adam? demande-t-elle enfin d'une voix mal assurée.

— Oui, Adam», approuve l'homme sans chercher à faire preuve d'une attitude de style *je-vous-l'avais-dit*.

En fait, il se comporte exactement comme s'il savait à quoi s'en tenir depuis qu'il a croisé le regard de Hella.

Bien entendu, Miriam brûle de lui demander quand il a vu Adam pour la dernière fois, mais les paroles «ami ancien» résonnent à ses oreilles. Elle dit cependant:

«Vous êtes la première personne que je rencontre à l'avoir connu.

— Mon nom est Paco. Comme je vous le disais un peu plus tôt, je ne l'ai pas juste connu; nous étions amis. Mais je crois comprendre, d'après vos paroles, qu'il n'est plus auprès de vous?

— C'est une longue histoire...

— Je connais Adam; s'il n'est pas auprès de sa fille, ce n'est pas parce qu'il en aura fait le choix. Que lui est-il arrivé? »

Miriam regarde en direction de Hella, toujours rivée au bastingage. Sa fille se tourne vers elle une seconde et lui adresse un clin d'œil qui semble dire : « Je ne me mêle pas de ça. » Miriam secoue la tête en souriant, puis se tourne vers l'étranger et, pour la première fois, raconte elle et Adam. Elle le fait succinctement, ne donnant que les détails essentiels, mais ne s'épargne pas la conception inexplicable. Si cet homme se trouve sur sa route, il doit y avoir une raison à cela et il est évident qu'elle doit raconter les faits tels qu'elle les a connus.

« À présent, cela me revient, termine-t-elle, Adam m'a parlé d'un Paco avec lequel il avait pris du peyotl. Ils étaient tombés tous les deux dans le même délire qui, dès le lendemain, les avait fait s'éloigner du groupe pour aller jusque sur une certaine île des Femmes, je crois, chercher une pièce d'orfèvrerie.

— C'était à Isla Mujeres, approuve Paco. Dans notre délire, comme vous dites, le médaillon se trouvait à la pointe de l'île, au pied d'un temple maya dédié à Ixchel, la déesse de la fertilité. Il était dissimulé depuis des siècles derrière une pierre scellée. Je nous revois, de nuit de crainte de nous faire arrêter comme pilleurs de sites archéologiques, desceller des pierres et, tellement surpris, trouver le médaillon exactement comme nous l'avions vu dans notre vision. Nous y étions allés surtout pour nous prouver à nous-mêmes notre propre stupidité. Le lendemain, pour nous remettre de nos émotions, nous avons un peu abusé de tequila, assez en tout cas pour tomber endormis sur une plage, être tirés de notre sommeil éthylique par des policiers et nous retrouver dans la prison locale pour ivresse. Entre-temps, les policiers nous avaient dévalisés de tout sauf de nos papiers, et du médaillon qu'ils n'avaient pas dû remarquer au cou d'Adam.

— Je me souviens de cette histoire. Adam m'avait dit que c'était une prostituée qui vous avait tirés de ce mauvais pas.

— Oui, elle avait passé la nuit dans une cellule en face

147

de la nôtre. Il s'agissait d'une petite prison de transition située derrière l'hôtel de ville et le poste de police. Nous avions parlé avec elle une partie de la nuit. Toujours est-il que, lorsqu'elle a été relâchée, le lendemain, elle s'est remise au travail et, le soir même, elle a versé tout ce qu'elle avait gagné à un policier pour payer notre libération. C'est souvent comme ça que ça marche, là-bas. Pour la remercier, Adam lui a donné le médaillon.

— Je suis tellement heureuse d'entendre parler de lui. Jusqu'à maintenant, je dois vous dire que je n'ai jamais été vraiment certaine de ne pas avoir rêvé.

— Vous n'avez pas cherché à entrer en contact avec sa famille, à Val Marie?

— Sous quels prétextes je me serais présentée?

— Juste. Pour tout vous dire, lorsque je repense à lui, j'ai un peu la même impression que vous, sauf que toute ma famille l'a bien connu et que je ne me pose pas de questions sur sa réalité. Non, il était bien réel, et votre histoire, votre terrible histoire prouve qu'il l'était peut-être plus que nous ne le sommes tous. Cela me fait tellement chaud au cœur de voir son enfant, là. »

Hella observe toujours l'horizon. Le navire se trouve à présent au large et il ne reste plus guère sur bâbord que la silhouette de Coll. La mer est suffisamment houleuse pour donner du roulis au navire, et le ciel prend des teintes qui laissent présager un orage.

« Ce qui est incroyable, fait Miriam, c'est que vous ayez pu ainsi remarquer la ressemblance, comme ça, à des milliers de kilomètres. J'osais croire qu'elle avait aussi un peu de sa mère…

— Elle en a, énormément même. C'est ce qui me frappe: ressembler autant à ses deux parents tient du prodige.

— Vous êtes gentil, merci. Je me demande à présent pourquoi Adam n'est pas allé avec vous en Europe.

— Il en avait été question de notre côté. Je nous revois à l'aéroport d'Atlanta, essayant de le convaincre. Oh, ce n'est pas qu'il ne voulait pas, au contraire, mais il disait qu'il ne pouvait pas.

— Qu'est-ce qui l'en empêchait?

— Il disait qu'il ne pouvait pas quitter le socle qui porte le continent américain, qu'il faisait partie de ce continent, physiquement, que s'il allait de l'autre côté de l'Atlantique cela aurait le même effet que lorsque la matière rencontre l'antimatière.

— Je ne le connaissais pas ainsi, je veux dire ce côté... Comment dire?

— Irrationnel?

— Oui, c'est cela.

— Vous croyez que c'est rationnel que sa fille soit ici, à regarder la mer alors que...

— Je sais...

— Et, de toute façon, est-ce rationnel, le simple fait que nous soyons, qu'il y ait un bateau, la mer, le ciel au-dessus, les étoiles qu'on ne voit pas pour l'instant et la musique qui fait danser tout cela? Non, le rationnel est l'ennemi de la raison pure.»

Comme si le ciel n'avait attendu que ces mots, énormes, les premières gouttes d'une averse s'écrasent sur le pont. Miriam appelle Hella pour lui demander de descendre s'abriter avec elle.

«La pluie ne me dérange pas», lui retourne sa fille.

S'adressant à elle, Paco désigne un étui de guitare à ses pieds et dit:

«J'aurais voulu te jouer une chanson écrite par ton papa, mais je ne peux pas sortir ma guitare sous la pluie...

— Vous connaissez mon père!»

C'est Miriam qui répond d'un signe de tête affirmatif. Hella remarque à quel point le visage de sa mère reflète une grande émotion.

«Descendons!» dit-elle comme si c'était elle, cette fois, qui en prenait l'initiative.

Dans l'escalier, elle demande déjà:

«Vous l'avez connu où? Quand! Où est-il? Que fait-il?

— Je l'ai connu il y a longtemps. Avant que ta maman le rencontre, nous avons pas mal voyagé ensemble.

— En te voyant, dit Miriam, sans te connaître ni me connaître, monsieur Paco m'a dit que tu ressemblais beaucoup à un ami ancien. Tu te rends compte!

— Mais ça pourrait être quelqu'un d'autre, non?

— Cela aurait pu, mais nous nous sommes vite aperçus que nous parlions bien de la même personne. »

Hella ne semble pas convaincue. Elle regarde l'étui à guitare comme si elle en attendait une confirmation. Paco hoche la tête :

« Tu as raison, seule la musique sait parler », approuve-t-il.

Alors, pour le bénéfice de tous les passagers qui se tournent vers lui lorsqu'il commence à gratter les cordes et à taper des doigts sur le bois, il entame une chanson qui débute par une de ces plaintes propres au flamenco qui tentent d'exprimer la peine qu'il y a à ne pas pouvoir faire sienne la grandeur du monde, mais aussi la joie d'au moins pouvoir exprimer cette incapacité. Puis résonnent les paroles dans une langue inconnue de tous, mais dont pourtant, seules dans le salon à pouvoir le faire, Miriam et Hella comprennent le sens. Ce n'est pas vraiment une chanson, plutôt un message chanté auquel la musique vient donner toute sa dimension. En substance, les mots disent :

Ma fille, tu ne me connais pas, je ne te connais pas – Mais nous nous connaissons – Ma fille – Tu le sais, je le sais – Par le feu et par l'eau – Tu es enfant de l'amour – Et voilà – Le flambeau est à toi – Ma fille – Par la main qui porte la musique – Je t'annonce une île – Une île dont je suis la glace – Une île dont tu seras le feu – Une île au centre du monde – Une île qui défera le monde – Mais pourra le refaire – Si seulement tu le veux – Ma fille – À ceci tu sauras qui je suis – Par le vin du Vieux Monde – Par la chair de l'Atlantique – Par la racine d'Amérique – Là où bat le cœur du continent – J'ai communié avec le soleil de ma vie.

Personne d'autre n'a compris les mots, mais tout le monde applaudit, sauf Miriam qui se mord les lèvres. Jamais elle n'a parlé à quiconque du déjeuner sur l'île à la Pêche, ni n'en a fait mention plus tôt à Paco. Hella non plus ne peut applaudir ; elle comprend trop bien ce que signifient les larmes de sa mère. Paco leur sourit. Elles sentent bien que leur émotion provoque aussi la sienne.

« Pour la petite histoire de cette chanson, dit-il, nous étions à Terre-Neuve, essayant de trouver un moyen de passer au Groenland. La caravane avait pris ses quartiers de nuit dans un pré, face à l'océan. Je me souviens qu'après la veillée Adam était resté seul sous la lune. Il m'avait dit qu'il sentait quelque chose, qu'il fallait qu'il reste là, seul, pour mieux recevoir. Nous autres, gitans, nous respectons ce type de communication. Toujours est-il qu'au petit matin, le soleil n'était pas encore levé, il est venu me secouer dans ma couchette; il voulait que je joue ce qu'il venait de composer. Je ne comprenais rien aux mots, mais il les a écrits. Quant à la musique, qu'il me chantonnait, elle m'est tout de suite entrée dans le corps. On ne saura sans doute jamais ce que veulent dire les paroles, mais leur musicalité parle à elle seule.

— Je peux vous dire ce que ça veut dire, dit Hella. La chanson s'adresse à moi. Papa me dit qu'il est l'eau et que je suis le feu. Je trouve ça beau. Il dit aussi que je ne l'ai jamais vu, mais que nous nous connaissons depuis toujours. Il termine par un signe de reconnaissance qui passe par maman, mais pour moi, c'était inutile; je savais déjà.

— Donc, vous comprenez les paroles, fait Paco en hochant gravement la tête. De quelle langue s'agit-il? Cela fait des années que je cherche.

— Aucune idée, répond Miriam.

— Moi non plus, dit Hella.

— Mais alors? »

Elles acquiescent en silence et de nouveau il hoche la tête, acceptant l'évidence.

« C'est pourquoi il se montrait toujours mystérieux lorsque je lui demandais de quelle langue il s'agissait. Je comprends… Ma quête s'achève donc ici…

— Que cherchiez-vous? demande Miriam.

— La langue des paroles. Tous les étés, j'ai quitté les miens pour me rendre dans les lieux les plus improbables, espérant toujours trouver de quelle langue il s'agissait. Je viens de comprendre qu'elle lui était propre. Remarquez que je n'ai pas perdu mon temps; les paroles sont enfin parvenues aux oreilles à qui elles étaient destinées, et puis j'ai vu encore un peu plus de pays que les miens – ce qui, pour les gens du voyage, est presque un idéal. Dites-moi, que signifie *oré gaïshaya*?

— "Ma fille", répond Hella sans hésitation, mais on devrait plutôt dire quelque chose comme "partie féminine issue de ce que je suis", puisque *oré* veut plutôt dire "de ce que je suis" que "ce qui est à moi", et *gaïshaya* exprime plus le principe féminin que fille ou femme. Mais comment en être certaine? J'ai compris les mots sans les connaître.

— C'est souvent ce qui se passe avec la musique, dit Paco.

— Vous alliez à Uist à la recherche du sens des mots? demande Miriam.

— Oui, c'est un coin où je ne suis pas encore allé. Il faut croire que j'étais bien inspiré.

— Alors tu vas venir marcher avec nous? demande Hella.

— Tu es gentille, mais, non, ce ne serait pas… Enfin, je crois que ma place est auprès des miens, le voyage continue…

— Vous êtes le bienvenu, Paco, insiste Miriam.

— Je ne peux pas, merci. Je crois que je vais rester à bord pour retourner.

— Allez-vous retourner en Amérique? Adam disait que vous y étiez allés pour trouver ce qui vous unissait aux Amérindiens. Avez-vous trouvé?

— Le lien est la migration. Tous les gens du voyage, tous les migrateurs doivent avoir un gène particulier. La race humaine est divisée entre les sédentaires et les migrateurs, mais la coexistence est presque incompatible; nous sommes appelés à disparaître. De nous, il reste quelques gitans, quelques touaregs, quelques beatniks ici et là et une poignée de navigateurs. Les Amérindiens eux-mêmes ont définitivement planté leur wigwam. Pour les sédentaires, il s'agit de posséder les biens terrestres pour avoir l'impression d'en profiter; pour les nomades, il s'agit surtout de ressentir tout ce que la terre a à offrir et, comme moi, de le restituer au ciel sous forme de musique. Je suppose que les dieux, là-haut, ont besoin du rêve des sédentaires et de la musique des nomades. Je crois aussi qu'ils ne seront pas de bonne humeur lorsque la musique s'arrêtera. Adam, lui, était spécial. Je crois qu'il appartenait non seulement aux deux mondes, mais aussi à la Terre elle-même. Nous sommes tous des enfants de la Terre, mais c'est comme si Adam en était vraiment le fils. Un peu comme dans la religion il y a les enfants de Dieu et le Fils de Dieu.

— Vous venez d'exprimer ce que j'ai toujours cherché à verbaliser à propos d'Adam, approuve Miriam.

— Nous avons quand même fait un bout de chemin ensemble.»

Il se tourne vers Hella:

«Et toi, tu es fille du feu, *gaïshaya del fuego*.»

Cela ressemble déjà à un au revoir et, comme pour appuyer cette impression, les cornes du navire mugissent. Ils arrivent. Miriam éprouve déjà la séparation. Être avec Paco, c'est un peu sentir la présence d'Adam.

«Vous êtes vraiment certain de ne pas vouloir vous joindre un peu à nous?

— Je ressens ce que vous ressentez, mais cela ne servirait à rien. Ce ne serait que plus difficile ensuite pour moi.»

Il pose sa main sur l'avant-bras de Miriam et ajoute, un ton plus bas:

«J'ai quelque chose pour vous...»

Elle comprend qu'il veut lui parler seul à seule. Elle fait signe que c'est inutile et précise:

«Hella peut comprendre n'importe quoi.»

Il approuve, porte la main sous son col de chemise et en sort un médaillon d'or et d'argent suspendu à une mince lanière de cuir. Il le tend à Miriam:

«À présent, je crois que c'est à vous de le porter...

— Mais... Ce n'est pas ce médaillon dont vous disiez qu'Adam l'avait donné à cette fille de Mexico?

— Dolorès, c'était son nom. Il y a cinq ans, je pensais toujours à elle... Non, je m'explique mal, je recommence. Je n'ai connu ce qu'on appelle le Grand Amour qu'une fois dans ma vie, ce qui est déjà très bien, remarquez. Cela se passait en Normandie, sur ce que vous, Canadiens, appelez toujours Juno Beach. C'était un après-midi de Pâques, le soleil scintillait sur la mer, ça sentait le bonheur à vous renverser et, vêtue d'une longue jupe fleurie comme un voile au vent, ses

153

cheveux bouclés accrochant toute la lumière du monde, elle est passée, ses jolis pieds nus dans le sable doré. Cela a duré deux ou trois minutes; je ne l'ai jamais oubliée. Ça, c'est le grand amour de ma vie. Mais Dolorès, elle, je pensais toujours à elle comme à une personne réelle pour qui je pouvais agir. Alors, j'ai pris un avion pour le Mexique. Il m'a fallu près de trois mois pour la retrouver. Il était temps, car elle était sur une mauvaise pente. Nous nous sommes mariés aux Saintes-Maries-de-la-Mer, elle m'a donné un fils qui fait vraiment le lien entre les gitans et les Indiens puisque Dolorès descendait des Tarahumaras. Hélas, la vie qu'elle a eue l'a minée, elle nous a quittés il y a deux ans. Ma mère s'occupe de mon fils en ce moment. C'est pour lui que je dois retourner. J'ai juste une chose à vous demander...

— Ce que vous voulez, Paco?

— Vous pouvez refuser le médaillon maintenant, mais si vous l'acceptez, il vous faudra toujours le porter. Ce n'est pas tout: jamais il ne devra se trouver entre vous et le père du serpent. Cela lui donnerait un pouvoir inimaginable et l'ôter à ce moment-là reviendrait au même. Vous réalisez tout ce que cela implique?

— Qui est le père du serpent?

— Je n'en sais rien, je sais seulement qu'il attend son heure.

— Est-ce que... Excusez-moi, mais est-ce que cela faisait aussi partie de l'hallucination induite par le peyotl?»

Le navire accoste et un haut-parleur invite les passagers possédant un véhicule à le regagner sans tarder.

«Non, répond Paco, c'est Adam qui a expliqué tout cela à Dolorès lorsqu'il lui a remis le médaillon, et elle a toujours pris garde.

— Comment? Je veux dire avec le métier qu'elle faisait, pardonnez-moi?

— De rien. Elle travaillait à son compte, elle pouvait toujours refuser. Mais, pour tout vous dire, maintenant que je vous ai vues comprendre les paroles de la chanson, je ne doute pas qu'Adam s'adressait à vous à travers elle.

— Il ne me connaissait pas à ce moment-là!

— La chanson prouve qu'il vous attendait. Nous attendons tous…

— Maman, intervient Hella, il faut décider.

— Mais c'est tout décidé, ma chérie, j'accepte, bien sûr! »

Miriam passe le lacet de cuir autour de son cou et ressent sur le champ une onde de chaleur traverser sa poitrine sans qu'elle sache s'il faut l'attribuer à l'émotion ou à autre chose. Elle sourit à Paco et lui serre chaleureusement la main. Hella prend à son tour la main de l'homme et lui demande:

«Je peux t'embrasser, Paco?»

Il se baisse vers elle, qui noue ses bras autour de son cou, l'embrasse sur les deux joues puis lui murmure à l'oreille:

«Merci, Paco. Tu embrasseras Adam pour moi.

— Comment as-tu deviné que nous l'avons appelé Adam?

— Parce que, toi et Dolorès, vous étiez les amis de mon père. Autre chose, tu devrais faire enregistrer la chanson, je suis certaine que ce serait un grand succès.

— Pas question, c'est une chanson spécialement pour toi, *gaïshaya del fuego.* »

XVI

Dans l'ensemble, ce sont des jours de bonheur simple, dans les Hébrides. Il y a des lochs, des criques et des plages à découvrir qui ne semblent là que pour leur bonheur. Lorsque, par exemple, au terme d'une journée de marche dans les collines, accompagnées de poneys sauvages, elles atteignent le relief indompté du loch Sgioport qui baigne dans un silence que ne vient troubler que le cri des oiseaux marins, tandis que les verts de l'herbe rivalisent avec les bleus profonds de la mer et les reflets parfois carmin de la pierre, elles croient bien qu'elles viennent d'arriver au paradis.

«Pourquoi est-ce qu'on ne resterait pas pour vivre ici? demande Hella. On construirait une petite maison de pierre, on aurait un jardin et ce serait bien.

— Je crois qu'on s'ennuierait vite.

— De quoi? Il y a tout ici.

— Pas de quoi, mais des autres. Il est peut-être possible de survivre sans les autres, mais on ne peut pas vivre. C'est ce qu'on partage qui donne du sens à la vie. Et puis comment irais-tu à l'école? Qui pourrais-tu rencontrer qui te fasse évoluer?

— D'après ce que tu dis, le paradis serait ennuyeux.

— Je dis surtout que même dans le plus bel endroit du monde, comme ici, il n'y a pas de paradis possible sans les autres.

— Mais là, on est bien pourtant?

— Parce que nous savons que nous allons rentrer et que

nous pourrons raconter aux autres les beaux endroits que nous avons visités. Tu te vois, ici, pour toujours, avec juste moi pour compagnie et pour seule occupation que de cultiver les carottes et les navets; à quoi ça servirait?

— Tout considéré, même avec les autres, à quoi ça sert?

— Bien, chacun fait son petit bout et la société progresse. Lentement, mais elle progresse.

— Vers quoi? Pourquoi?

— Vers la connaissance, je crois… Bon! Ça recommence, ces grandes conversations sans issue.

— C'est toi qui as commencé.

— Non, c'est toi, tu parlais de t'installer ici.

— J'ai juste dit que ce serait bien de vivre ici; c'est toi qui as parlé de donner un sens à la vie, pas moi. De toute façon, je crois que le sens de la vie est dans la vie elle-même, et la vie elle-même, ça doit être plus facile de la sentir ici qu'à Vegas ou à St. Andrews. »

Les vacances se poursuivent ainsi, longues marches sur des plages stupéfiantes qui sont pourtant – et par bonheur – ignorées de la masse des touristes, visite de lieux qui donnent le sentiment d'être les premiers à les découvrir. Souvent, le soir, avant de s'endormir, Miriam se dit que le bonheur est presque total. Toutefois, il y a ce presque qui devient lancinant et qui parfois même sonne comme une condamnation à perpétuité. Elle se rend à l'évidence que, jusqu'à la rencontre avec Paco, elle a toujours conservé un espoir de retrouver Adam. Depuis, les mots de la chanson ont balayé cet espoir. Et chaque jour de bonheur est une journée perdue. Parfois même, elle a presque hâte de retourner à son travail. Elle peut comprendre que certaines catégories d'emploi peuvent n'être perçues que comme des corvées inévitables pour apporter de l'eau au moulin, mais comment certains peuvent-ils considérer le travail en général comme un châtiment imputable à une faute originelle? Cela lui semble presque pervers. Non, le travail est une bénédiction permettant à la fois d'oublier et d'apporter sa petite contribution à l'édification de la société, même si, comme l'a fait remarquer Hella, on ne sait pas trop bien vers quoi ni pourquoi.

Après deux semaines, un petit traversier les fait passer de North Uist à Harris. Immédiatement, cette île provoque chez Miriam une sensation de déjà-vu. Elle se demande même si elle n'est pas en train de faire le type d'expériences mémorielles dont parle Hella. Tout s'éclaire sur la plage magnifique de Luskentyre, alors que, pique-niquant sur un rocher, elles font la connaissance d'un couple venu d'aussi loin que l'Australie pour l'unique privilège de pouvoir contempler les roches métamorphiques apparentes les plus anciennes de la planète. Il s'agit d'un couple de géologues amateurs, dont le mari explique à Miriam que le paysage de Harris, qui peut donner l'impression de se trouver sur une autre planète, est dû au gneiss âgé de quelque trois milliards d'années et dont les tons varient du noir au rose en passant par toutes les teintes de brun et de gris.

«Du reste, ajoute l'homme qui dans la vie de tous les jours possède une petite fabrique de chapeaux pour hommes, c'est ici, dans cette île, que Stanley Kubrick est venu tourner la séquence de *2001 : A Space Odyssey* dans laquelle Floyd, après avoir été avalé par le monolithe et après avoir traversé l'espèce de tunnel psychédélique, arrive sur cette étrange planète isolée du temps et de l'univers.»

Miriam se souvient aussitôt de cette séquence, d'autant plus que, fascinée par ce film, elle l'a revu à plusieurs occasions. Elle se reproche aussitôt sa naïveté et se promet, à l'avenir, de ne plus se laisser prendre aux pièges de la mémoire trop souvent apte à confondre les faits réels et la fiction, même si cette dernière peut exprimer la réalité de son créateur.

Le voyage continue, prodiguant sans cesse son lot d'émerveillement, preuve indiscutable, aux yeux de Hella, que la nature elle-même est un spectacle perpétuel réservant toujours de nouvelles surprises, même et surtout lorsqu'on pense avoir vu le plus beau. C'est ce qui se produit sur la petite île Great Bernera, située entre les lochs Rog et Rog an Ear de Lewis. Elles arrivent dans la matinée à l'extrémité nord-ouest de l'île, en un lieu qui ne porte pas de nom spécifique sur la carte, mais qui est signalé comme étant le site de ruines d'habitations datant de l'âge de fer. Ce ne sont pas les vestiges qui les renversent, mais la beauté presque surnaturelle des lieux, au point que Hella a pour ainsi dire mauvaise conscience à laisser l'empreinte de ses pas dans le sable.

Cette fois, c'est beaucoup pour Miriam. Bien sûr, elle est heureuse de partager tout ceci avec Hella, d'autant plus que rien jamais ne pourrait rivaliser avec l'amour qu'elle lui porte, mais, oui, il y a un «mais», elle voudrait tellement découvrir ces lieux avec un bras passé autour de ses épaules. Elle se reprend: «avec le bras d'Adam». Dieu qu'une vie paraît longue quand on ne peut au moins espérer rompre sa solitude, à moins peut-être de se laisser sombrer dans une demi-folie permettant, par le biais des souvenirs, de faire revivre Adam auprès d'elle. Tout ce qu'elle a sous les yeux est comme un rappel de sa situation: voilà, elle est avec la personne qu'elle aime plus que tout, dans la beauté à l'état pur, libre et sans contrainte, sans soucis pécuniaires ou professionnels, en condition physique idéale, et pourtant elle se sent vide d'une partie d'elle-même. Elle en est à ce point de ses pensées lorsque Hella a des paroles réconfortantes et pourtant terribles:

«À moi aussi, il me manque, tu sais. Je serais tellement heureuse s'il était là, avec nous. J'aurais ma main dans la sienne et alors...»

Alors, il n'y a rien à ajouter. Miriam prend cette petite main qui réclame celle de son père et elle se revoit, lors de la seule fois dont elle peut se souvenir, en train de marcher main dans la main avec son propre père. C'était à Windsor, comme dans la plupart des souvenirs de son enfance, mais une de ces rares journées, comme celle où elle a rencontré Joe, où la ville avait eu un visage plus humain. C'était la fin de juin. Comme tous les ans, un grand feu d'artifice avait été organisé sur des barges au milieu de la rivière entre les deux villes. Ce jour-là, sa mère était indisposée; aussi, son père, qui pour une fois n'était pas à son bureau d'études à Flint, avait dit qu'ils iraient voir le feu d'artifice tous les deux, en amoureux. Il y avait eu cette longue promenade sur la rive noire de monde, où pourtant elle jurerait encore qu'ils étaient seuls. Ils s'étaient assis dans l'herbe au bord de l'eau, juste en face des tours de Motown, pour assister au déploiement pyrotechnique qui n'avait commencé qu'à la nuit tombée, c'est-à-dire tard, puisque c'était le solstice de juin. Côte à côte, ils avaient commenté l'un pour l'autre la performance de chaque fusée. C'était loin d'être la beauté parfaite de cette plage, mais il y avait la magie des jours de fête et, surtout, pour une fois, son père, l'homme de sa vie d'alors, uniquement pour elle. Le bouquet final n'avait pas sonné l'heure du retour; ils s'étaient ensuite rendus à la fête foraine où, au tir au fusil sur des pipes de plâtre, véritable héros, il lui avait gagné une immense girafe jaune et brune. Puis il y avait eu ces moments uniques dans la grande roue. Lorsque celle-ci s'était arrêtée, le temps qu'ils se balancent à son zénith, suspendus dans la nuit qui portait encore l'odeur de la poudre, avec la fête grouillante à leurs pieds et les buildings de la cité sur leur droite, là, elle avait souhaité très fort que le moteur tombe en panne, que le manège ne reparte pas et qu'ils restent ainsi, pour toujours immobilisés dans cette belle nuit où, témoins de leur complicité, les tours n'avaient plus rien d'inquiétant.

Ses parents! Soudain, elle a besoin de les revoir. Retrouver cette mère que finalement elle connaît à peine, ce père qui a livré toute sa vie au travail, comme pour échapper à quelque chose. Comment est-il possible d'être leur fille unique, d'avoir passé toute sa jeunesse sous le même toit pour finalement n'avoir partagé avec eux que si peu de véritables moments d'intimité? Que s'est-il passé? Est-ce une malédiction jetée par Windsor et ce qui lui ressemble au visage de la vie? Ou, plutôt, et sans doute plus justement, Windsor n'est-elle pas que la part d'abandon de ceux qui la composent?

«Décision, dit-elle à Hella, nous irons voir tes grands-parents pour les fêtes de Noël. Qu'en dis-tu?

— J'en dis que c'est une bonne idée. Et j'en dis aussi que c'est facile lorsqu'il n'y a qu'à prendre l'avion.

— Tu sais, je crois au bout du compte que j'ai beaucoup moins connu mes parents que nous nous connaissons toutes les deux.

— Ce n'était pas un reproche, maman, juste une constatation.

— J'avais bien compris, ma chérie.

— Il faut bien se parler pendant qu'on est ensemble.

— Qu'est-ce que tu veux dire par là?

— Rien de spécial, sauf qu'un jour on prendra des routes différentes, comme toi et tes parents.

— C'est vrai... Mais il nous reste du temps!

— Du temps... Tu sais, pour reprendre la conversation qu'on a eue au printemps, si un homme gentil t'invitait à dîner dans un bon restaurant, pourquoi, au fond, refuser de tenter ta chance?

— On verra ça, si jamais ça se présente. Ce n'est pas du tout dans mes priorités.

— Tu viens de dire que nous nous connaissons, maman. N'essaie pas de te raconter des histoires à travers moi.

— Oh! toi...»

Elles avancent vers la mer, se regardent en se lançant un défi silencieux, jettent leurs vêtements sur le sable et plongent en riant dans l'eau, à cet instant plus bleue que le bleu. Est-ce la profondeur de ce bleu? Miriam a un pressentiment, presque une mise en alerte qu'elle ne peut définir. Elle se redresse vivement et surveille Hella. Tout semble bien aller; ce doit encore être une de ces impressions comme celle provoquée par les vieilles pierres sur Harris.

Elles restent dans ces parages immédiats durant deux jours, ne parvenant pas à se rassasier des couleurs, de la lumière et même de l'air qui paraît plus léger qu'ailleurs. Mais il faut bien se décider à partir et, déjà avec nostalgie, elles franchissent les quelques kilomètres qui les séparent de Callanish, que Miriam a souligné sur sa carte puisqu'il est indiqué que l'on peut y voir un alignement de pierres antérieur à Stonehenge.

En premier lieu, il y a bien l'émotion, un peu artificielle, de se dire que certains de ces monolithes ont été dressés là voilà cinq mille ans, mais il y a aussi un peu la déception de ne pas trouver ce que l'on est venu chercher: un lien intemporel quelque peu mystique qui rattacherait à ce passé humainement très ancien. Ce lien est complètement balayé pour Miriam lorsque Hella déclare que les interprétations religieuses qui sont données des lieux sur des panneaux destinés aux touristes sont ridicules. Elle explique:

«Il est pourtant facile de comprendre à quoi servaient ces pierres; c'était ce qui soutenait une grande maison. Tu vois, là, les pierres, deux par deux, servaient à recevoir des troncs d'arbre que l'on devait tenir contre les pierres en ramenant de la terre. Ensuite, de chaque pierre jusqu'à la pierre plantée au centre, on posait d'autres troncs, comme les rayons d'une roue de vélo. Après, il ne restait plus qu'à recouvrir. Ces gens-là avaient plus besoin de se tenir au chaud qu'autre chose. Imagine, ici, l'hiver.

— Ça enlève un peu de magie à la visite de se dire que ce n'était qu'une habitation.

— Non, au contraire; c'est fantastique de se dire qu'avec le peu de moyens qu'ils avaient en ce temps-là ils trouvaient quand même une façon de se protéger du vent et du froid.

— Moi, l'explication officielle ne me déplaît pas. Je suis davantage fascinée par l'idée que ces gens-là qui n'avaient que peu de moyens, comme tu viens de le dire, éprouvaient le besoin du sacré au point de dresser des monuments à première vue inutiles pour donner du sens à leur vie.

— Là, tu ne vas pas me dire que c'est moi qui ai commencé ce genre de conversation... Regarde, le ciel devient tout noir...»

En effet, le ciel est en train de prendre une teinte ardoise qui ne laisse pas de doute sur la venue imminente d'un orage, ou tout au moins d'une sérieuse averse. Miriam indique qu'il serait plus sage d'aller s'abriter dans la voiture. Comme elles s'éloignent et se trouvent un peu en contrebas du tertre où sont dressées les pierres, une mince bande de ciel se dégage juste au-dessus de l'horizon, laissant s'échapper un flot de lumière dorée. Se retournant vers l'alignement, Hella pousse un petit cri de surprise. Depuis l'horizon, la lumière se condense sur les pierres et fait apparaître celles-ci comme autant de blocs d'or sur le contre-champ ténébreux du ciel. C'est saisissant.

«Viens vite!» s'écrie Hella en se précipitant vers l'alignement. Miriam n'a pas le temps de poser de questions, elle ne peut que suivre. Sans hésiter, Hella va se poster contre la pierre du centre et, d'un geste, fait signe à sa mère de la rejoindre. Immédiatement, Miriam sent une chaleur l'envahir. Bien que le ciel tire à présent vers un violet-brun foncé, les pierres paraissent attirer à elles toute la lumière qui se dégage là-bas, au-dessus de l'Atlantique. Cela est bref, tout au plus trente secondes, puis tout le ciel s'obscurcit et c'est comme si la lumière avait été éteinte. Presque au même moment, les nuées se déversent littéralement. Pourtant, elles restent là et Hella rit comme jamais Miriam ne l'a vue rire. Elle aussi se laisse gagner par cette hilarité et, sous la pluie battante, se sentant régénérée, elle fait comme sa fille. Quiconque serait témoin de leur attitude les prendrait pour deux folles sans doute échappées d'une institution.

«Je me suis complètement trompée, fait Hella en reprenant un peu son calme. Ce n'était pas du tout une maison, je suis stupide!

— Que veux-tu dire?

— Ceux qui ont planté ces pierres les premiers l'ont fait comme aujourd'hui on construit le gratte-ciel le plus haut.

— C'est-à-dire pour réaliser quelque chose qui les dépassait, c'est ça?

— Oui, sauf qu'au lieu d'y mettre des bureaux, comme on le ferait aujourd'hui, pour quand même avoir l'impression que ça sert à quelque chose, les gens de l'époque ont arrangé toutes ces pierres comme… Comme un chargeur.»

Miriam n'a pas besoin de demander plus de précision; elle a parfaitement ressenti l'énergie qui la pénétrait, au point que, sous le déluge qui s'abat sur leur dos, elle n'a pas même un frisson. En fait, elle ne se souvient pas s'être jamais sentie aussi en vie, presque invincible. Elle voudrait crier pour le faire savoir.

«Maintenant, ça me revient, dit Hella. Tu te souviens, quand on a quitté Vegas je t'ai parlé de cet endroit.

— Oui, je me souviens, mais allons quand même nous abriter dans l'auto pour en parler, ce sera plus raisonnable.»

Ce n'est que dans le petit habitacle dont les vitres s'embuent immédiatement qu'elles se rendent compte à quel point elles sont trempées. Miriam met le contact, mais n'embraye pas; elle a besoin de réfléchir.

«Je ne comprends pas du tout comment tu as pu imaginer cet endroit, dit-elle au terme d'un long silence. Peut-être as-tu feuilleté des livres ou des magazines sur l'Écosse?

— Je ne m'en souviens pas.

— Mais enfin, tu sais comme moi qu'on ne pourrait voir l'avenir que s'il était possible d'aller plus vite que la lumière.

— Non, je ne savais pas ça, mais alors comment papa a-t-il pu écrire sa chanson?

— Je me demande...

— Quoi?

— S'il n'est pas là, en train de nous jouer un tour.

— Moi, je ne veux pas imaginer un père capable de nous jouer ce genre de tour. Et puis, je les ai vraiment vues, ces pierres.

— Il doit y avoir une explication à tout cela, ce n'est pas possible... Et pourquoi ces pierres plus qu'autre chose?

— Peut-être à cause de ce qui vient de se passer. Je me sens si forte, à présent.»

Miriam hausse les épaules, comme pour signifier qu'elle abandonne tous ces questionnements.

«Nous sommes fortes, comme tu dis, mais aussi trempées. Je suggère que ce soir nous allions à Stornoway prendre une chambre d'hôtel où nous pourrons profiter d'un bon bain chaud. Qu'en dis-tu?

— D'accord, mais je voudrais retourner aux pierres. Juste quelques minutes?

— Pourquoi?

— Je ne sais pas encore. S'il te plaît?

— Bon... Allons-y, puisque tu insistes...

— Il faut que j'y aille toute seule...»

Miriam se tourne vers sa fille et la regarde dans les yeux. Que se prépare-t-il encore?

«Maman, c'est important!» insiste Hella.

Miriam a un regard circulaire. Elle ne voit pas ce qui

pourrait arriver de fâcheux. La mer est loin, il n'y a pas de falaises à proximité, rien de spécial, qu'un chemin de gravier menant aux pierres qui sont debout depuis des millénaires. D'autre part, les derniers touristes ont fui les lieux dès que le ciel est devenu menaçant.

«Alors juste une minute, dit-elle, et tu reviens aussi vite. Tiens, si tu n'es pas là dans cinq minutes au cadran du tableau de bord, je vais te chercher et ça va barder, entendu?»

Hella fait signe que oui en souriant, ouvre la portière et part en courant.

Regrettant déjà sa décision, Miriam s'apprête à la rejoindre, mais, depuis le sommet de la petite côte surmontant le parking, Hella se retourne pour lui faire signe que non. Miriam pousse un soupir et fixe le cadran en se reprochant d'obéir ainsi aux demandes insensées d'une fillette. Une fillette qui en sait beaucoup plus sur la vie que la grande majorité des adultes et qui peut commander aux machines à sous et aux cartes, mais qui n'en reste pas moins une fillette. Une minute passe. Une idée en amenant une autre, elle pense au médaillon qu'elle porte. Déboutonnant le haut de son chemisier trempé, elle le prend dans ses doigts pour l'observer, essayant de comprendre ce qu'il représente. Sans très bien savoir s'il s'agit d'un mélange d'or et d'argent, elle voit, gravé un peu grossièrement, la représentation d'une femme au ventre rond et à la poitrine disproportionnée. Au-dessus d'elle, une arche évoque sans doute un arc-en-ciel. L'envers du médaillon présente quelques caractères qu'elle croit être de l'alphabet runique, dont elle sait que chaque lettre possède à la fois une fonction phonétique et un sens propre. Elle se promet d'essayer de les déchiffrer dès son retour à St. Andrews. De qui pouvait parler Paco en mentionnant le père du serpent? Cela a-t-il un rapport avec l'épreuve qu'elle pressent? Elle jette un regard au cadran et est étonnée de constater que la minute est toujours la même. Levant les yeux elle distingue, à travers le pare-brise embué qu'elle essuie du dos de la main, une trouée de ciel bleu bien délimitée et sans doute, d'après ce qu'elle peut en évaluer, à la verticale de l'alignement de pierres. Son cœur bat plus vite. Ce n'est pas une banale trouée nuageuse; le cercle est trop précis pour cela. Que se passe-t-il? Il lui faut aller rejoindre Hella immédiatement. Elle tente d'ouvrir la portière, mais une violente rafale rabat celle-ci avec violence et secoue la voiture sur place. Miriam demeure saisie un instant. Elle a l'impression que seuls ses yeux peuvent se mouvoir. De nouveau, elle regarde le cadran et se rend compte avec effroi que les chiffres n'ont toujours pas bougé. Le vent ne se calme pas; au contraire, la voiture est ballottée comme si elle était garée au bord d'une autoroute et que des camions passaient à grande vitesse. Elle veut agir, mais s'en trouve empêchée sans seulement pouvoir déterminer si c'est par elle-même ou par une force extérieure. Ne sachant que faire d'autre, elle appelle Adam tout haut et lui demande de l'aider à protéger leur fille. À croire que l'appel a été entendu, elle sent qu'elle peut bouger à nouveau et tente aussitôt d'ouvrir la portière. Cette fois, elle parvient à sortir, mais elle est assaillie par un tourbillon de vent, de pluie et de ténèbres qui fait que, sans trop comprendre comment, elle se retrouve sur le siège de l'auto, comme si elle avait renoncé. Cela ne se peut pas! Le vent ou quoi que ce soit ne peut la faire reculer s'il s'agit d'aider Hella! Son regard accroche le cadran, les minutes sont toujours figées. Elle tape dessus.

«Raisonnons! se dit-elle. Le temps ne peut pas être arrêté, sinon je ne serais pas en train de me le demander. Il ne peut s'agir que du cadran, mais pourquoi juste maintenant? C'est Hella! C'est elle! Comme elle a commandé aux machines à sous, elle commande au cadran. C'est impossible, je le sais, mais c'est ainsi. Que se passe-t-il là-bas? Pourquoi ce trou dans le ciel? C'est mon enfant qui se trouve là-dessous! Ma petite fille!»

Encore une fois, elle se projette dehors et se précipite vers le sentier qui débute passé une barrière empêchant la fuite des moutons au bas de la petite côte cernant le parking. À peine a-t-elle fait quelques pas qu'elle se rend compte qu'il n'y a plus de trouée dans le ciel. À la place, un arc-en-ciel semble partir de là où doit se trouver l'alignement. Il lui tarde d'arriver en haut de la côte pour voir ce qui s'y passe, mais elle

167

n'en a pas le temps; elle aperçoit Hella qui revient. Voyant dans quel état elle se trouve, elle pousse un cri de frayeur. La fillette titube presque, paraît hagarde, la pluie a collé ses cheveux sur son visage et elle est maculée de boue. Lorsque Miriam la rejoint, Hella ne peut faire un pas de plus et s'écroule littéralement dans ses bras.

«Hella, mon amour! Qu'est-ce qui t'est arrivé?»

Mais la petite est trop faible pour seulement répondre. Seul son regard tente de signifier à sa mère que tout va bien. Son regard et l'ébauche d'un sourire au coin des lèvres. Miriam la porte jusque sur son siège, incline celui-ci et la déshabille pour la couvrir d'un anorak resté à l'arrière.

Sitôt installée au volant, sans attendre, elle prend la direction de Stornoway qui, selon la carte, ne doit pas se trouver à plus d'une demi-heure. Le trajet se fait en silence. Souvent, elle jette un regard vers Hella pour voir si celle-ci récupère. Les questions lui brûlent les lèvres, mais elle sait que le moment n'est pas venu.

Petit à petit, Hella reprend des forces ou, du moins, émerge de sa faiblesse. Lorsque le château de la petite capitale insulaire est en vue, elle prononce ses premières paroles:

«Heureusement, on avait d'abord été rechargées…»

Miriam comprend que Hella fait allusion à l'énergie qu'indéniablement elles ont reçue. Mais qu'est-il arrivé ensuite? Qui ou quoi a repris cette énergie et, manifestement, des intérêts?

Tournant au hasard dans la petite ville qui ne doit pas compter plus de quatre ou cinq mille âmes, Miriam choisit un hôtel situé juste en face d'une église qui, bien que de modestes dimensions, ne lui en paraît pas moins très jolie. Le *County Hotel* a dû symboliser le luxe dans cette ville un demi-siècle auparavant. Le hall de la réception a un côté suranné et la clientèle attablée là, qui devant un thé, qui devant une bière, ne déparerait pas dans un film d'époque, serait-elle victorienne. Miriam, qui a dit à Hella de l'attendre dans la voiture le temps de s'informer s'il y avait de la disponibilité, remarque le coup d'œil un peu soucieux de la réceptionniste au chignon tiré en apercevant sa tenue. Elle lui explique qu'elle s'est trouvée surprise par l'orage durant sa visite de Callanish. Aussitôt, la femme a un sourire poli empreint de toute la compréhension voulue, puis s'affaire à consulter un grand livre. Miriam remplit la fiche tendue et reçoit en échange une clef qui, elle aussi, date d'une autre époque. Derrière un charmant sourire hôtelier, la réceptionniste lui confie comme un secret qu'elle lui a donné la chambre bénéficiant de la plus grande baignoire.

La porte refermée sur elles, le premier geste de Miriam est de remplir cette grande baignoire pour Hella. Lorsque celle-ci s'y trouve étendue, Miriam s'assoit sur le rebord de la fenêtre et garde le silence. Parfois, Hella lui jette furtivement un regard de biais. Les couleurs reviennent lentement à ses joues et, visiblement, elle est un peu confuse vis-à-vis de sa mère. Miriam, toujours le dos à la fenêtre, se demande s'il y a une seule personne en ce monde capable d'aimer aussi fort qu'elle aime Hella. Bien sûr, la raison le lui affirme, mais elle ne peut se représenter comment. Là, dans cette salle de bains en compagnie de sa fille, alors que le soleil perce de nouveau et que le ciel bleu entre par les vitres, elle n'éprouve pas même le besoin d'un bras autour de son épaule. Tout est en place, elles sont toutes les deux, rien ne peut arriver. Elle n'est même plus certaine de vouloir apprendre ce qui s'est passé à Callanish.

«Maman? demande Hella d'une voix un peu timide qui ne lui ressemble pas.

— Oui, mon trésor?

— Me passerais-tu un savon?»

Elles se regardent un instant avec sérieux, puis le fou rire les prend.

«Doucement! Doucement! fait Miriam après un moment. Tu vas t'épuiser à rire comme ça.»

XVII

Elles s'éveillent assez tard dans la matinée, appréciant de toute évidence le confort d'un lit par rapport aux matelas de camping. La veille au soir, elles ont fait un tour à pied sur le port intérieur, puis elles ont choisi un restaurant chic situé dans la rue de leur hôtel. Faisant exception à la règle, et à la stupéfaction de Miriam, Hella a commandé un contre-filet bien saignant.

«J'en ai besoin, a-t-elle précisé. C'est parfois nécessaire; ça n'a rien à voir avec gaspiller la vie des autres par simple habitude.»

Paressant dans le lit, elles se sentent toutes les deux un peu molles, ne se trouvant pas d'autre ambition pour la journée que de flâner au soleil. Elles n'ont toujours rien décidé du programme à venir lorsqu'elles sortent de l'hôtel à la recherche d'un endroit agréable où prendre thé et chocolat chaud. Comme elles font leurs premiers pas à l'extérieur, juste en face, dans le prolongement de l'église, élancé et énergique, un pasteur sort du presbytère et traverse la rue dans leur direction. Avant même que Hella ne parle, Miriam la sent se mettre en garde. Plus que cela, à sa grande surprise et pour la première fois, elle sent l'hostilité sourde de sa fille.

«Tu es pasteur», lance celle-ci au passant d'un ton sans aménité où ne perce qu'accusation.

Surpris, l'homme s'arrête pour détailler cette fillette inconnue qui s'adresse à lui avec autant d'agressivité.

«On a l'impression que cela ne te fait pas plaisir, répond-il à travers un sourire incertain.

— Ça ne fait jamais plaisir de rencontrer un menteur.

— Hella! s'exclame Miriam.

— Laisse, maman, il doit être capable de répondre tout seul.

— Effectivement, fait le pasteur soudain très pâle, je ne vois pas par quel toupet une fillette s'adresse à un inconnu dans la rue pour le traiter de menteur.

— Et toi, lance Hella, ce n'est pas ce que tu fais, tous les jours, reprocher tout ce qui te passe par la tête à des gens que tu ne connais pas?

— Tu l'as dit plus tôt, jeune fille, je suis pasteur. Le rôle du pasteur est de conduire le troupeau et de ramener dans le droit chemin les brebis égarées, fussent-elles de toutes jeunes filles...

— De quelle autorité?

— Il n'y a pas d'autre autorité que celle du Seigneur notre Dieu.

— Ah! Il t'a demandé d'exercer son autorité?

— Oui, oui, on peut le dire ainsi. On appelle cela recevoir l'appel.

— Donc, tu es allé le rencontrer et il t'a expliqué le travail qu'il voulait que tu fasses pour lui?

— En quelque sorte, oui.

— Et tu t'étonnes que je te dise que tu es un menteur?

— Je crois surtout que cette conversation a assez duré. Je souhaite seulement que tes parents puissent t'enseigner le respect.

— Le respect pour les menteurs? Parce que, je le répète, tu es un menteur, comme tous les autres, les curés, les rabbins, les ayatollahs, tout ça! Vous dites tous que vous parlez au nom de Dieu et ce n'est pas vrai. Vous vous servez tous de l'idée de Dieu pour demander aux autres, aux moutons, comme tu dis, de vivre selon vos idées.

— Juste une question, jeune fille impertinente: comment toi, à ton âge, peux-tu prétendre que je ne parle pas au nom de Dieu? Qui est le menteur?

— C'est toi, parce que je peux prouver que tu ne parles pas au nom de Dieu.

— J'ai hâte d'entendre cela?

— Je suis Dieu.

Jusque-là, Miriam a hésité à intervenir tant elle est partagée entre ce qui, dans la norme, doit être son rôle de mère et la curiosité d'une conversation dans laquelle, de par ses convictions personnelles, elle ne peut s'empêcher de se ranger du côté de sa fille. Mais à entendre ce que vient de déclarer Hella, elle ne peut qu'ouvrir tout grand la bouche, incapable de proférer un son et se demandant soudain si cette assertion scandaleuse a un rapport avec ce qui s'est passé la veille. Le pasteur, lui, blêmit, son menton est agité d'un tremblement et il pose les mains contre sa poitrine comme pour se protéger. Une première fois, il tente de répondre, mais les mots restent bloqués dans sa bouche. Alors, s'adressant plutôt à Miriam :

«Cette pauvre enfant est possédée. Le diable a pris possession de sa volonté.»

Il se tourne face à Hella :

«Arrière, Satan! *Vade retro, Satana!* Je te somme de quitter cette enfant!

— Ça suffit, toutes ces niaiseries!» hurle Miriam, entraînant aussitôt Hella par la main.

Ce n'est que lorsqu'elles ont tourné au coin de la rue que, reprenant ses esprits, elle demande à Hella :

«Peux-tu me dire ce qui t'a pris?

— J'en sais rien, maman. Ç'a été plus fort que moi.

— Tout de même, prétendre ce que tu as prétendu… Qu'est-ce que je dois faire, moi?

— Pourquoi faudrait-il que tu fasses quelque chose? Si Dieu existe, nous sommes tous Dieu, comme les pellicules de Diana sont Diana. Et s'il n'existe pas, je peux tout aussi bien prétendre que je suis Dieu qu'un pasteur peut prétendre qu'il parle pour lui.

— Tu avoueras que c'est quand même un peu violent… Dans le fond, c'est une bonne chose que tu ne manges pas du steak tous les jours… Dis-moi, que s'est-il passé, hier?»

Hella s'arrête, regarde d'abord vers le trottoir, puis elle se tourne vers le clocher de l'église qui, dans son dos, se détache presque rouge dans le bleu du ciel. Elle le désigne du doigt :

« Il s'est passé ce qui devrait se passer normalement dans les églises ou dans les temples. Il s'est passé ce qui s'est passé durant ma baignade de nuit à Skye ; j'ai communié.

— Communié ? Hier, j'ai vu qu'il y avait un trou dans les nuages juste au-dessus des pierres. Qu'est-ce que c'était ?

— Quand on communie, on n'est pas seul, sinon ce n'est pas une communion.

— Et je peux te demander avec qui tu communiais ?

— Avec tout ce qui est. Les pierres, là-bas, c'est pour cette raison qu'elles ont été dressées.

— Tout ça, c'est beaucoup pour moi, fait Miriam en soupirant. Et puis je ne veux plus que tu apostrophes les gens comme tu viens de le faire, même s'il s'agit de prêtres, de pasteurs ou de je ne sais quel homme de Dieu.

— Tu as raison, je n'aurais pas dû. Dans le fond, je lui ai fait de la peine, à ce pasteur, même si ce n'était pas ce que je voulais.

— Bah ! tu l'auras amené à réfléchir sur ses fonctions. Ça ne peut pas être mauvais. Mais ne recommence pas ! »

Elles trouvent un petit café où déjeuner sur le port et y décident qu'elles prendront le ferry pour Ullapool dans l'après-midi. De là, elles redescendront vers St. Andrews en visitant les Highlands. Ensuite, il leur restera quelques jours à ne rien faire avant de reprendre leurs activités quotidiennes. Miriam se dit qu'elle aura vraiment besoin de ces quelques jours pour se remettre de ce voyage. Les marches et le grand air pur lui ont évidemment fait du bien, tant du point de vue physique que mental, mais il s'agit à présent de faire le vide avant de poursuivre.

Quelque chose lui dit que ce n'est pas seulement une nouvelle année scolaire qui se profile.

XVIII

La question sur le hasard et la nécessité a déjà été posée au cours de ce récit, mais, à la lumière de ce qui va suivre, elle mérite d'être ramenée à l'attention. En apparence, rien de fracassant, un banal égarement lors du retour de Miriam et de Hella à travers les Highlands. À consulter la carte détaillée des routes d'Écosse, il peut sembler difficile de s'égarer lorsqu'on quitte Ullapool pour – tourisme oblige – se rendre au loch Ness. C'est pourtant ce qui leur arrive.

Après une nuit passée dans un petit hôtel du port leur offrant une vue panoramique sur l'immense quiétude du loch Broom qui leur fait se demander si l'on peut jamais se lasser d'une telle vue, Miriam étudie la carte en prenant son thé et détermine que, pour éviter la monotonie qui va souvent de pair avec une route principale, elle coupera par la petite A831, laquelle aboutit à Drumnadrochit, « en plein sur le monstre ! » La carte repliée et rangée pour laisser toute la priorité aux paysages ; ceux-ci les interpellent tant et si bien que, distraite, Miriam s'engage sur la A832, où la nature se fait encore plus étourdissante. À tel point que ce n'est qu'en parvenant au loch Maree, totalement à l'ouest, qu'elle se rend compte qu'elle est diamétralement à l'opposé de sa destination. Cependant, tout est tellement superbe qu'elle prend le parti de considérer cette étourderie comme une chance. En redescendant vers le sud, d'abord vers les lochs Torridon et Carron, non seulement le panorama se fait toujours un peu plus spectaculaire, mais, dans un ordre inversement proportionnel, les routes se font plus étroites. C'est ainsi qu'elle s'égare une fois de plus et traverse une petite localité nommée Achintraid sans s'apercevoir qu'elle a pris la mauvaise intersection. Ceci jusqu'à ce que, tout bonnement, la route s'arrête inopinément dans une clairière où – et là intervient le hasard ou la détermination – elle recule dans un petit fossé. Rien de grave, mais la voiture est immobilisée. Il ne reste qu'à rebrousser chemin à pied pour aller chercher de l'assistance.

Les quelques maisons constituant le village s'étendent le long du chemin bordant le loch Kishorn et ce qui surprend, pour une agglomération de cette taille éloignée de tout, est la tenue de ses demeures qui, bien que sans ostentation, n'en paraissent pas moins cossues et confortables. Des demeures bourgeoises. Presque chacune présente une grande baie vitrée donnant sur le loch et c'est ainsi que, parvenues à la hauteur de la première, observant un peu discourtoisement une pièce cernée d'étagères de bois sombre croulant sous des livres, elles croisent le regard bleu d'une femme confortablement installée dans les profondeurs d'un large divan de cuir crème. La femme leur sourit immédiatement et, par l'entremise d'une mimique, leur demande si elle peut leur être utile. Lui répondant par un signe affirmatif, Miriam pense être l'objet d'une facétie de la mémoire en croyant reconnaître Brigit, la chanteuse renommée qui, quelques années plus tôt, a fait le désarroi de nombreux fans en annonçant qu'elle se retirait de la chanson pour uniquement se consacrer à la composition. Mais elle avait par ailleurs fait le bonheur des chroniqueurs en déclarant qu'elle quittait les États-Unis au moins jusqu'à ce que, selon sa déclaration, la «pègre fasciste n'ait plus demeure à la Maison-Blanche». À une époque où être patriote implique un soutien indéfectible à l'administration en place, quelles que soient ses exactions, Miriam avait trouvé courageuse sa prise de position.

Lorsque la femme ouvre la porte et leur demande en quoi elle peut les aider, Miriam n'a plus de doute; il s'agit bien de la célèbre Brigit. Elle explique la situation et aussitôt la femme, qui doit friser la cinquantaine, mais dont les traits demeurent étonnamment jeunes, prend les choses en main, téléphone et obtient qu'une dépanneuse vienne de Kyle. Ayant raccroché, elle explique que ce n'est pas la porte à côté et qu'il ne faut pas s'attendre à la voir arriver avant au moins deux ou trois heures.

«Ce qui est parfait! enchaîne-t-elle. Je m'apprêtais justement à me préparer un repas solitaire; ce sera beaucoup plus sympathique à trois.»

C'est ainsi que, autour d'une grande table ronde, elles font connaissance et que, au terme du repas, c'est comme si Brigit et Miriam se connaissaient depuis longtemps.

Lorsque, quatre heures plus tard, la dépanneuse sort le véhicule du fossé, Brigit déclare que cette petite voiture ne s'est pas embourbée là sans raison, qu'il est trop tard pour reprendre la route et qu'elle tient à ce que Miriam et Hella passent la nuit chez elle. En temps normal, Miriam refuserait certainement l'invitation, mais c'est sans doute la première fois depuis son adolescence qu'elle a l'impression d'être sur la même longueur d'onde avec une autre personne de son sexe. Elle échange un regard avec Hella qui semble acquiescer puis répond que c'est un peu gênant de profiter d'une si belle invitation, mais que cela lui fera vraiment plaisir de pouvoir poursuivre la conversation entamée.

«Le plaisir est partagé!» assure Brigit.

On aurait pu s'attendre à ce que la conversation tourne autour de la carrière de Brigit, mais il en est à peine question; leurs propos portent bien davantage sur la beauté des mathématiques, sur l'étrange passion-aversion que peut susciter Las Vegas ou encore sur la splendeur oubliée des Hébrides. Hella, toutefois, ne connaît pas la carrière de Brigit; aussi, elle demande à écouter ses disques. Brigit lui donne des écouteurs en expliquant qu'elle ne tient plus à s'entendre.

Ayant passé les disques et repassé plusieurs chansons, Hella déclare qu'elle vient de faire une découverte, que la voix n'est pas uniquement la voix, mais aussi le timbre de l'esprit.

«Il est rare d'entendre des propos aussi profonds venant de la bouche d'une personne de ton âge, lui dit Brigit.

— Je ne sais pas si c'est profond, Brigit, je ne sais même pas si j'ai bien exprimé ce que je voulais; par contre, j'ai compris que la voix le peut. Et j'ai aussi compris qu'une personne qui peut contrôler sa voix peut tout contrôler.

— Et que comptes-tu faire de cette révélation?

— La mettre au service de ma raison d'être.

— Cela me semble judicieux. Et je peux te demander quelle est-elle, cette raison d'être?

— Tout ce que je peux te dire, c'est que je ne peux pas te le dire parce qu'alors je ne serais plus ce que je suis.»

Beaucoup riraient à cette réponse pour le moins absconse; Brigit ne fait que sourire. Un peu tristement, ses yeux s'embuent. Elle les essuie furtivement et dit:

«Je regrette de ne pas avoir d'enfant, mais depuis que tu as passé la porte de cette maison, je sais pourquoi.

— Peut-être que si je restais plus longtemps tu changerais complètement d'avis.»

Hella désigne le piano qui se trouve dans une pièce située entre le salon et la salle à manger et elle ajoute:

«Dis donc, j'ai remarqué qu'une de tes chansons était sur le thème du *Troisième Concerto* de Rachmaninov. Cela me ferait plaisir de t'en jouer une petite interprétation personnelle.

— Tu connais Rachmaninov?

— Oh, j'aime beaucoup! Surtout le jouer.»

Sur l'assentiment de Brigit, Hella va aussitôt régler le siège tournant à sa hauteur, puis elle s'installe devant le clavier. Miriam remarque les yeux de leur hôtesse qui se plissent d'amusement en voyant Hella se dégourdir les doigts, mais, après à peine une demi-minute de jeu, non sans flatter son orgueil maternel, elle les voit aussi s'écarquiller d'étonnement. Hella se laisse visiblement aller à son plaisir et, emportée, interprète tout le concerto. Pas un instant Brigit ne fait un mouvement, seulement, après l'étonnement initial, ses traits reflètent l'émotion où la transportent les notes.

Lorsque Hella va se coucher, un peu terrassée par l'interprétation qu'elle a donnée, les deux femmes restent au salon à se partager une bouteille de sancerre.

«Ta fille est exceptionnelle, dit Brigit. Je n'ai jamais vu

178

une enfant de son âge jouer ainsi. Et cette façon qu'elle a de s'exprimer… As-tu une recette spéciale pour élever les enfants?

— Justement, je n'en ai aucune et parfois, même, j'ai l'impression que je ne l'élève pas, ou en tout cas que je ne lui donne pas ce qu'il faut.

— Tu plaisantes?

— Non, pas du tout. Je crois que Hella aurait besoin de plus de contacts avec d'autres adultes; elle ne vit qu'avec moi et je me demande si ce n'est pas un peu restreint comme référence.

— Tu me donnes une idée! Pourquoi ne me la confies-tu pas durant la semaine qui vient? Je la reconduirais à St. Andrews la semaine prochaine. Je t'assure que cela me ferait absolument plaisir. »

Miriam comprend que cette proposition ne doit rien à une quelconque politesse. D'un autre côté, elle a du mal à envisager toute une semaine loin de Hella; cela n'est jamais arrivé. Bien sûr, comme elle vient de le dire, sa fille a besoin de fréquenter d'autres adultes, mais est-ce si urgent? Jamais l'idée d'une semaine ne lui a paru aussi longue.

«Tu la connais à peine, tente-t-elle de tergiverser.

— Sur ce point, je m'inquiète plutôt de ce que c'est toi qui me connais à peine et que de ce fait tu risques de décliner mon invitation. »

Miriam regarde son vis-à-vis dans les yeux. Que sait-elle à son propos sinon ce qu'elle a lu dans les journaux? Des opinions politiques, des réflexions sur l'art, une liaison rompue avec un philosophe, une autre avec un jeune loup de la poésie; non, tout cela ne compte pas. Elle sait ce qu'elle ressent en présence de cette femme depuis cet après-midi et c'est suffisant.

«Je n'ai aucune appréhension, affirme-t-elle.

— Ça me touche. Merci.

— Moi aussi, Brigit, je suis touchée par ta proposition, et si demain matin Hella est d'accord, et le contraire m'étonnerait, il va falloir que j'apprenne à ne pas toujours être dans ses jambes… »

Lorsque, le lendemain, Hella est placée devant le choix, elle montre d'abord de l'étonnement. Son regard va de Miriam à Brigit, puis elle demande la raison de cette offre. Miriam lui répond qu'il ne s'agit de rien d'autre que de lui procurer un peu de changement et Brigit ajoute qu'elle souhaite pouvoir profiter de sa compagnie. Sur ces réponses, Hella dit alors qu'elle est habituée à sa liberté et qu'elle ne veut pas remettre cela en question. Étonnée par l'aplomb sous-tendu par l'affirmation, Brigit lui demande en quoi consiste cette liberté. Hella précise qu'il s'agit de sa liberté d'opinion et de lecture, ce à quoi Brigit dit qu'elle peut s'imaginer conseiller à une jeune personne de ne pas lire un livre, mais qu'il ne lui viendrait jamais à l'idée de le lui interdire. Le visage de Hella s'éclaire et elle dit que l'idée de partager la vie d'une vedette lui plaît beaucoup.

C'est ainsi que Miriam quitte Achintraid presque à reculons en se disant qu'elle va passer la semaine la plus longue de son existence. De son côté, Brigit appelle son médecin et sa coiffeuse pour annuler des rendez-vous et, dans l'heure qui suit le départ de Miriam, elle fait visiter à Hella le petit studio d'enregistrement qu'elle s'est fait aménager dans une rallonge vitrée côté jardin. Constatant l'intérêt de son invitée, elle explique en détail la manière dont elle travaille ses compositions à partir d'un synthétiseur et d'un séquenceur, comment elle utilise des pièces d'échantillonnage et mixe le tout sur la console virtuelle d'un ordinateur dévolu à cette tâche.

«En fait, tout est virtuel, précise-t-elle, les instruments comme tels n'existent pas. Ensuite, mais, cela, tu ne le répéteras à personne, c'est entre nous, même l'artiste est virtuel. Les pièces que je compose sont présentées comme étant l'œuvre d'un groupe écossais dont l'image de marque joue sur une tendance mystico-celtique.

— Est-ce que tu parles de Tighearnan?

— Tu connais?

— Bah, oui! Je les écoute souvent, mais tu veux dire que c'est toi?

— Oui, mais il faut que cela reste notre secret, d'accord?

— Ne t'inquiète pas, mais ça fait drôle de penser que ça va directement de ta tête à l'ordinateur et de l'ordinateur à un disque que les gens croient composé par un groupe, lui aussi tout droit sorti de ta tête.

— Tu es choquée?

— Pas du tout, c'est fantastique! Ce que je ne comprends pas, par contre, c'est pourquoi tu as créé un groupe qui n'existait pas puisque tu étais déjà connue?

— Justement, parce que j'étais connue dans un style différent de la musique que je voulais composer. Ceux qui aimaient ce style n'auraient pas compris. Les artistes, comme les vêtements ou les voitures, ne sont le plus souvent appréciés que selon l'image qui a été créée autour de leur personne. La plupart des gens te diront, par exemple, j'aime le jazz ou j'aime le country, non pas parce que réellement ils en apprécient les qualités, mais parce que le genre en question correspond à l'image qu'ils veulent donner d'eux-mêmes. Seuls les vrais mélomanes te diront qu'ils aiment n'importe quoi, à condition bien sûr que ce soit bon ou tout au moins que la mélodie les touche.

— Ça n'arrive jamais, peu importe le style ou le genre, qu'un artiste plaise à tout le monde?

— Parfois, oui, et, finalement, c'est peut-être seulement dans ce cas que le terme artiste convient vraiment; quoique certains te diront par exemple qu'ils n'aiment pas un Mozart ou un Hovaness du simple fait qu'ils ne veulent pas faire l'effort d'écouter un compositeur dit classique et qui par conséquent, pour eux, doit être ennuyeux. Pour ce qui est des autres, les vedettes, comme moi, nous ne sommes là, au fond, que pour distraire.

— Tu es injuste envers toi-même. Quand j'ai écouté tes disques, hier soir, j'ai trouvé que c'était beaucoup plus que de la distraction, comme tu dis. Ta voix n'est pas juste jolie; elle exprime et provoque de vraies émotions.

— Merci. Tu es gentille.

— Non, je ne suis pas gentille, je dis ce que je pense, que ça plaise ou non.

— C'est une attitude qui peut coûter cher.

— D'après ce que j'ai compris, hier, tu as payé pour le savoir.

— Ce qui est étonnant, avec toi, c'est que tu sembles tout comprendre, y compris ce qui est inattendu chez des filles de ton âge.

— Je crois surtout que la plupart des filles de mon âge comprennent ce que je comprends; la seule différence est qu'elles réagissent comme leurs parents ou ceux qui les entourent s'attendent à ce qu'elles le fassent. Moi, c'est comme si maman s'attendait à autre chose. Mais je ne me fais pas de souci; si je vais jusque-là, la puberté fera de moi ce qu'elle fait aux autres…

— C'est-à-dire? Et pourquoi ce "si je vais jusque-là"?

— Pourquoi? Bien, on ne sait jamais… Pour la puberté, j'imagine que je me montrerai bête et méchante jusqu'à ce que je réalise que cela n'a rien de séduisant… Dis donc! j'y pense : tu ne peux pas te servir de ta voix dans ce que tu composes, mais on pourrait prendre la mienne. J'ai aussi des airs dans la tête, on pourrait travailler ça toutes les deux, tu ne trouves pas?

— Normalement je dirais non; je considère un peu ce studio comme mon domaine réservé, mais après avoir entendu ton interprétation du *Troisième* de Rachmaninov, hier soir, je crois qu'on pourrait essayer un petit quelque chose.

— Oui! On pourrait même créer une artiste qui porterait ma voix. Je ne sais pas, qu'est-ce que tu penses d'une petite fille troll, une petite fille troll qui chante? »

Brigit la regarde un instant, puis soudain elle semble avoir une révélation et paraît s'exciter.

Ce qui au départ devait être un petit quelque chose se transforme vite, au point que toute la semaine qui suit ne se déroule guère pour elles en dehors du studio. Oubliant mutuellement leur différence d'âge, toutes les deux se trouvent emportées dans une véritable frénésie créative, prenant à peine le temps de manger et écourtant le sommeil du soir comme celui de l'aube. Tant et si bien qu'au terme de la semaine, elles se retrouvent autour d'un dîner plus élaboré que ceux qui ont précédé, avec, posé entre elles sur la table, un master comportant huit chansons. Autant de chansons où Brigit se rend compte qu'elle n'a le plus souvent joué d'autre rôle que celui de conseillère et de technicienne, car pour ce qui en est des paroles, de la musique et du chant, tout ou presque vient de Hella.

«Qu'est-ce qu'on va faire de ça, maintenant? demande cette dernière.

— Nous allons mener ce travail à terme. J'ai un bon ami graphiste à qui je vais demander de travailler sur ton image – je veux dire celle de la fille troll –, et puis ensuite je m'applique à convaincre la maison qui produit les Tighearnan de lancer ce disque. Après le dîner, on va prendre des photos de toi sur lesquelles le graphiste pourra travailler pour créer le personnage de la petite chanteuse troll.

— Ça ne lui sera pas bien difficile: j'ai déjà tout d'une fille troll échappée de sa grotte.

— Voyons! Tu es très belle.

— Ouais, une belle troll. Je ne t'ai pas parlé de ce personnage-là pour rien; je sais bien à quoi je ressemble.

— Si on devait vraiment parler de ressemblance, il faudrait plutôt parler d'une elfe.

— Non, une elfe, c'est comme les fées, c'est supposé être gentil, doux et un peu gnangnan. Moi, j'ai bien l'impression que je suis plutôt du genre petit diable que petit ange.

— Si tel était le cas, cela voudrait dire, assurément, que je préfère les petits diables.»

Suite au dîner et à la séance de photographies, Brigit glisse le master dans la chaîne audio du salon. Durant toute l'écoute du disque, elles restent presque figées sur le divan face au loch, où les lueurs du couchant semblent vouloir donner encore un peu plus de relief à la musique. Lorsque la dernière chanson a joué, elles fixent un instant la ligne d'horizon puis, comme mues par un même élan, pleurant et riant à la fois, elles tombent dans les bras l'une de l'autre.

Le lendemain, pendant les heures que dure le trajet vers St. Andrews, elles ne cessent de mettre au point le personnage virtuel, lui donnant pour nom Selma et pour principaux traits de caractère l'innocence et la colère. Il est entendu que cette Selma ne veut pas apparaître en public pour préserver sa vision et donc son inspiration initiale. Cette création d'un personnage n'est pas aussi exaltante que de composer, mais c'est amusant et c'est avec surprise qu'elles se rendent compte qu'elles sont déjà en train de traverser les vastes terrains de golf au nord de la petite ville universitaire.

XIX

Pour Miriam, sitôt la maison de Brigit derrière elle, la solitude lui est tombée sur le dos. Ce matin, elle fait la grasse matinée, comme elle en rêvait depuis longtemps, puis elle se livre à ce qu'elle considère comme un laisser-aller culpabilisant, mais aussi bien agréable, c'est-à-dire regarder un film sitôt après le petit-déjeuner. Il s'agit d'un film d'action qui, de prime abord, sur le plan libidineux, ne présente rien pouvant offusquer le plus strict des censeurs. Le héros, incarné par un acteur écossais, est une sorte de gentleman-cambrioleur à l'aube de sa retraite ayant entrepris de former à son art une jeune femme qui, au départ, se trouve être l'agente d'une compagnie d'assurances chargée de retrouver des toiles de maître dérobées par son mentor. Bien qu'une vision opposée du monde et une trentaine d'années les séparent, la relation entre les deux devient rapidement de type romantique, tant et si bien qu'à la fin du film Miriam, qui s'est placée dans la peau de l'héroïne, se retrouve comme dans l'attente d'une présence. C'est surtout pour chasser cette langueur qu'elle se rend à la piscine du campus, où elle ne s'attend pas du tout à rencontrer Ralph Aalto, lui aussi de retour de ses vacances. Alors qu'il remonte l'une des échelles, l'apercevant, elle trouve que, même s'il n'en a pas le côté un brin ironique et un brin détaché, son mentor a une prestance physique qui lui fait un peu penser à l'acteur écossais, mais peut-être aussi n'est-ce qu'une parade de l'imagination juste après le film. C'est la première fois qu'ils se rencontrent à la piscine et, après des salutations joyeuses et quelque peu artificielles, elle a l'impression de se trouver sans défense sous le regard de son collègue glissant poliment sur son corps, mais y revenant comme indépendamment de sa volonté.

De retour chez elle, malgré plusieurs longueurs de piscine qui n'auraient pas fait honte à un professionnel, la langueur est devenue lascivité, au point qu'elle se demande si Ralph Aalto ne peut pas être le père du serpent. Comment le savoir? Comment, si celui-ci se présente, saura-t-elle le reconnaître? Elle se pose encore la question lorsqu'on sonne à sa porte.

Courte barbe blonde et clairsemée, maigre comme s'il ne mangeait pas à sa faim ou n'avait pas un régime de vie recommandable, portant bermuda kaki et sandales de similicuir, un jeune homme dans la vingtaine se tient devant la porte, un bloc à écrire à la main. Il sourit et présente un badge l'identifiant comme un agent de recensement.

«Juste cinq minutes de votre temps pour des statistiques d'intérêt national», dit-il comme s'il en allait de la survie de un million de petits Africains.

Il n'y a aucune raison de refuser et ce n'est qu'après l'avoir invité à s'asseoir à la table de la cuisine qu'elle entrevoit tout l'abîme de la situation. Elle est chez elle, Hella n'est pas en ville, son emploi du temps est vide, depuis deux heures elle est tourmentée par des images voluptueuses, et voilà qu'elle se trouve seule avec un jeune homme inconnu dans sa cuisine alors qu'elle ne porte en tout et pour tout que son peignoir de bain. Un jeune homme qui, comme sans doute la grande majorité des jeunes hommes, ne doit pas demander mieux que de profiter de la moindre aubaine un tant soit peu proposée. Un jeune homme qui de toute évidence ne peut être le père du serpent!

Assise face à lui, de l'autre côté de la petite table ronde à plateau de verre, elle commence à répondre à ses questions.

Est-elle mariée? Si elle écartait un peu les genoux, le peignoir s'ouvrirait et, à travers le plateau de table translucide, il la verrait. Comment réagirait-il? Elle répond qu'elle est veuve. Il a l'air un peu surpris, sans doute la trouve-t-il d'un âge – ou d'un physique – incompatible avec le statut qu'elle vient de donner.

A-t-elle des enfants? Il n'est pas Apollon, mais n'est pas vilain non plus. Peut-être n'a-t-il encore jamais fait l'amour? Il a de l'acné sous sa barbe; ne dit-on pas que c'est une indication ou s'agit-il encore d'une de ces légendes? Elle répond qu'elle a une fille, a une hésitation et ajoute qu'elle se trouve pour le moment en vacances à l'extérieur. Immédiatement, elle s'en veut de cette précision.

Combien de personnes vivent dans ce foyer? Elle est seule. Seule et il n'y a personne d'autre que ce jeune recenseur pour peut-être se rendre compte que ses genoux veulent s'écarter. Ce n'est pas elle, seulement ses genoux. Que se produirait-il si elle ne pouvait les arrêter? Elle répond que seules sa fille et elle vivent dans cet appartement. Il prévient qu'il va à présent aborder des questions un peu plus personnelles et qu'elle est libre de répondre ou non à chacune d'entre elles. De la tête, elle lui fait signe de poursuivre.

Quelle est sa profession? Elle se sent si vide; quel tort cela pourrait-il causer à lui ou à elle ou à n'importe qui? Encore un peu et le peignoir s'écarterait, les pans retomberaient de part et d'autre de ses cuisses et… Elle perçoit une odeur de sardine. Elle a senti la même, la nuit où Joe est revenu à la maison après qu'elle lui eut dit être enceinte. Répondant qu'elle est enseignante, ses yeux tombent de l'autre côté du plateau de la table, vers le bermuda kaki dont la toile légère ne laisse pas de doute sur l'état physiologique du recenseur.

Dans quelle tranche se situe le revenu familial? Elle n'a pourtant pas écarté les genoux, pas assez, en tout cas, pour que son peignoir se déplace. Qu'est-ce qui a provoqué ça? Est-ce que, comme chez les animaux, une odeur venant d'elle pourrait… Pourtant, cette odeur de sardine, c'est lui, lui aussi excité qu'elle peut l'être, lui qui ne peut retenir sa semence. Son imagination lui impose l'image d'une chair turgescente jaillissant de son fourreau. Elle indique précipitamment une tranche de chiffres.

L'anglais est-elle la langue utilisée au foyer? Elle lève les yeux, leurs regards se croisent et il baisse le sien vers sa fiche. Comment a-t-elle pu dormir aussi longtemps dans la même chambre que Joe sans... Est-elle la même personne aujourd'hui? Elle répond qu'elle parle canadien.

— Pardon? N'est-ce pas aussi l'anglais, la même chose?

— Je suis d'une vieille famille canadienne-française; à la maison nous utilisons souvent des expressions de mon enfance, c'est pourquoi je préfère dire canadien.

— Bien, je note canadien. Et je suppose que pour le pays d'origine je dois inscrire Canada? »

Comment la conversation peut-elle être aussi anodine, alors qu'elle se sent presque capable de tendre la main sous la table pour vérifier ce que ses yeux lui disent. Non, pas vérifier, mais plutôt inviter. Inviter au soulagement. Inviter à ce que, dans la rue, on appelle baiser. Parce que, bien sûr, tout ceci n'a rien à voir avec l'amour, ni même avec des sentiments. Ce n'est qu'une histoire de bas-ventre. Un bas-ventre qui s'offre à l'autre pour s'apaiser, rien de plus!

«Oui, Canada. Désirez-vous un café, un thé, quelque chose?

— Si vous aviez du thé glacé, sans trop vouloir vous demander...

— C'est vrai qu'il fait plutôt chaud aujourd'hui, pour la saison. Je dois en avoir dans le réfrigérateur. »

C'est davantage pour se donner contenance en s'y dirigeant qu'elle demande :

«Et à part le recensement, que faites-vous dans la vie? »

Il répond qu'il a terminé ses études au printemps, en psychologie, mais qu'il vit toujours chez ses parents, à Dundee, en attendant de se trouver un emploi. Un bon ami, ici à St. Andrews, lui a trouvé ce petit boulot temporaire qui lui permet de rencontrer pas mal de monde.

— Ce qui est parfait, j'imagine, lorsqu'on est en psychologie?

— Tout à fait. Je ne peux m'empêcher de classer les gens en catégories. C'est un peu caricatural, je sais, mais...

— Vous aiguisez une curiosité mal placée. Dans quelle catégorie me situez-vous? »

Miriam s'en veut sur-le-champ de ce badinage qui tend à révéler une coquetterie qu'elle n'éprouve même pas. Posant une boîte de thé glacé près de lui, elle se rassoit un peu rapidement, craignant tout à coup que la ceinture de son peignoir se détache sans qu'elle y soit pour quelque chose. Elle doit rester en contrôle de toute la situation. De quoi aurait-elle l'air, ainsi révélée, comme si elle désirait l'émoustiller? Pourtant, n'est-ce pas ce qu'elle cherche depuis qu'il est assis à cette table : jouer avec le feu?

«Je dirais la catégorie des jolies femmes», répond-il.

Elle a un petit rire qu'elle ne se connaissait pas et réplique :

«Ce n'est pas ce que j'appelle une catégorie psychologique.

— C'est vrai, mais vous savez, on voit tellement de...

— Je vous en prie, ne dites rien qui pourrait être désobligeant, même pour des absents.

— Heu... Oui, vous avez raison... Je crois que j'en étais à la religion. *Appartenez-vous à un groupe religieux?*»

A-t-il oublié que le plateau de la table est translucide? Interdite, elle le voit qui, sous la table, tente de corriger un type d'inconfort que l'on ne corrige qu'en privé. A-t-il poussé la psychologie jusque-là? Comment réagir? Elle répond que, sans être marxiste, elle tient les religions pour ce que Marx en a dit. Il coche une case et déplace ses deux pieds contre ceux de sa chaise. À présent, le bermuda est tendu vers elle. Pour elle?

Placerait-elle ses enfants dans une école privée si elle en avait la possibilité? Quand ce questionnaire va-t-il donc finir? À présent, toutes les catastrophes sont possibles. Il suffirait d'un rien, pas même d'une décision, pour se laisser aller à ce qu'ensuite elle ne cesserait de se reprocher. Quoique... Pourquoi faudrait-il qu'elle se le reproche? Ne subit-elle pas justement les impératifs d'une morale issue de ces religions qu'elle décrie? Quelle malédiction y a-t-il à partager un peu de plaisir pour le plaisir? La vraie morale ne consiste-t-elle pas à faire aux autres ce que l'on veut que l'on nous fasse, et les fausses morales ne sont-elles pas simplement destinées à assurer le pouvoir et la propriété de ceux qui les possèdent déjà? Non, elle ne ferait ni plus ni moins que ce qu'il veut qu'elle fasse; aucun mal à cela. Elle répond qu'elle est pour une école publique forte concurrencée et donc mise au défi par le système privé, mais que, pour le choix qu'elle ferait, tout dépendrait de ce qui lui serait offert.

Faut-il autoriser le mariage entre deux personnes du même sexe? Elle voit un pied de son vis-à-vis à demi posé sur le carrelage, comme agité d'une vibration électrique. Pourquoi est-il nerveux? Est-il, lui aussi, la proie du même type de pensées qu'elle subit?

«Avez-vous quelqu'un dans votre vie? demande-t-elle. Une amie?

— Une amie… Non…

— En admettant que ce soit le cas, aimeriez-vous que la loi soit en mesure de vous dicter les liens que vous voudriez établir entre vous?

— Non, pas du tout.

— Vous avez ma réponse. Le mariage ne regarde que ceux qui le contractent. Je ne vois pas ce qu'un gouvernement ou la loi viennent faire là-dedans.

— Vous êtes une personne permissive, très libérale.

— Est-ce dans votre questionnaire?

— Non, non, juste une remarque personnelle.»

Cherche-t-il à ce qu'elle lui demande ce qu'il entend exactement par permissive? Veut-il l'entendre dire qu'elle est libérée, attend-il cette indication pour oser faire un geste décisif? Elle-même n'a plus besoin de ce genre de confirmation; le bermuda est éloquent. Elle n'a qu'à se lever, faire le tour de la table, repousser celle-ci, défaire la ceinture de son peignoir, le laisser tomber sur le carrelage, se baisser vers lui, le laisser mettre ses mains sur elle, accrocher son bermuda et libérer une chair tendue pour elle et… L'apaisement n'est qu'à ce prix, il n'y a pas d'échappatoire. Peut-on même parler d'un prix? Oui! Oui, il peut y avoir un prix. Un gros prix puisque aucune protection n'est prévue dans tout ce scénario. Mais la protection n'est pas envisageable, ici. Elle signifierait la préméditation, le choix. Ce scénario ne peut être un choix; il n'est envisageable que s'il n'implique que les sens et leur réponse mécanique.

La peine de mort devrait-elle être appliquée en certaines circonstances? Peine de mort, risque de vie… Le risque entrevu n'a fait qu'attiser le feu. Elle brûle, comme on dit dans les romans à quatre sous; elle brûle et n'aspire qu'à se consumer davantage à un feu qu'à présent, et en dehors de toute considération morale, elle sait mauvais. Le feu qui donne la vie par laquelle se propage le principe de mort. À présent elle le sait, mais ce savoir révèle les charmes de l'horreur. Qu'importent les flammes, la damnation, l'œil noir et hagard, qu'importent les cris, les larmes et le ricanement brun des destructeurs, qu'importe la nuit sans étoiles pourvu qu'elle l'ait, lui, ou un autre, peu importe, mais qu'elle sente, là, en elle, sa verge pucelle. Un seul mouvement à faire, tendre les muscles des jambes, tout le reste suivrait et elle serait tranquille. Elle ferme les yeux comme si elle réfléchissait à la question posée.

Elle ne s'est pas rendu compte qu'elle a écarté les genoux. Pas assez pour la mettre à nu, mais suffisamment pour dévoiler la cuisse jusqu'à un point où l'imagination du recenseur veut s'engouffrer. Sentant des doigts sur son genou, de vrais doigts, elle sursaute, ouvre tout grand les yeux et se rend compte. Elle plonge un regard qu'elle sait vide dans celui du jeune homme. Celui-ci retire sa main sans précipitation. Il se comporte comme si rien ne s'était passé, mais son regard se fait presque implorant en soutenant celui de Miriam. Elle se sent responsable; elle n'a rien dit, n'a commis aucun geste révélateur ou provocateur, mais la pensée a suffi. Ne doit-elle pas réparer? Effacer ce qu'elle a provoqué? Ce sont des prétextes faciles, mais le mal n'est-il pas déjà accompli? Le mal, c'est bien le mot. Qui est-elle pour prétendre pouvoir l'appeler et ensuite le repousser? Elle se rend bien compte que, quoi qu'elle puisse penser, ce n'est toujours que pour se donner des raisons acceptables de poursuivre ce que son vis-à-vis a entamé. N'en a-t-il pas eu le courage, lui! Et puis quoi! Tout le monde baise aujourd'hui, c'est dans l'ordre des choses; on ne parle que de ça, partout, pas une incitation commerciale qui n'y fasse allusion d'une manière ou d'une autre. Même le journal qui chaque matin, entre les exactions du genre humain, propose un nouveau corps en pâture visuelle. À force de possessions destinées à se construire un paraître, le mot d'ordre pour chacun est de se bâtir l'image la plus propice pour s'envoyer en l'air. La vie n'a d'autre tenants et aboutissants que la copulation; tout pour un instant d'éternité où le reste doit s'abolir. Doit... Avec Joe, elle a fait l'amour, mais cela n'a jamais été cette communion, cette extase que, petite, elle avait imaginée et qu'elle n'a connue qu'un soir dans le lac Huron. Pareil pour le strict plaisir de la chair qui, clame-t-on sous tous les cieux, emporte tout. Pas une fois elle n'a explosé dans l'inconscience du fait du sexe d'un homme. Avec Joe, ça n'avait pas été possible; ils ont manqué de temps, ou peut-être – et c'est terrible à envisager – de culpabilité. Le moment n'est-il pas venu? D'abord, elle regarderait, comprendrait, anticiperait; un sexe pour elle, tout un monde à découvrir avant de devenir la proie du prédateur qu'elle aurait façonné, avant de s'immoler à l'idole éphémère... Miriam ne sait pas où elle trouve la force de répondre qu'en aucune circonstance elle ne pourrait favoriser la peine de mort, non pas par mansuétude pour l'assassin, mais parce qu'elle croit au châtiment et que la peine de mort, justement, ne fait qu'entraver le cours de ce dernier. Puis, peut-être en finir avec des pensées qui toutes vont dans la même direction, elle ajoute que les questions qu'il lui pose sont toujours celles que l'on rabâche dans les médias, de fausses questions destinées à masquer celles qui sont importantes lors de l'exercice de la démocratie.

«Qu'appelez-vous les questions importantes? demande-t-il avec de la surprise dans le ton.

— Quand, par exemple, avez-vous vu un gouvernement interroger sa population sur les questions véritables comme aller en guerre? Non, tout ce qui importe, ce sont certains intérêts économiques dits supérieurs et, pour que cela continue à fonctionner dans ce sens, les politiciens soutenus par les médias s'affichent dans des catégories, comme vous dites, et, parce que l'on nous a répété que c'était ce qui était important, l'on vote pour l'un ou pour l'autre selon, par exemple, qu'il soit ou non pour le mariage des homosexuels.»

Il la regarde avec des yeux étonnés. Se demande-t-il comment elle peut ainsi lui parler de démocratie alors que, sans même une permission tacite, il vient de lui poser la main sur le genou? Va-t-il s'apercevoir que tout ceci n'est qu'une parade? Il faut en finir, prendre une décision ou l'autre, mais en finir! Elle se lève, hésite un quart de seconde, puis prétend qu'elle se préparait à sortir lorsqu'il a sonné et que le temps tourne. Il répond qu'il ne reste que quelques questions.

«Du genre des précédentes? demande-t-elle.

— Bien… oui, un peu…

— Cochez ce que vous voulez, je n'ai vraiment plus le temps.»

Il se lève à son tour et elle le reconduit vers la porte, consciente qu'elle est en train de faire ce qu'il faut faire, mais continuant aussi néanmoins à chercher un moyen de renverser la situation, de prolonger la part des possibilités. Elle va ouvrir la porte lorsque brusquement il se retourne et, sans prévenir d'aucune façon, l'enlace et plonge la tête dans son cou. Elle est paralysée. Ça y est, le moment est venu, tout va enfin se dénouer. C'est un sexe qui est là, dur, conquérant, contre le sien, elle n'en est séparée que par du textile. Il n'y a plus que ce rempart qui n'en est pas un. Il incline la tête vers le décolleté de son peignoir. Que doit-elle faire de ses mains? Le repousser, l'attirer définitivement? À présent, il doit constater que ses seins sont durs à faire mal. Il sait tout. Il se penche encore, glisse son visage dans le décolleté trop lâche du peignoir et pose l'extrémité de sa langue sur la pointe de son sein. De pair avec le ho! perdu que cela lui arrache, une image s'impose à Miriam: un enfant. Un enfant mauvais. Un enfant qui pourrait faire du mal à Hella. Elle remonte les bras entre eux et repousse le recenseur.

«Au revoir, dit-elle avec l'impression que sa voix la trahit.

— Vraiment?

— Oui, vraiment.

— Je croyais que vous…

— Vous vous trompiez.

— Non, c'est vous qui vous trompez vous-même, et les autres! »

Mais il n'insiste pas. Ce n'était pas tant une agression qu'une tentative excessive. Elle essaye un sourire poli, ouvre la porte et la referme aussitôt qu'il en a franchi le cadre. Retrouvant la cuisine vide, elle prend toute la mesure de ce qui vient de lui passer par la tête. C'est affreux, répugnant et pourtant toujours présent. Elle se remémore la première nuit à Glasgow. Là-bas, elle avait trouvé la volonté d'appeler Adam à l'aide; ici, elle se l'est refusée. Elle revoit le recenseur assis sur sa chaise, rien en lui qui puisse la séduire et cependant ce désir forcené de l'utiliser pour briser d'elle-même ce qu'elle a bâti jusqu'à ce jour. D'abord à Glasgow et maintenant ici, est-ce que d'une certaine façon une volonté n'est pas en train de la mettre à l'épreuve? Quelle volonté? N'est-ce pas elle, tout simplement? Elle entrevoit la portée de l'interdiction attachée au médaillon. Son point faible est-il la luxure? Elle ne parvient pas à se voir sous ce jour, ou plutôt cet éclairage la dégoûte, mais ne dit-on pas aussi que ce sont nos propres faiblesses qui nous offusquent le plus? Elle secoue vivement la tête, crie, attrape un saladier en terre cuite et l'envoie se fracasser sur le mur. Elle fixe un instant le dégât, a un rire nerveux, puis saisit la coupe de fruits en verre ciselé et lui fait subir le même sort. De nouveau elle fixe le chaos qu'elle a provoqué et tombe sur les genoux, secouée de sanglots. Lorsqu'elle se redresse, ses traits sont empreints de détermination. Non! elle ne va pas se laisser gouverner par ces pensées visqueuses. La vie est comme on veut qu'elle soit, la vie est une comédie italienne, la vie est pleine de lumière. La vie est merveilleuse! Quelque part un papa rentre du travail et appelle sa petite fille en lançant: «C'est le papa de sa petite fille chérie qui est arrivé!» Ailleurs, un petit garçon laisse son premier billet doux dans le sac d'école d'une petite camarade de classe. Le miracle est partout et même ici, dans cet appartement. Elle va immédiatement inviter Armstrong à chanter *What a Wonderful World*, puis Minnelli pour *New York, New York*. La vie est belle lorsqu'on la veut belle! Ensuite, elle prendra sa voiture et elle ira... Où ira-t-elle? Au golf! Oui, c'est cela, elle n'a encore jamais joué, elle va aller s'acheter l'équipement du parfait golfeur, puis elle ira s'inscrire. Elle exigera de recevoir immédiatement sa première leçon. Ensuite, ce soir, elle ira au pub, il y aura de la saine et bonne compagnie, de la bière et du rire. Et demain sera une autre journée, une autre fabuleuse journée!

XX

Elle fait tout ce qu'elle s'est promis, mais, le surlendemain, Ralph Aalto téléphone pour rappeler l'invitation remise. Apparemment, le temps n'a pas fait son œuvre, ni de son côté à lui ni du sien. L'avant-veille, elle l'a trouvé toujours séduisant. Qu'est-ce qui devrait l'empêcher, à présent, de répondre par l'affirmative à cette invitation? N'est-elle pas seule, désormais? Il n'y a au fond que cette ridicule question de savoir s'il peut être le père du serpent. Et, d'abord, qu'est-ce que cela peut signifier? Au fur et à mesure que la rencontre avec Paco s'éloigne dans le temps, l'interdit perd de sa réalité. Elle se demande même parfois s'il ne s'agit pas tout simplement d'une de ces malédictions de pacotille dont, paraît-il, les gitans sont prolifiques. Peut-être aussi ne s'agit-il de rien d'autre que de la mettre en garde dans le choix d'un compagnon. Quoi qu'il en soit, accepter une invitation ne signifie rien d'autre que d'accepter de faire plus amplement connaissance. Et cela seul est en mesure de lui permettre de savoir si, d'une manière ou d'une autre, son mentor peut être assimilé à un père de serpent. Cela seul pourra lui apprendre si, à ses yeux, Ralph Aalto prendra ou perdra de sa séduction, également si elle est prête ou non à accueillir un autre homme dans sa vie, sinon un amant. Ce terme, soudain et à son étonnement, ne la heurte pas; elle lui trouve même un côté subversif pour ses propres conceptions qui ne lui déplaît pas.

Elle répond que cela lui serait agréable et, sur le coup, est surprise de constater que cela n'a rien de terrible. Il dit avoir une seconde question accrochée à la première, mais ne veut absolument pas au préalable qu'elle se méprenne. Il connaît une table qui vaut le déplacement dans un cadre ravissant à Pitlochry, au *Green Park Hotel*. Il précise immédiatement qu'il prendra deux chambres et affirme se permettre cette invitation du fait qu'il a reçu deux billets pour une pièce nommée *Shop at Sly Corner*, donnée dans cette petite localité spécialisée dans les représentations théâtrales. Miriam sourit pour elle-même: Ralph Aalto a décidé de jouer le grand jeu.

«Du théâtre, dit-elle, c'est une idée magnifique!

— Je peux donc oser comprendre que votre réponse est affirmative?

— Bien sûr, Ralph.

— Excellent, excellent!»

Elle peut se l'imaginer tâchant de ne pas laisser l'enthousiasme devenir exubérance, et elle sourit de nouveau. Ils s'entendent sur l'heure où il passera la prendre et elle lui demande quel genre de tenue pourrait convenir à l'établissement où il la convie.

«Oh! Une simple robe de soirée devrait suffire», répond-il, perplexe.

Miriam se demande ce qu'il peut y avoir de plus qu'une robe de soirée, que seulement elle ne possède pas.

Le reste de la journée est employé à trouver une telle robe, ce qui, à sa surprise, lui procure un bon moment.

Le lendemain, elle est justement en train de jeter un coup d'œil à la fenêtre lorsqu'elle le voit arriver dans une voiture qui la laisse un peu pantoise puisqu'il s'agit, d'après ce qu'elle peut en juger, de l'ancien modèle d'Aston Martin mis en vedette dans un des premiers films de James Bond, alors incarné par l'acteur auquel lui fait un peu penser Ralph Aalto. Est-ce une coïncidence?

Plus tard, confortablement installée sur le siège de cuir grenat de la voiture, regardant défiler la campagne ensoleillée, elle a un peu un sentiment d'irréalité, comme si elle était passée dans une autre sphère d'existence. Elle ne parvient pas à faire le lien entre la situation de Ralph Aalto à l'université et cette voiture. S'est-elle forgé une vision trop caricaturale de la profession universitaire dans laquelle un bolide de fantaisie n'a pas de place? Par ailleurs, considérant le véhicule, va-t-il lui faire du charme façon «Bond, James Bond»? Pour le moment, en tout cas, il se comporte selon l'image qu'elle a de lui, charmant sans tomber dans le sirop, plein d'attention à son égard, mais conservant néanmoins une carapace un peu paternaliste, sans doute issue de sa pratique professionnelle. Rien, en tout cas, qui puisse indiquer qu'il lui proposera de passer par sa chambre en fin de soirée pour une dernière coupe de Dom Pérignon.

«Que pensez-vous des serpents? lui demande-t-elle.

— Curieuse question, ici, en Écosse. Je n'en pense rien ni ne peux rien en dire, sinon que je crois avoir lu quelque part qu'ils représentent la plus grande des peurs humaines. Pourquoi cette question?

— Je n'en sais rien, cela m'est juste passé par la tête. Peut-être une association d'idées.

— Grands dieux! J'ose espérer ne pas être à l'origine de cette association.

— Non, non, pas du tout!

— Vous êtes mystérieuse.»

Miriam nie en secouant la tête. N'a-t-elle pas lu que c'est lorsqu'ils sont amoureux que les hommes trouvent qu'une femme en particulier est mystérieuse? Elle jette un œil à sa jupe coquelicot de soie mousseline acquise en même temps que la robe de soirée. Elle se rend à l'évidence qu'elle l'a choisie en pensant à lui. Cela aussi est une première. Jamais, que ce soit en pensant à Joe ou à Adam, elle n'a encore ressenti le besoin de s'habiller spécialement pour un homme. Jusqu'à présent, elle ne se souvient pas avoir porté un vêtement particulier autrement qu'en fonction du simple plaisir personnel de le porter. Cela aussi a-t-il une signification?

De son côté, Ralph en est resté aux serpents:

«J'espère que vous ne pensiez pas non plus au serpent de la Bible cherchant à convaincre Ève?»

Alors qu'elle nie en riant, Miriam est frappée de plein fouet. Adam, Ève! Comment n'y a-t-elle pas pensé? Le père du serpent sera celui qui cherchera à la convaincre de goûter au fruit défendu, quoi que puisse être celui-ci. Si Ralph se comporte en gentleman et, avec le temps, propose une relation honorable, cela ne pourra certes pas être associé à l'idée de fruit défendu. Rien entre eux ne ressemble par exemple à ce qui s'est passé dans sa cuisine et qui justement semble indiquer que, au risque de se perdre, il lui faut normaliser son existence. Cette réflexion la soulage, elle n'est pas en train de risquer autre chose que sa solitude. L'observant à la dérobée, Ralph Aalto s'interroge sur la signification du sourire qu'elle a. Le genre de sourire que l'on peut avoir en découvrant par soi-même les tenants et les aboutissants d'un énoncé particulièrement complexe.

La représentation théâtrale n'est pas mauvaise, mais elle confirme à Miriam ce qu'elle croyait déjà savoir: le théâtre l'ennuie. Alors qu'au cinéma ou dans un roman elle n'a aucune difficulté à s'impliquer immédiatement, il lui est impossible de croire à une pièce, sauf parfois lorsque celle-ci est filmée. Elle regarde le décor, les acteurs, comment ils jouent, elle observe les expressions des spectateurs, souvent plus intéressantes à ses yeux que la pièce elle-même, et tout l'exercice demeure strictement cérébral dans le sens sec du terme.

Elle trouve en revanche que l'hôtel vaut bien le déplacement. Rien à voir avec la magnificence tapageuse des établissements de Las Vegas – et dans ce genre il serait difficile de la surprendre –, mais le *Green Park* a le charme et le caractère cossu de ces grandes demeures aristocratiques, comme peut encore les évoquer la lecture des romans de Jane Austen. Sa chambre est rose et or, l'on y entre par une lourde porte de bois sombre et, au milieu des draperies et d'épaisses tentures, la télévision semble presque incongrue. Le grand lit haut perché, lui, a dû emprunter ses vertus moelleuses à la guimauve. S'y jetant sitôt la porte refermée, Miriam se fait la réflexion que la nuit y sera douce. Mais pour l'instant il s'agit de se préparer pour le dîner, lequel devrait lui permettre d'en apprendre davantage sur – elle sourit en pensant au terme – son prétendant.

Ce n'est pas sans une certaine autosatisfaction – décidément, elle ne se reconnaît plus – que dans sa longue robe noire elle se sent presque onduler vers le grand salon meublé, Louis XVI selon ce qu'elle en sait, mais assurément d'époque. Renvoyant parfois des reflets émeraude, laissant les épaules et le haut du buste dégagés, sa robe est à première vue d'une coupe droite et, jouant davantage à évoquer sa grâce qu'à révéler quoi que ce soit, sa simplicité touche presque à la perfection mathématique. Visiblement impressionné, Ralph Aalto l'accueille en lui tendant un verre de cristal empli d'un vieux sherry. Deviendrait-elle coquette? Elle se rend compte qu'elle apprécie les regards nombreux qui, discrètement, mais néanmoins une fraction de temps trop appuyée, s'attardent sur son passage.

«J'ignore ce qui se passe ici, murmure Ralph Aalto en faisant référence à la moyenne d'âge, mais j'ai l'impression que nous sommes en compagnie de personnes dont le bridge doit constituer l'activité la plus débridée.»

Miriam a un regard circulaire et ses yeux pétillent d'amusement à l'intention de son compagnon. S'il faut mentionner Jane Austen pour décrire l'hôtel, c'est sans doute d'un roman d'Agatha Christie que s'est échappée sa clientèle.

Se frayant un passage à travers le salon immense à force de sourires courtois, ils parviennent à une causeuse placée face à une porte-fenêtre ouverte sur la rivière et y prennent place.

«Je crois que vous avez fait forte impression, dit-il.

— Vous êtes en train de sonder ma coquetterie...

— Nullement! C'était une simple constatation. Du reste, coquette ne serait jamais un qualificatif qui me viendrait à l'esprit en pensant à vous.

— Vous avez tort, je vous avoue que c'est un peu ainsi que je me sentais en arrivant dans ce salon.

— Ne confondez pas, Miriam; avec raison vous vous sentez belle et, le plus naturellement du monde, vous êtes contente de l'être.

— À présent, vous cherchez à m'embarrasser.»

Ils continuent ainsi à badiner tandis que la rivière s'assombrit, jusqu'à ce qu'un chef de rang vienne leur faire savoir que la table qui leur est destinée est disponible à leur guise. Comme annoncé par Ralph Aalto, les plats qui leur sont servis ne doivent pas avoir beaucoup d'équivalent en Écosse, du moins à l'extérieur d'Édimbourg ou de Glasgow. Miriam a commandé de la truite sauvage; lui, un carré d'agneau. Lorsqu'il lui propose d'en goûter une bouchée, elle lui apprend que Hella l'a convertie à l'idée de ne pas manger de viande, sinon à l'occasion, comme celle-ci, de ne prendre que dans le poisson des protéines animales.

«Vous voulez dire que c'est votre fille qui a décidé de votre régime alimentaire?

— Non, elle n'a rien demandé, je lui ai juste emboîté le pas.

— Pourtant, voyons, la viande est nécessaire!

— Je n'ai jamais pu constater que ceux qui n'en prennent pas soient moins bien portants, au contraire.

— Absolument! Ils sont carencés, anémiques, ont le cheveu terne...

— Merci...

— Pas vous, Miriam, je parlais de ceux qui ne mangent pas au moins du poisson.

— N'essayez pas de vous défendre, dit-elle en riant, vous étiez lancé dans une idée préconçue. Tous, nous faisons cela tous les jours.

— Préconçue... Il y a des évidences scientifiques.

— Non, Ralph, excusez-moi de vous contredire, mais il n'y a que le tout-puissant lobbying de ceux qui vivent du commerce de la viande.

— Je n'insiste pas, mais...

— Mais?»

Il sourit soudainement, dit «D'accord!» et semble relâcher une certaine tension. Miriam, plus ou moins consciente qu'elle vient de l'éprouver, lui est reconnaissante de cette attitude. Quelque part en elle, les rouages de l'affection se mettent délicatement en branle. Elle croit savoir ce qu'il en coûte à un homme de ne pas s'obstiner à avoir raison en face d'une femme.

Il a commandé un merlot rouge dont la région d'origine, l'Idaho, l'a intrigué. Le vin se révèle excellent, au point qu'il en commande une seconde bouteille avant de passer aux fromages. Miriam, qui ressent déjà les effets de la première bouteille, n'en accepte qu'un fond de verre. Le repas terminé, lorsqu'ils repassent au salon, la seconde bouteille est vidée et il ne semble pas à Miriam que son compagnon en subisse les effets. Cela peut-il signifier qu'il consomme régulièrement de l'alcool? Brusquement, elle se rend compte du type de cette préoccupation et se le reproche. Elle n'est quand même pas en train de tester un produit avant de porter un choix! Par ricochet, elle se sent même un peu coupable envers lui, qui ne se doute de rien.

Alors qu'ils sont installés de nouveau dans la causeuse face à la rivière, il a quelques hésitations, avant de demander :

«Je sais que vous êtes veuve, Miriam, et je ne veux surtout pas rappeler de mauvais souvenirs, mais qu'est-il arrivé? Vous est-il trop difficile d'en parler? »

Elle fait non de la tête, garde le silence quelques instants, puis se met à raconter les faits comme ils se sont produits, en commençant par son accouchement dans le champ.

Il est visible que Ralph Aalto regrette sa question. Est-il en train de se dire que la compétition sera difficile face à la mémoire d'un mari emporté dans de telles circonstances?

«Ce qui me déroute, dit-il enfin, c'est la cause de l'assassinat. Comment un individu peut-il soudain tomber dans un tel délire!

— Vous ne croyez pas que l'on puisse être guidé par le mal?

— Assurément, non! Cela reviendrait à dire que le mal est une entité propre.

— Pas nécessairement. Il pourrait être une émanation de l'inconscient collectif.

— Je conçois que vous ayez dû réfléchir plus que quiconque à la nature du mal, mais, de mon point de vue, il ne s'agit que de pannes ponctuelles de la raison; des incursions du chaos à travers le bouclier de la raison qui nous permet de survivre en société.

— Pourquoi des pannes, pourquoi le mal serait-il irraisonné? Je crois au contraire qu'il a ses raisons.

— Que pourraient-elles être?

— L'assouvissement de la haine, par exemple, celle-ci étant le résultat d'un déficit en amour. Sur le principe des vases communicants. C'est plus souvent le chien battu qui cherchera à mordre la main tendue de l'enfant.

— Alors, selon vous, le mal serait le résultat, l'émanation, comme vous dites, de la haine collective, elle-même induite par un déficit d'amour?

— Oui, c'est en gros mon point de vue sur la question.

— Pourtant, il a été démontré que de grands tortionnaires, des tyrans ou des responsables de génocides ont eu une enfance heureuse et le soutien affectif de leurs parents.

— Rien ne dit que le déficit d'amour ne soit pas antérieur à la naissance, ou plus exactement à l'origine de certaines naissances.

— Là, j'ai peur de vous suivre, Miriam. Voulez-vous laisser entendre que certains enfants viendraient au monde pour accomplir le mal, qu'ils sont destinés à cela, qu'il n'y a rien à faire?

— Je n'irais pas jusqu'à dire qu'il n'y ait rien à faire.

— Que proposez-vous, guérir le mal par le mal?

— Non! au contraire.

— Donc, pour reprendre votre raisonnement, celui qui commet le mal le fait parce qu'il est habité par la haine. Mais, prenons un violeur, pour donner un exemple. S'il viole, ne le fait-il pas tout simplement parce qu'il est habité par un désir plus fort que sa volonté?

— Exactement, mais il faut aussi définir ce qu'est son désir à ce moment-là: celui de jouir ou celui de jouir de ce qu'il inflige? Sans vouloir entrer dans des détails scabreux, la jouissance pour elle-même s'obtiendrait à bien moindre coût par la simple autosatisfaction. Quant à la volonté, il convient aussi de s'interroger sur ce qui la gouverne. Si c'est justement de porter le mal, la raison se met à son service, au besoin en donnant des alibis moraux, et rien ne retient le violeur en question, au contraire; le pédophile se dira qu'il apporte réconfort, plaisir et affection à sa victime. Si je suis habitée par la haine, mais ne sais comment la distribuer sans justification morale, j'entre dans une organisation raciste, fasciste ou extrémiste quelconque qui m'entretient dans la conviction que mes idées sont les bonnes. Alors, je ne suis plus seule, j'appartiens à un groupe et mon devoir devient celui de détruire par tous les moyens ceux que mon organisation aura considérés comme inférieurs, nuisibles.

— Voilà des conceptions qui vous auraient mérité le bûcher sous l'Inquisition; le mal ne découlant plus directement de la gouverne de l'individu, mais étant en quelque sorte écrit dans ses gènes.

— Et dans ceux du groupe. Vous savez, pour donner un exemple, je m'inscris en faux contre le principe selon lequel sans Hitler il n'y aurait pas eu de nazisme, ou son pareil. Hitler n'était qu'un catalyseur. S'il n'avait pas été là, il y en aurait eu un autre pour activer la charge de haine qui pesait alors sur l'Europe et qui, tragiquement, semble renaître aujourd'hui de ses cendres. Sans les autres, Hitler ne pouvait rien faire, et sans le désir des autres, Hitler n'aurait pas été ce qu'il a été. De passage à Munich en 1936 durant l'*Oktoberfest,* Thomas Wolfe l'avait bien senti et il a fort bien décrit cette haine latente et sans objet dans son roman *The Web and the Rock*. Et on ne peut pas dire que c'était facile à écrire après coup puisqu'il est mort en 1938. Non, lorsqu'on parle de gens comme Hitler, on parle de la haine. Et la haine ne s'assouvit que dans la souffrance de l'autre, dans la fumée noire des holocaustes. Aucune raison ne peut l'arrêter, tout au plus peut-on l'empêcher de naître en ne mettant au monde que des enfants de l'amour. Comment? En ne se reproduisant, sous l'éclairage de la joie, que lorsque l'on désire l'enfant uniquement pour lui-même. Que faire des autres? Le seul espoir est de les aimer assez fort, mais je doute que cela arrive jamais et je crains que nous ne voyions encore la haine agir à travers ce que, par la suite, pour nous dédouaner, nous appellerons des monstres; lesquels, comme toujours, ne seront que le produit de notre lâcheté face à l'amour. »

Ralph Aalto secoue la tête presque comme pour réfuter l'idée, avale une lampée du B&B qu'il vient de commander et a un bref soupir.

«Je crains d'être un peu trop terre à terre pour endosser vos idées, Miriam… Le mal, la haine venant d'une espèce de noosphère ou du Grand Inconscient collectif cher à Jung, c'est beaucoup pour moi…»

Ils se regardent un instant. Elle lui trouve une expression dure qu'elle ne lui connaissait pas.

«Je me rends compte que nous avons des vécus très différents», dit-il sans plus d'explication.

«Que voulez-vous dire?

— Je ne sais pas, il faut que je réfléchisse. Nous avons eu une longue journée, le plus sage est sans doute que nous allions nous reposer là-dessus. Demain…

— Ai-je dit quelque chose qui vous a blessé?

— Pas du tout, non. Il y a juste que… nous en reparlerons. Il est tard, de toute façon. Bonne nuit, Miriam.»

Se levant à sa suite, elle pose la main sur l'avant-bras de son compagnon pour le retenir.

«Ralph, en acceptant votre invitation, je savais qu'il s'agissait pour l'un et pour l'autre de se connaître davantage. Ne me laissez pas à présent avec l'impression que ce que vous avez appris de moi vous a déplu, dites-le; pour moi, ce sera beaucoup plus simple.

— Vous n'y êtes pas du tout, Miriam, ce n'est pas ce que j'ai appris de vous qui m'a déplu.

— Eh bien, laissez-moi vous dire que ce que j'ai appris de vous m'a favorablement impressionnée. Bonsoir, Ralph.»

Elle accompagne ces derniers mots d'un baiser sur la joue et s'en va. Refermant la porte de sa chambre, elle se rend compte que ce baiser qu'elle voulait affectueux lui demeure sur les lèvres et elle se prend à imaginer qu'il frappe à la porte, cette fois pour un vrai baiser.

Mais, bien sûr, elle savait depuis la veille que ce serait ce qu'elle attendrait une fois seule dans sa chambre, tout en souhaitant par ailleurs que cela ne se produise pas.

Ce n'est qu'une fois la lumière éteinte, une fois recroque-

villée au centre du lit moelleux qu'elle croit pouvoir interpréter ce qu'il n'a pas pu dire : il a dû comprendre avant elle-
même qu'elle pourrait bien l'aimer, apprécier sa compagnie, et
même partager son désir, mais que jamais elle ne serait
amoureuse de lui. Étrangement, parce qu'elle lui prête ces
pensées qu'elle ne peut contredire, elle voudrait se relever et
aller le consoler. Mais là encore, serait-ce pour lui ou pour
elle-même ?

Il est plus de neuf heures, le lendemain matin, lorsqu'il
l'appelle pour lui demander si elle souhaite le retrouver pour
le petit-déjeuner. Elle répond qu'elle s'apprêtait justement à
l'appeler pour lui poser la même question.

Dans la salle à manger, ils échangent un baiser amical un
peu empesé, s'installent à une table près d'une baie vitrée,
commandent tous deux des œufs florentine et, sans qu'il
soit question des propos de la veille, virevoltent d'une
banalité à l'autre. Il fait plein soleil et la lumière se reflète
sur l'argenterie. Toute cette luminosité évoque pour Miriam
une journée de son adolescence, alors qu'elle s'était prise à
rêver d'un voyage au bord de la mer – elle imaginait alors
une plage en Caroline du Sud – en compagnie du compagnon
de son imagination. Voici qu'elle s'y trouve, en voyage avec
un ami, mais tout est beaucoup plus compliqué. D'une part,
elle sait que jamais elle n'aimera un homme comme elle a
aimé Adam, d'autre part, Ralph Aalto semble présenter le
potentiel pour être le compagnon dont elle a besoin. Il est
intelligent, compréhensif et, qui plus est, ne la laisse pas
physiquement indifférente. Doit-elle faire en sorte de
l'amener à lui proposer de continuer à se voir ? Actuellement, parce qu'il est amoureux d'elle, il ne peut sans doute
pas accepter qu'elle ne le soit pas de lui et il doit se dire qu'il
préfère une déchirure radicale à un long processus de
douleur larvée. A-t-elle le droit de le détourner de cette
décision ? Ne dit-on pas que l'amour-passion dure environ
mille jours et que, passé ce temps, il fait place soit au
désenchantement soit à l'amour-affection, qui lui ne cesse
de se consolider ? N'est-ce pas là qu'ils pourraient se
rejoindre un jour et, finalement, être heureux ? Cela ne

vaudrait-il pas mieux que de se retirer chacun dans son coin et de laisser la solitude les flétrir?

C'est sur la route du retour qu'elle lui dit:

«J'ai beaucoup aimé notre sortie, Ralph, merci.

— C'est moi qui vous remercie. Ce n'est pas rien, pour un célibataire endurci comme je le suis, de passer quelques heures avec une femme telle que vous.

— Je peux vous retourner le même compliment, et aussi ajouter que j'aimerais beaucoup que d'autres occasions comme celle-ci se présentent de nouveau.

— Vous êtes sérieuse?

— Bien sûr!»

Est-ce une impression, Miriam est convaincue que Ralph Aalto se met à conduire d'une façon plus sportive. Elle a toujours trouvé les excès de vitesse du plus haut ridicule, mais soudain elle se surprend à apprécier les négociations serrées de chaque virage, comme si le petit bolide argenté possédait un second carburateur fonctionnant à la joie de vivre.

Ils font une halte à Dundee, s'y promènent un peu sur les quais et s'y restaurent de *fish and chips* et de bière locale, laquelle monte un peu à la tête de Miriam et la fait se sentir comme si les vacances imaginées en Caroline étaient arrivées. Ayant franchi le pont tristement célèbre qui enjambe l'estuaire de la Tay, ils rejoignent Tayport, où Ralph Aalto, après avoir proposé une balade sur la plage, gare la voiture à l'orée de la forêt de Tentsmuir. C'est là, entre la mer du Nord et la forêt de pins maritimes, qu'il attire Miriam à lui et l'embrasse. D'abord un peu surprise, elle hésite, puis, avec la curieuse impression de se sentir à la fois désarmée et protégée, envahie mais consentante, elle le laisse la presser contre lui. Paupières fermées, elle éprouve tout son corps, un corps puissant, mais aussi avec quelque chose qui ne l'est pas, et tout à coup il y a cette odeur de sardine. D'abord, elle se contracte, mais, comme si l'odeur réveillait autre chose en elle, elle se laisse aller plus mollement dans ses bras. S'il proposait une auberge, là, maintenant, elle ne saurait faire autre chose que d'approuver du menton, mais bien sûr il ne le fait pas, et tout ce qui se passe de plus ce jour-là est un second baiser devant sa porte, comme dans les vieux films américains. Il lui rappelle alors qu'il sera absent pendant les deux prochaines semaines puisqu'il doit donner une série de conférences à l'Université de Cracovie, mais il l'assure qu'il l'appellera dès son retour.

« Vous pouvez m'appeler de là-bas, répond-elle.

— Je suis toujours un peu gauche avec les téléphones d'hôtel à l'étranger, mais j'essaierai. »

Elle suggère qu'il utilise un portable, ce à quoi il répond qu'il refuse d'en envisager l'utilisation aussi longtemps qu'on ne lui aura pas prouvé que les ondes utilisées n'endommagent pas le système nerveux.

C'est ainsi qu'elle se persuade que ce n'est plus enfin qu'une question de jours avant de se trouver en compagnie d'une personne avec laquelle elle pourra partager ce qui ne se partage qu'en couple.

XXI

Les événements ne se déroulent pas comme prévu.

Retrouvant Hella, Miriam se rend compte à quel point sa fille lui a manqué, non seulement par la présence, mais aussi par le sentiment d'utilité qu'elle éprouve à s'occuper d'elle, même si, le plus souvent, ce n'est que par la préoccupation.

Ce soir-là, Brigit reste pour passer la nuit et, au cours du dîner, Miriam ne peut s'empêcher de raconter son escapade à Pitlochry. Hella trouve cela formidable et Brigit en profite pour assurer que sa maison est toujours ouverte à Hella, peu importe la durée, si jamais Miriam veut entreprendre d'autres voyages « entre adultes ».

Encore accaparée par ce qui lui arrive, Miriam ne mesure pas immédiatement l'importance de ce que Brigit et sa fille appellent leur semaine de travail. Ce n'est qu'après le dîner, lorsqu'elles se réunissent au salon et que Hella pose une copie du master dans le lecteur du système audio, que Miriam mesure l'étendue du travail. Pour tout dire, elle est renversée par ce qu'elle entend, au point d'hésiter sur le choix des adjectifs à employer de crainte que Hella ne se méprenne sur le sens de qualificatifs hyperboliques. Brigit dit qu'à son avis, si le disque a la chance de tomber dans la bonne oreille, tout ce qu'elle a fait jusqu'à présent sera sans doute de la gnognotte à côté. Écoutant le disque une seconde fois, Miriam en est persuadée, sans arriver cependant à déterminer ce qu'il lui faut en penser.

Cette nuit-là, Brigit prend la chambre de Hella et celle-ci partage le lit de sa mère.

«Alors, c'est sérieux avec le docteur Machin? lui demande sa fille quelques minutes après qu'elles se sont souhaité bonne nuit.

— Je ne peux pas encore te le dire, ma chérie; tout dépendra aussi de la façon dont il réagira lorsque je lui dirai que même s'il devait arriver que l'on partage nos existences, c'est moi et uniquement moi qui serai toujours responsable de toi.

— S'il partage nos vies, maman, il voudra avoir son mot à dire.

— D'abord, nous n'en sommes pas encore là. Ensuite, il est évident que, pour ce qui te concerne, il pourra toujours conseiller, mais jamais exiger. Cela, je ne le veux pas. Seul Joe aurait pu.

— Ou Adam?

— Ou Adam. »

Le lendemain, Brigit vient de les quitter en les assurant une nouvelle fois qu'elle va tout mettre en œuvre pour le succès du disque, et Hella est en train de prendre une douche lorsque le téléphone sonne. Miriam décroche un peu précipitamment, croyant à un appel de Ralph Aalto.

«C'est moi, fait une voix qu'elle reconnaît sans pourtant parvenir à la situer.

— Je m'excuse, dit-elle, je ne…

— C'est moi qui suis passé pour le recensement.

— Oh! Qu'y a-t-il?

— Je voudrais vous parler d'un ami commun.

— Je ne vois pas de qui il pourrait s'agir.

— Votre ton est un peu sec. Je vous appelle pourtant pour vous éclairer.

— Alors, dites sans détour de quel soi-disant ami commun il est question.

— Je parle du docteur Aalto, Ralph… »

Miriam ne peut répondre. Quelque chose va se produire, elle en est convaincue, mais peut-être que si elle ne pose pas de questions tout s'arrêtera là. Le recenseur reprend:

«Ce n'est ni par hasard ni par un ordre de route que j'ai sonné chez vous l'autre jour. Ralph m'avait parlé de vous et du sentiment qu'il vous porte, ceci sans vous nommer, je dois le dire, mais cela n'a pas été bien compliqué de trouver et j'ai attendu votre retour de vacances pour savoir avec qui j'étais en compétition.

— Je ne comprends absolument rien à ce que vous dites.

— Je crois surtout que vous refusez de comprendre, ce qui m'étonne un peu; vous avez montré plus de courage l'autre jour. Notez qu'il s'en est fallu de peu…

— Écoutez, je crois que cette conversation ne me dit rien et…

— Vous avez raison; je m'égare toujours dans les explications. Tout ce que je voulais vous dire, c'est que j'aime beaucoup Ralph, il est… comment dire… mon protecteur, et je ne veux pas le perdre.

— Ce que vous insinuez est pure calomnie. C'est innommable! s'écrie-t-elle en s'emportant. Et puis expliquez-moi son intérêt pour une femme si la personne dont nous parlons était ce que vous insinuez?

— Je ne dis pas que Ralph est homosexuel, seulement qu'il m'aime beaucoup, moi, et que parfois, lorsque la chair réclame son dû au vieux garçon qu'il est, il sait ce qu'il peut trouver chez moi. Remarquez que ce n'est pas à sens unique, et c'est pourquoi je défends ici mon droit d'ancienneté.

— Si ce que vous dites n'était pas aussi monstrueux, ce serait presque risible. Comment pouvez-vous être aussi… Je ne trouve même pas de mot.

— Possessif? Je vous appelle justement pour voir s'il n'y aurait pas moyen de partager. De toute façon, je ne vous laisse pas le choix : si vous refusez, je lui dirai que je vous ai eue. Vous avez trois merveilleux points de beauté en un parfait triangle équilatéral tout en haut de la cuisse…»

Miriam se sent salie. Salie par lui, mais aussi et surtout salie par l'autre. Raccrocher, vomir et oublier de toutes ses forces est ce qui importe pour l'instant. Pourtant, il se peut encore que cet homme mente pour une raison ou une autre. Il faut à Miriam une conviction; c'est pourquoi, d'une voix qu'elle ne se reconnaît pas, elle demande :

«Que proposez-vous?

— Ce que je demande est simple : pas de vie commune; vous ne lui accorderez que des rendez-vous ponctuels et jamais plus d'un par quinzaine, et là je suis généreux.

— Autrement?

— Autrement vous le perdez pour de bon, et, puisque vous avez déjà passé une nuit avec lui, vous savez ce que vous perdriez.

— C'est ça qui vous attache tant à lui?

— Ça, comme vous dites, et la petite rente qu'il me verse.

— Il y a longtemps que vous et lui...

— Assez longtemps pour que la loi puisse s'en soucier, d'où, j'imagine, la petite rente.»

Il faut encore surmonter la répulsion. Tout ceci n'est peut-être encore que supercherie, même si elle ne peut en imaginer de raison.

«Je suis plutôt perdante dans ce marché, dit-elle, la voix rauque. J'avais tout et je n'ai plus qu'une fois par quinzaine, tout ça alors que rien ne prouve que ce que vous dites est vrai.

— Rassurez-vous, je ne vais pas vous demander une rente à la place de la sienne, qui est à vie; il risque trop gros et vous ne risquez rien. Vous ne comprenez pas que tout ce que je veux c'est lui, et que je ne vous le cède tous les quinze jours que pour éviter des histoires. Cela dit, si vous trouvez que ce n'est pas assez, je peux compenser. J'avoue que j'ai adoré ce parfum de fleur de pêcher qu'exhalait votre désir. Votre désir de moi, je vous le rappelle.»

C'est pire que ce qui s'est passé l'autre jour. D'autant que c'est vrai et que de le savoir, incroyablement, tend à réveiller le désir, non pas de lui, mais le désir tout court. Elle a l'impression qu'un piège lui a été tendu, un piège dont la seule issue, un jour, sera la chute. Mais cette chute dont tant d'autres semblent s'accommoder sans pâtir, cette chute dont elle ne connaît pas même le prix lui est strictement interdite. Tout ceci ne peut être vrai. Il reste peut-être une question à poser à laquelle la réponse sera en mesure de prouver hors de tout doute que cet appel n'est qu'un cauchemar. Elle la pose sans croire que c'est elle qui en prononce les mots :

«Peut-être pourrions-nous nous montrer rationnels et envisager la chose à trois?

— Ça, c'est une idée! Comment on pourrait organiser ça?

— Je ne vois qu'un moyen: il faudrait que j'arrive à l'improviste au milieu de... enfin quand il ne voudrait plus se poser trop de questions.

— Bien pensé! Lorsqu'il reviendra, lundi, il vous appellera sans doute. Vous direz que vous ne pouvez pas, pas ce jour-là. Après deux semaines, je suis certain qu'il viendra s'épancher chez moi. C'est là que vous pourriez arriver. Vous pourriez dire que vous l'avez suivi, que vous voulez bien tout ce qu'il veut pourvu que vous puissiez rester avec lui. Il ne saura pas dire non et vous en aurez deux pour un, lui aussi et moi aussi, le bonheur parfait!

— Arrêtez! Ça suffit! J'ai suggéré tout ceci uniquement pour être certaine que vous disiez la vérité. Croyez-moi, je ne suis pas du tout intéressée.

— Mais alors?

— Alors, il est à vous, je ne veux plus le voir, ni vous.

— Vous êtes certaine?

— Tout ce qu'il y a de plus certaine. Vous devriez revoir vos livres de psychologie.

— Vous ne lui direz rien de cette conversation?

— Vous pouvez être tranquille, j'aurais du mal à lui dire un mot de plus.

— Là, je n'ai pas d'autre choix que de vous faire confiance, même si je crois que vous ne savez pas ce que vous cherchez.

— De nous deux, vous êtes sans doute plus égaré que moi. Je vous souhaite seulement de vous rendre compte que ce que vous cherchez ne mène nulle part.

— Vous ne savez pas de quoi vous parlez, vous êtes totalement coincée sur la question. Ouvrez vos oreilles. J'avais douze ans lorsque Ralph m'a mis la main dans la culotte pour la première fois; c'était sur la plage qui borde la forêt en face de Dundee. Je vous passe les détails, mais, jusqu'à ce jour-là, il ne s'était jamais rien passé de signifiant dans ma vie. Oh! j'ai eu mal au cœur, je trouvais ça dégueulasse, mais il se passait au moins quelque chose qui faisait battre mon cœur plus vite. La fois d'après, lorsqu'il a conduit ma main dans sa culotte, j'ai eu l'impression que pour la première fois je tenais quelque chose de plus fort que la vie et, malgré tous mes cours de psychologie, comme vous dites, je ne sais toujours pas comment ça s'est passé, mais c'est à ce moment-là que je me suis attaché à lui. Lui seul pouvait me faire jouir dans la tête, même si ce sont les femmes qui me font bander. Alors, ne me parlez pas de chemins qui ne mènent nulle part. Lorsque l'objet de son désir rencontre l'objet de mon désir, ou, pour parler en termes plus réels, lorsque sa queue rencontre ma queue, nous y sommes, au bout du chemin. À moins, peut-être, je ne sais pas, qu'avec vous entre sa queue et la mienne ça puisse aller plus loin. Pensez-y encore, ça embaumera la fleur de pêcher.»

Il raccroche là-dessus. Miriam reste à écouter le grésillement électrique sur la ligne, se sentant non pas désorientée – cela signifierait au moins qu'il y a un sens – mais avec la certitude trop claire, trop brutale, trop absolue, qu'elle est née seule, qu'elle vivra seule et que, seule, elle retournera au néant. Il faut la voix de Hella pour lui rappeler que, durant quelques moments beaucoup trop brefs – et qui de toute façon auraient toujours été trop brefs quelle que soit leur durée –, il y a eu Adam.

«Qui c'était, au téléphone?

— Me permets-tu de ne te le raconter que lorsque tu seras une femme?

— Donc, c'est fini avec Machin?

— Tu devines toujours tout.

— Je savais surtout que ce n'était pas ton type, juste à l'entendre. Mais je ne voulais rien dire.

— À l'entendre?

— Je veux dire à en entendre parler.»

XXII

Ce doit être un vol tout ce qu'il y a de plus ordinaire entre Glasgow et Toronto. Les parents de Miriam et ceux de Joe les attendent à Pearson. Une table est réservée au *Canoe* pour le dîner et ils passeront la nuit au *Westin*, sur Harbourfront, avant de prendre la route pour Windsor. De belles vacances de Noël en perspective et Hella est enthousiaste. Le vol est parti à l'heure et, à part les turbulences, fréquentes en ce temps-ci de l'année, tout se passe normalement jusqu'à ce que le commandant s'adresse aux passagers pour les informer qu'un incident bénin l'oblige à faire une escale technique à Keflavik, en Islande. Il s'excuse du contretemps et rappelle qu'il ne s'agit rien de plus que d'une mesure de sécurité obligatoire imposée par les règlements de l'aviation civile, que la sécurité de l'appareil n'est compromise en aucune façon. Il y a des passagers pour s'offusquer du retard occasionné, d'autres qui affichent leur angoisse et d'autres enfin, comme Miriam, qui se demandent s'ils auront le temps de voir quelque chose de l'Islande. Seule, peut-être, Hella est vraiment ravie, car elle a lu un jour que «l'Île de glace» était le pays des trolls.

«Je ne pense pas que nous allons en rencontrer, lui dit Miriam, se prêtant au jeu.

— Moi, j'en suis certaine! Autrement, qu'est-ce qui expliquerait que cet avion doive atterrir là-bas?

— Je ne veux pas te décevoir, mais je n'ai qu'une foi très limitée dans leur réalité.

« — Si tu parles des trolls de légende, bien sûr, moi non plus, je n'y crois pas. Ce que j'appelle des trolls, ce sont des entités, des forces qui n'appartiennent pas au même règne que nous. »

Prenant tout à coup les propos de sa fille davantage au sérieux, Miriam devient un peu plus soucieuse. Avec Hella, elle a appris que rien n'est jamais gratuit. Quelle importance doit-elle accorder à présent à cette histoire de trolls, même s'ils viennent d'un autre règne?

« Où as-tu entendu parler de ces forces?

— Partout, maman, fait Hella avec étonnement. Pourquoi cette question? Chaque jour, à chaque instant, on peut s'en rendre compte. Comme maintenant, nous allons atterrir en Islande. Tu ne crois tout de même pas que c'est simplement comme ça, pour rien?

— Bien, oui, justement, c'est ce que je crois. Un simple hasard technique oblige le pilote à poser son appareil sur la piste la plus proche et, puisque nous sommes au milieu de l'Atlantique, il se trouve que l'Islande constitue le seul choix possible. C'est tout, rien de plus.

— Alors si ça est le hasard, tout est hasard, rien ne sert à rien et il n'y a pas de but puisque seul le hasard est en cause; sauf que s'il n'y avait que le hasard, le vrai, je vois mal comment nous pourrions être là et savoir que nous y sommes, dans un avion lourd comme un immeuble et volant au-dessus des nuages. Non, maman, si nous atterrissons à cause d'une pièce défectueuse de l'avion, il doit y avoir une raison à ce que cette pièce le soit juste à cet instant, et si on pouvait suivre toute l'histoire de cette pièce, je suis sûre que l'on verrait le lien. Cette pièce est sans doute défectueuse à cause d'une erreur; cette erreur a des causes qui elles-mêmes en ont et ainsi de suite. Les choses sont comme elles sont parce qu'elles ont été imaginées; rien n'existerait sans cela.

— Et comment peux-tu expliquer l'existence de cette imagination si elle-même n'a pas été imaginée?

— C'est toi la mathématicienne, maman. Il doit être possible de démontrer que ce qui arrive avant a été commencé après, comme il se pourrait aussi, plus sûrement, que dans la stricte réalité en dehors de notre perception tout se passe exactement au même et unique instant à la fois bref et éternel. Je ne sais pas écrire la formule, mais je peux voir comment ça fonctionne.

— Donc, à ton avis, il va se passer quelque chose en Islande?

— Nous ne saurons peut-être jamais quoi, mais le futur doit avoir besoin de cette escale. Le futur se construit avec ce que tu appelles le hasard parce qu'on n'en connaît pas les tenants et les aboutissants.

— Tu ne trouves pas que c'est un peu déprimant comme façon de voir les choses? On a l'impression que, quoi qu'on fasse, ça n'a aucune importance puisque le résultat aura été programmé.

— Mais non! Au contraire, puisque le futur, on le construit en l'imaginant, pas toi, pas moi, mais tous ensemble, chacun apportant sa petite contribution.

— Et les trolls, là-dedans?

— Les trolls, c'est une représentation de la volonté d'autres forces que la nôtre.

— Lesquelles, par exemple?

— La planète. La planète est une grande force.

— Mais pas une force qui pense et qui imagine, comme nous.

— Qu'en sais-tu? Que sait la fourmi devant la semelle de notre soulier? Que sait de nous le virus qui parasite nos cellules et nous fiche la grippe? »

Par le hublot, Miriam aperçoit quelques lumières éparses, disséminées sur une terre trop sombre pour en deviner les détails. Elle se fait la réflexion que, se trouvant approximativement à la latitude du cercle polaire, l'Islande doit avoir une journée de très courte durée à cette époque de l'année. Le ciel a cette teinte entre chien et loup qu'adolescente elle a trop bien connue l'hiver où elle livrait le *Windsor Star* dans son quartier. L'avion s'incline sur l'aile et elle distingue la masse noire d'une chaîne de montagnes. Son cœur bat plus vite. À proprement parler, elle ne voit encore rien et pourtant il lui semble reconnaître comme si… oui, comme si elle portait déjà cette terre en elle. Alors que des passagers se tordent nerveusement les mains, elle échange un regard avec Hella et elles se sourient joyeusement sans très bien savoir pourquoi.

L'avion se pose sans encombre. L'œil toujours rivé au hublot, Miriam se demande pourquoi il n'y a pas de neige à cette latitude à quelques jours de Noël. L'appareil se range face à l'aérogare et les passagers sont invités à passer dans une salle de transit. À peine a-t-elle franchi la passerelle couverte, découvrant l'architecture à la fois chaleureuse et résolument moderne, sans s'expliquer pourquoi, Miriam se sent aussitôt chez elle. Plus que chez elle, même, puisque cela n'a jamais vraiment été le cas à Windsor. C'est étrange puisque, à bien y réfléchir, de l'Islande elle ne connaît en gros que le nom.

Une heure passe, plusieurs passagers commencent à déverser leur mauvaise humeur sur des personnes qu'ils ne connaissent pas et qui, assurément, ne sont pour rien dans les problèmes de l'avion, et qui plus est tentent de leur répondre gentiment. Miriam en est gênée. C'est un haut-parleur qui leur annonce que l'avion pour Toronto ne pourra pas repartir avant le lendemain, mais que, pour les passagers qui le désirent, un certain nombre de places sont disponibles sur un vol à destination de Boston, d'où il leur sera possible de prendre une correspondance. Les autres passagers seront conduits à un hôtel. Songeant à ses parents et beaux-parents qui les attendent à Toronto, Miriam s'apprête à s'enquérir des possibilités pour elle et Hella, mais celle-ci, presque gravement, lui fait signe que non d'un mouvement de tête.

«Pourquoi? demande Miriam.

— Je ne sais pas, maman, j'ai le pressentiment qu'il faut attendre notre avion.

— Tu crois qu'il va arriver quelque chose à celui de Boston?

— Non, pas du tout, mais je n'arrive pas à me voir dedans, même si j'aimerais bien voir papi et mamie ce soir.»

Miriam réfléchit. Elle ne ressent rien de ce dont parle Hella, mais, d'un autre côté, depuis qu'elle a aperçu ce pays depuis le hublot, elle a le désir inexplicable de le connaître davantage. Tout ceci est parfaitement irrationnel, elle le sait, mais, entre la raison et les sentiments, ne vaut-il pas mieux privilégier ces derniers lorsque ce n'est pas tout à fait déraisonnable? Ce qui doit avoir lieu aujourd'hui sera remis à demain et voilà tout.

«Parfait, dit-elle à sa fille, tout bien considéré, pourquoi se priver de l'occasion de voir des trolls, aujourd'hui?

— *Le soleil s'obscurcira, la terre sombrera dans la mer, les étoiles resplendissantes disparaîtront du ciel. La fumée tourbillonnera, le feu rugira, les hautes flammes danseront jusqu'au ciel…**

— Qu'est-ce que tu racontes?

— C'est un ancien poème islandais qui raconte la fin des temps.

— Depuis quand connais-tu les anciens poèmes islandais?

— Depuis que je t'attends tous les soirs à la bibliothèque. On apprend un tas de choses dans les bibliothèques.

— Et as-tu appris autre chose sur l'Islande? Et pourquoi justement un poème islandais? Je trouve que ça fait beaucoup de coïncidences. Je me demande si finalement on ne va pas plutôt s'inscrire pour le vol de Boston…

— Il n'y a aucune raison, maman! Sur l'Islande, tout ce que j'ai appris, c'est que ça se trouve juste à cheval sur la faille qui sépare l'Europe de l'Amérique; c'est donc volcanique. J'imagine que c'est pour ça qu'ils ont écrit des poèmes comme celui que je viens de réciter.

— Il ressemble à l'Apocalypse, ton poème. Tu aurais pu trouver quelque chose de plus joyeux. Enfin, allons voir un peu à quoi ressemble cette île volcanique, puisque tu ne te vois pas dans l'avion de Boston…

— Avoue que ça ne te déplaît pas de passer une nuit ici?

— J'avoue, mais ne me demande pas pourquoi, je n'en sais rien du tout. »

Mais Miriam se demande si elle a eu raison d'écouter Hella, car, lorsque vient leur tour, on les informe que tous les hôtels dignes de ce nom sont complets, aussi bien à

---

*Strophe de la *Völuspá* (dit de la voyante), partie de l'*Edda*, par Snorri Sturluson (traduction de François-Xavier Dillmann).

Keflavik qu'à Reykjavik. Dans la même foulée, cependant, une des hôtesses locales chargées des passagers veut la rassurer immédiatement en lui apprenant qu'avec quelques autres personnes du vol elles seront hébergées au *Northern Light*, près de Grindavik. Comme ce nom ne dit strictement rien à Miriam, elle demande l'importance de cette ville, ce à quoi l'hôtesse l'informe que c'est plutôt un village, mais que de toute façon l'hôtel en est éloigné de quelques kilomètres et qu'en fait il est carrément solitaire au milieu d'un champ de lave.

«Mais que fait un hôtel dans un tel endroit?» s'étonne Miriam.

L'hôtesse lui apprend que l'établissement se trouve là spécifiquement pour profiter du *Blaa Ionid* ou Lagon Bleu, un lac au milieu de la lave noire dont les eaux thermales riches en minéraux sont à une température oscillant entre 37 et 39 °C. Le lac tire son nom du bleu cobalt de ses eaux. Peut-être pour minimiser le fait qu'elles seront logées à l'écart de la capitale, elle ajoute que le lagon est ouvert toute l'année, que des touristes viennent du monde entier pour en profiter et qu'elles auront le privilège d'en jouir.

C'est ainsi que quarante minutes plus tard, la navette venue les chercher les dépose au beau milieu d'un environnement de lave à l'aspect torturé. De l'extérieur, l'hôtel évoque plutôt une série de hangars préfabriqués d'un aéroport du Grand Nord canadien. À l'intérieur, toutefois, l'impression est davantage celle, chaleureuse, d'un chalet de bois où il fait bon vivre. Cela, ajouté à la gentillesse de la grande famille qui semble s'occuper de l'établissement, en fait immédiatement un endroit avec lequel Miriam se sent en harmonie.

La porte de la chambre refermée sur elles, apercevant des flocons de neige virevolter de l'autre côté de la baie vitrée qui s'ouvre sur la lave figée à l'infini, Miriam a brusquement l'impression de se trouver dans l'œil d'un ouragan. Partout, le monde s'agite à en devenir fou, et l'Islande, ou tout au moins ce qu'elle en découvre, fait figure d'une oasis à l'écart.

«Que c'est calme! remarque Hella comme pour lui faire écho.

— Pas seulement calme, paisible! J'imagine que voilà l'endroit idéal pour ceux qui veulent échapper au tourbillon du reste de la planète. Je ne sais pas, ce n'est pas seulement la localisation, on dirait qu'il y a autre chose…

— Et voici qu'il neige! D'ici à ce qu'on ne puisse pas repartir demain…

— C'est vrai! Il faut que j'appelle Toronto. Après, nous leur demanderons de nous conduire à ce fameux lagon… Tu es triste, ma chérie, qu'est-ce qui ne va pas?

— Rien, tout va bien… »

Un peu plus tard, au téléphone, une voix enregistrée ne cesse de répéter de rappeler ultérieurement, que des circonstances techniques rendent la communication impossible.

Miriam prend le parti d'essayer de rappeler à leur retour du lagon:

« Cela ne sert à rien de tourner en rond dans la chambre alors que l'inconnu nous attend dehors. »

Il fait totalement nuit à présent. Des flocons de neige volettent toujours dans le ciel. La navette de l'hôtel les dépose à l'entrée du *Blaa Ionid*. D'abord, un sentier étroit et sinueux bordé de part et d'autre d'un mur de lave de deux fois la hauteur d'un homme. Disséminées dans la lave, des lampes éclairent la marche sans cependant être assez puissantes pour troubler la nuit au-dessus de leurs têtes. Au bout, l'édifice d'accueil allie la froideur minérale de la roche éruptive et la chaleur du bois massif. À l'intérieur, le décor est épuré, une fusion tendance zen japonais et design scandinave. Contre une somme plutôt exorbitante pour une baignade, une préposée leur remet deux bracelets en plastique possédant une puce électronique intégrée qui, explique-t-elle, leur permettra de verrouiller leur casier. Dans le vestiaire, quelques femmes de tous âges vont et viennent, nues. Miriam et Hella se regardent. Élevée à Windsor, en Ontario, Miriam n'a pas l'habitude, mais puisqu'il semble que cela se passe ainsi en ce pays, avec un léger sentiment d'irréalité, elle se déshabille, taraudée par l'impression que tout le monde l'observe. À son autre extrémité, le vestiaire donne sur la partie de l'édifice où l'on entre dans l'eau. Surprises par la chaleur, Hella et Miriam descendent presque religieusement les marches d'accès au bain. Une fois immergées et leur corps habitué à la température, elles se dirigent vers l'arche vitrée qui les sépare de l'extérieur. Passé cette barrière, c'est pure magie. Éclairée par le fond, l'eau du lac est d'un bleu inexplicable. À la surface stagnent des nappes de brume fantomatique où viennent fondre les flocons en descendant de la nuit. Çà et là, irréelles dans la brume, des silhouettes évoluent lentement. Miriam est subjuguée par la sensation onirique qu'il y a à se trouver là, sous la nuit polaire, flottant dans une eau à la température du corps. Impression de se trouver à la jonction très précise où le froid sidéral rencontre la chaleur stellaire, au degré exact de la vie humaine. C'est parfait. Presque trop pour croire que l'on s'y trouve vraiment. Est-il possible qu'à ce moment même elles devraient se trouver à Toronto? Que font-elles, ici, au soixante-cinquième parallèle, dans cette matrice à ciel ouvert?

Elles ont presque atteint l'autre rive du lac entièrement bordé de collines de lave lorsque, du nord-ouest, une rafale balaye la surface, chassant une grande partie de la brume en ne laissant danser que de légères volutes. Miriam se redresse, cependant il s'écoule près d'une demi-minute avant qu'elle sente la morsure du froid. Mais encore là, elle reste debout, savourant par tout son corps la pureté de ce froid, sachant que lorsque ce sera trop, elle n'aura qu'à se laisser aller dans l'eau. Est-il possible qu'il ne suffise que de cela pour être heureux, une étendue d'eau chaude sous le firmament? Ou n'est-ce pas plutôt le sentiment de communier avec la terre et le cosmos, de s'y retrouver, enfin!

Miriam s'apprête à replonger lorsque Hella désigne son médaillon.

«Tu me le prêtes? J'aimerais le porter un peu.»

Miriam ne lui en demande pas la raison; elle comprend simplement que sa fille veut porter ici quelque chose qui vient de son père. Elle passe elle-même le lacet de cuir au cou de Hella qui aussitôt, si c'est possible, a un sourire encore plus épanoui. Dans la nuit, juste au-dessus des petites collines de lave bordant le lac, Miriam remarque un voile vert phosphorescent qui ondoie dans l'axe de son champ de vision. Elle le fait remarquer à Hella. Non loin d'elles, un couple, japonais à ce qu'elle peut en distinguer, tend les mains vers le ciel; l'homme et la femme sont émerveillés comme des enfants. Hella se met à rire comme elle ne rit pas d'habitude. Elle rit comme la fillette qu'elle est. Sait-elle qu'à cet instant exactement une radio à Londres met pour la première fois en ondes une artiste nommée Selma? Sait-elle que dans l'heure qui va suivre, le même poste va recevoir des douzaines d'appels demandant des détails sur les moyens de se procurer ce disque ou réclamant de le faire tourner de nouveau?

Miriam frissonne d'excitation. Vu depuis ce lac où le corps se joue de la température, le spectacle est fabuleux. Au point qu'en arrière-pensée – et avec une pointe de remords lorsqu'elle pense à ses parents –, elle se fait la réflexion que ça aurait été dommage que l'avion continue tout droit. Même si, bien entendu, elle n'aurait jamais su ce qu'elle perdait si tel avait été le cas. Comme à son habitude, elle ne peut se laisser aller tout à fait au simple plaisir du spectacle; il faut aussi qu'elle se demande ce qu'elle a fait pour le mériter. Elle ne trouve rien à son actif qui puisse expliquer une telle récompense. Elle regarde vers Hella, qui à présent se laisse flotter sur le dos, les yeux plantés dans le spectacle céleste. Elle a envie de la serrer dans ses bras. Elle ne le fait pas, retenue par ce qu'elle ressent parfois comme une détestable pudeur des sentiments. Au lieu de cela, elle lui sourit. Un sourire auquel Hella répond, comme si son visage diffusait de la lumière.

«Je t'aime, maman.

— Moi aussi, Hella, je t'aime. Et je ne t'aime pas juste parce que tu es ma fille, mais parce que tu es toi comme tu es.»

Elles se sourient encore plus fort puis, comme dans un ballet, portent de nouveau dans un même mouvement leurs regards vers le ciel où des nuances orangées viennent se mêler aux ondoiements irisés. Le phénomène, au lieu de se résorber, prend de l'expansion, cherche à atteindre la démesure, laissant pressentir un événement plus grandiose encore à venir. Pourquoi faut-il soudain que Miriam repense aux événements qui ont précédé la rentrée universitaire, et plus précisément à cette semaine durant laquelle elle s'est retrouvée seule? Ici, alors qu'elle se sent partie de cette ineffable grandeur, elle ne peut concevoir qu'elle soit descendue aussi bas. Comment a-t-elle pu, alors que l'esprit a la faculté d'accueillir tant de beauté et de s'en réjouir? Pourquoi l'esprit cherche-t-il ainsi à se souiller? Elle ne peut concevoir qu'elle, Miriam, qui se sent grandie par la beauté d'une aurore boréale, soit la même qui, sur une chaise de cuisine, a failli céder à un besoin qu'elle n'ose pas qualifier, la même encore qui a failli se donner au lubrique qu'elle n'a pas su reconnaître comme tel, peut-être parce qu'elle-même... Ne pas y penser!

« As-tu déjà vu quelque chose comme ça? » demande Hella.

Cette question réveille la mémoire. Miriam se souvient de l'orage sur l'île Manitoulin, ce jour où tout a vraiment commencé. Le moment est-il venu d'en parler?

« Une fois, dit-elle. Cela se passait sur une île du lac Huron. J'étais dans le lac et un orage a éclaté... Je crois que c'est à ce moment-là que tu as été conçue, ma chérie.

— Tu étais avec papa?

— Oui. Beaucoup plus intensément, je crois, que la plupart des gens n'ont jamais été avec quelqu'un.

— Est-ce que tu me diras un jour ce qui s'est passé après?

— Un jour, je te raconterai comment tout ça s'est passé, mais ce jour-là, tu ne voudras peut-être pas me croire.

— Pourquoi?

— Parce que c'est une histoire merveilleuse et que souvent les gens ne veulent croire que le pire.

— Tu crois que je suis comme ça?

— Non, bien sûr, puisque tu viens d'une histoire merveilleuse.

— Tu sais quoi, maman? Je crois que, quelque part, je m'en doutais. »

Il y a comme une explosion silencieuse à la verticale du lac.

Des lueurs allant de l'orangé à l'ivoire zèbrent la nuit. Les Japonais poussent des cris émerveillés et Miriam a l'impression qu'un vortex s'ouvre dans son crâne. Le maillot orange de Hella lui rappelle l'orange de ce premier jour de neige à Windsor, les Japonais, ce livre, *Pays de neige*, qu'elle avait commencé juste avant de rencontrer Joe. L'aurore boréale allume dans les cieux des lumières que le Petrus 1961 avait allumées dans sa tête sur l'île à la Pêche… Des îles, toujours des îles, celle de la rivière Détroit, Manitoulin, Skye, Mujeres, Uist, Lewis, Harris et maintenant l'Islande. Pourquoi toutes ces îles? À moins que ce ne soit l'eau? Les questions sont englouties par le visage d'Adam, le sourire d'Adam, ses yeux! Elle n'a jamais cessé de penser à lui, mais, depuis qu'ils se sont dit au revoir, c'est la première fois qu'elle demande à sa mémoire de le représenter ainsi, presque comme s'il était là.

« Adam, s'écrie-t-elle dans sa tête, oh, mon amour! »

Ses yeux se voilent de larmes qui brouillent les feux du ciel, mais leur donnent aussi d'autres explosions.

« Pourquoi n'es-tu pas venu plus vite? »

Elle lui parle comme jamais ce n'est arrivé, lui parle comme on parle au grand amour de sa vie, ce qu'elle n'a jamais pu faire lorsqu'ils étaient ensemble.

« Faut-il des orages et des aurores boréales pour que nous soyons ensemble? »

Tout tournoie dans sa tête, les souvenirs et les émotions qui viennent avec. Dans un lointain un peu flou, elle distingue la silhouette noire des petites collines de lave autour du lac; les volutes de vapeur vont et viennent sur la surface comme pour protéger l'intimité des baigneurs. Adam est là, elle le sent, sinon dans ce lac ou même en Islande, du moins dans sa tête. Elle lui parle et est convaincue d'être écoutée. Mais pourquoi ne lui répond-il pas? Elle perçoit ses sentiments, son amour, mais elle voudrait tellement entendre sa voix, la voix toujours plus vivante que l'image, la voix qui lui dirait: je suis là.

Il l'est, elle le sait, mais l'entendre serait la fin réelle de la solitude.

« Pourquoi? » lui demande-t-elle, posant enfin la plus

redoutable des questions, celle qui demande avant tout pourquoi s'est glissée cette faute de goût dans sa formule, cette faute qui a provoqué l'intervention d'Adam. Pourquoi? La réponse n'est pas prononcée, en aucune façon murmurée, ni non plus écrite derrière ses paupières, mais elle s'impose en lettres de feu: HELLA!

C'est tellement évident qu'elle se demande comment elle a pu cultiver la question aussi longtemps. Hella est la concrétion de tous leurs sentiments; le meilleur d'eux-mêmes et de tous ceux qui les ont précédés. Tout à coup, Miriam se raidit et se redresse dans l'air de la nuit. Un autre pourquoi vient de surgir: pourquoi tout cela arrive-t-il justement maintenant? Comme elle le demande à Adam, elle perçoit l'immense tristesse de ce dernier, une tristesse qui devient sienne aussitôt. Elle cherche la main de Hella, mais ne la trouve pas.

XXIII

Après coup, parfois, on s'aperçoit que l'on savait les choses avant qu'elles se soient manifestées. Certains nomment cela le pressentiment; d'autres, plus rares, parlent plutôt de la somme de l'opération. Et effectivement, comme en mathématiques, l'idée de la réponse vient souvent avant la fin du calcul proprement dit, ce qui tend à prouver que le cerveau fonctionne sur le mode quantique. Plus résolument mystiques, d'autres parleront de la connaissance innée des événements en l'expliquant par la réincarnation, celle-ci devant alors s'opérer aussi bien à partir du futur que du passé; cette explication pourrait être associée au problème dans lequel Miriam s'est pratiquement jetée cet automne pour tenter d'échapper à la salissure du baiser échangé avec Ralph Aalto. Le problème en question se pose ainsi: pourquoi ne pourrit pas un corps organique posé au centre et aux deux tiers de la hauteur d'une pyramide dont la base doit correspondre exactement à 157 % de la hauteur et les arêtes, orientées face aux points cardinaux, à 194,4 % Toutes les formules qu'elle a pu aligner n'ont rien donné. Toutefois, cette question en a amené une autre peut-être plus fondamentale: comment les Égyptiens de l'Antiquité avaient-ils pu découvrir cette propriété? Exactement comme à présent: pourquoi, une fraction de seconde avant de le découvrir, Miriam sait-elle qu'elle ne trouvera pas la main de Hella?

Bien entendu, sur le coup, elle oublie totalement ce pressentiment et tout se déroule comme cela doit se dérouler, c'est-à-dire qu'elle commence par s'étonner sans trop s'alarmer. Elle appelle doucement sa fille, elle s'attend à la voir surgir de derrière l'une des quelques petites îles de lave qui émergent çà et là. Elle pourrait aussi se trouver dissimulée par une des nappes de vapeur, ou même s'y tenir à dessein; elle n'a pas toujours la mesure exacte de la plaisanterie. Miriam appelle de nouveau, mais cette fois le ton est plus incertain. Pour ce qu'elle peut en voir, aucune des silhouettes qui apparaissent dans les volutes ne ressemble à Hella. Son cœur commence à lui faire mal, comme s'il charriait un sang plus lourd. Mais cela peut aussi être un avertissement qu'il est temps de sortir de l'eau dont la température élevée ne permet pas d'y rester indéfiniment. Peut-être que Hella a eu un malaise, peut-être flotte-t-elle quelque part entre deux eaux? Pourquoi n'a-t-elle pas gardé tout le temps un œil sur elle? Tout de même, elle était là, à l'instant, juste à ses côtés; elle ne peut pas se trouver loin. L'eau est éclairée par le fond et par des projecteurs placés sur les îlots de lave. Cependant, sa forte teneur en silice, qui lui donne ce bleu si particulier, la rend également opaque au point que, debout, il est impossible d'apercevoir ses propres pieds. Non! Hella est forte, plus forte que n'importe qui. Elle était là, rayonnante, il n'y a qu'un instant. Elle doit plutôt être allée par là-bas, vers le sauna et les chutes artificielles où se regroupent la plupart des baigneurs. Miriam hésite cependant à s'y diriger; si malgré tout Hella a eu un malaise et qu'elle se trouve à proximité, il est plus important de surveiller le secteur immédiat. Sa fille doit se trouver là-bas en train de satisfaire une curiosité quelconque, mais la prudence commande de rester sur place. Ce faisant, toutefois, elle ne cesse d'observer le secteur des chutes et se rend bien compte que nulle part ne se trouve la petite silhouette espérée.

Apercevant une jeune fille qui patrouille autour du lac, vêtue d'un épais parka jaune, Miriam l'interpelle et, ne pouvant pas croire ses propres mots, lui indique qu'elle ne parvient pas à retrouver sa fille. L'ayant dit, elle se rend compte de toute la portée de ce que cela signifie. Une coulée brûlante puis glaciale parcourt son ventre. La jeune fille affectée à la surveillance lui demande depuis combien de temps elle ne l'a pas vue; Miriam évalue que cela ne doit pas faire plus de deux minutes, même si le temps paraît déjà trop long. La secouriste demande alors s'il s'agit de la petite fille aux cheveux noirs et au maillot orange.

«Vous l'avez vue?

— Je l'ai remarquée, tout à l'heure.»

Ce disant, la jeune fille scrute les alentours. Le lac n'est pas assez vaste pour que le regard ne puisse en faire le tour. N'apercevant personne pouvant ressembler à Hella, elle attrape le talkie-walkie qu'elle porte suspendu à un cordon et, en islandais, lance quelques mots rapides. Miriam voudrait dire que c'est trop, qu'il ne faut déranger personne, qu'il ne doit s'agir que d'un vilain tour de la part de sa fille, que donner l'alerte dès à présent ne fait que rendre probable ce qui est impossible et, de là… Mais bien entendu elle ne dit rien de tout cela, souhaitant tout au contraire que tout le monde se mette en branle et lui ramène Hella avant qu'elle ne meure d'inquiétude.

Puis les événements lui échappent et s'emballent. Depuis l'édifice d'accueil, surgissent plusieurs jeunes gens, tous vêtus du même parka jaune. On commence à chercher un peu partout. Miriam suggère que peut-être sa fille est retournée à l'intérieur pour aller aux toilettes, ce à quoi la jeune fille lui répond que des employés sont déjà sur place.

Miriam lutte, mais l'affolement la gagne, disséminant de la douleur dans chaque recoin de son corps et de son esprit. Ce n'est pas possible, il y a forcément une solution; personne ne peut disparaître ainsi. Le lac n'est pas assez grand et surtout jamais plus profond que la hauteur d'une personne. Mais les minutes passent, d'interminables minutes, et aucune piste ne permet de dire si Hella se trouve ou non dans le lac.

Des baigneurs se joignent à la recherche. Il s'agit de trouver une fillette, peu importe à quoi elle ressemble, puisque, d'après la préposée aux billets, Hella serait la seule enfant à se trouver dans l'enceinte du *Blaa Ionid*. Miriam ne veut pas pleurer, ne veut pas hurler; il faut qu'elle garde la tête froide jusqu'à ce que l'on retrouve Hella. Elle va au hasard, tourne en rond, fouille l'eau de ses mains, cette eau qui, il y a quelques minutes, signifiait le bonheur. Quand même, si elle criait assez fort, Hella ne pourrait que réapparaître... Réapparaître! Le mot lui-même signifie que son enfant a disparu. Comment est-ce possible, ici? Il ne peut s'agir d'un enlèvement. Faut-il envisager que sa fille soit en train de flotter quelque part entre deux eaux? Ses jambes ne veulent plus la porter. Il faut pourtant qu'elle continue à chercher, qu'elle la retrouve, la réprimande et, cette fois, lui fasse comprendre qu'elle est sa mère et que par conséquent il faut lui obéir. Seulement, elle sait que dès qu'elle l'apercevra, elle va lui ouvrir les bras, la serrer contre elle et pleurer de bonheur.

Coordonnée par les jeunes gens qui forment le personnel de surveillance, une chaîne s'organise et, partant d'une extrémité du lac, remonte vers l'autre. Les yeux trop grands d'angoisse, ne pouvant croire à ce qui est en train de se passer, Miriam va, comme désorientée, de droite à gauche, commençant à se dire qu'elle veut absolument être morte avant qu'on ne lui apporte une mauvaise nouvelle. Mais comment mourir avant de savoir si la nouvelle est recevable ou non?

Non! Il ne peut y avoir de mauvaises nouvelles; Hella va surgir comme à Skye, comme à Lewis. Après tout, ce n'est pas une première. Cette éclipse-ci est seulement encore plus éprouvante que les précédentes. Cherchant une explication, elle repense, sans pouvoir faire de liens, à la façon dont Adam avait été retrouvé sur l'île à la Pêche. Pourquoi cette pensée à présent?

La chaîne humaine a couvert les deux tiers du lac et, comme prévenue d'avance, à peu près à l'endroit où Hella et elle devaient se trouver en train d'admirer l'aurore boréale, Miriam voit un homme se pencher puis se redresser en brandissant – aucun doute n'est possible – le maillot orange de Hella.

Miriam hurle. Chacun se fige dans le lac et sur son pourtour, autant frappé par la douleur contenue dans ce cri d'une mère que par le réveil soudain d'une vieille terreur inscrite au plus profond des gènes.

Miriam se précipite vers le maillot, l'arrache presque des mains de l'homme et le presse contre elle, ne parvenant pas à comprendre. Avec quelque chose de beaucoup plus tragique, la chaîne poursuit la recherche. Parvenus à l'autre extrémité, sans concertation, tous font demi-tour pour parcourir de nouveau toute la longueur du lac.

Miriam est paralysée. Retrouver le maillot sans Hella ne peut signifier qu'une chose : Hella n'est plus là. Contre toute logique. En d'autres mots plus précis, Hella n'est plus dans ce lac, ce qui, sans la découverte du maillot, serait une bonne nouvelle en soi puisque cela signifie qu'elle ne s'est pas noyée. Mais cela comporte aussi une terrible évidence : Hella n'est plus avec elle.

La jeune fille qui patrouillait quand tout cela a commencé a laissé tomber son parka et, en maillot, se trouve à présent près de Miriam, tentant de trouver des paroles encourageantes sans parvenir à se convaincre elle-même. Miriam balance lentement la tête de droite à gauche, comme pour lui signifier que les paroles ne servent à rien, ou pour réfuter une évidence. Brusquement, elle n'a plus la force de se soutenir elle-même et la jeune fille a juste le temps de la retenir avant qu'elle ne s'affaisse. Elle et un compagnon l'aident à regagner l'intérieur de l'édifice d'accueil, où ils la font asseoir à l'une des quatre petites tables de patio d'où, en temps ordinaire, les baigneurs fatigués peuvent continuer à contempler le lac. Miriam vit tout cela dans un état de quasi-absence; elle entend des paroles incompréhensibles, voit des lumières trop vives, de l'agitation, et toujours le bleu trop bleu des eaux, comme un message en lui-même. Tout se confond dans le désespoir. Elle comprend qu'il n'y a plus de raison ni d'espérer ni même d'imaginer. Il ne reste qu'à essayer de comprendre, seule improbable possibilité de conjurer l'irrémédiable. Essayer de comprendre et souffrir. Une souffrance dont elle commence à entrevoir toute l'effroyable incommensurabilité; au point que les larmes qui roulent sur ses joues lui sembleraient dérisoires si seulement elle en avait conscience.

XXIV

Olaf Thorbjorson a quitté son domicile sitôt après avoir reçu l'appel. Il faut compter environ trente minutes depuis sa résidence dans la périphérie sud de la capitale et *Blaa Ionid*. Trente minutes de calme. Il aime rouler la nuit, juste pour le mouvement, et écouter sa musique, pour le moment la *Quatrième Symphonie* de Sibelius. Les quelques paroles qui l'ont décidé à se rendre au lac thermal ne cessent de tourner dans sa tête : une fillette semble s'être évaporée au milieu du lac; on n'a retrouvé d'elle que son maillot. Une sale histoire, si elle se concrétise. Comment diable une enfant pourrait-elle disparaître au milieu du lac sans laisser de traces? Mais ça ne sert à rien d'y penser avant d'être sur place; il ne possède pas tous les éléments.

Il tourne la tête sur sa gauche, intrigué par une lueur rouge dans le ciel. Ça n'est pas une aurore boréale. Un volcan? Il songe à mettre la radio, mais cela signifierait arrêter la musique. Il hausse les épaules; c'est une belle nuit, de la belle musique, autant en profiter. Rien n'égale des moments comme ceux-là, qui de plus ne coûtent pas cher. Évidemment, avec la complicité de quelqu'un de spécial pour les partager, ce serait encore mieux, mais... Il soupire.

«La seule vérité vraie, se dit-il, est qu'on en revient toujours tous au même point, bon sang! Chaque geste de notre existence tend vers l'image de la grâce parfaite incarnée dans une belle inconnue. Veut, veut pas, il n'y a que cela à l'ordre du jour. On dépense ses énergies à se bâtir une identité qui n'a finalement d'autre objectif que d'être apte à la séduire lorsqu'elle se présentera. Impossible d'imaginer quoi que ce soit sans y placer l'autre qu'on ne connaît pas. Et moi je suis un vieux con célibataire de quarante-cinq hivers, autant dire un échec total, même si, comme on dit, j'ai réussi. »

Prenant l'embranchement vers l'est pour Grindavik, il est de nouveau intrigué par des rougeoiements aussi intermittents que lointains. L'idée farfelue qu'il puisse y avoir un lien avec la disparition lui traverse l'esprit, puis il revient à son idée précédente et se fait la réflexion que de toute façon il a connu ce qu'un homme peut espérer de mieux. Cela n'a pas duré longtemps, une nuit pour être exact, mais la qualité et l'intensité n'ont rien à voir avec la quantité.

La centrale thermique jouxtant le lagon est en vue, aussi décide-t-il de reporter au retour la remémoration de cette fameuse nuit. Il se demande même de quelle musique il l'accompagnera. Puisque pour lui il n'y aura sans doute rien d'autre à venir, il entend bien polir ce souvenir jusqu'à en faire un chef-d'œuvre à sa seule intention.

En se garant sur le stationnement des visiteurs, il note que l'aire est aux trois quarts vide, ceci en comptant les véhicules de ses collègues de Keflavik. Comment peut-on disparaître au milieu de cette « grande mare »? Il n'a encore aucune information pratique, mais commence à envisager l'hypothèse la plus logique : le kidnapping. Cela même si, outre les enlèvements d'enfants par des parents trop possessifs, ce serait une première dans l'histoire moderne du pays.

Il ne commence à saisir toute l'ampleur du drame que lorsqu'il découvre la mère assise en équilibre sur le bord d'une petite chaise en résine blanche. Sans très bien savoir par quel détour de la pensée, il songe à la Pietà. Sauf que celle-ci n'a même plus son enfant dans les bras, juste un petit maillot orange fluo. Il décide d'en apprendre davantage avant de lui parler. Cela est vite fait; son collègue de Keflavik, Gudnison, lui résume ce qu'il y a à savoir : avion détourné pour problème technique, présence ici de la mère et de la fille due aux pures lois du hasard, disparition de la fillette

236

quasiment sous les yeux de sa mère, découverte du maillot par un touriste britannique. À présent, tout a été fouillé de fond en comble; aucune trace de la gamine, aucun indice.

«Tout de même, on ne s'évapore pas comme ça dans la nature et on ne se dissout pas dans la flotte, dit Thorbjorson. Un salopard a dû l'attirer vers la rive et l'emmener je ne sais où.

— C'est bien sûr la première idée qui m'est venue à l'esprit, mais nous avons déjà visionné les vidéos du parking qui est sous surveillance; personne n'a quitté les lieux au moins un quart d'heure avant que ne soit signalée la disparition de la gamine. Par ailleurs, venez voir…»

Il conduit Thorbjorson vers la partie du lac où Miriam a indiqué qu'elles se trouvaient toutes les deux lorsque Hella a disparu, et aussi où l'on a retrouvé le maillot. Il lui fait remarquer l'importante distance entre ce point et les berges, surtout en considérant le laps de temps durant lequel la mère affirme ne pas avoir vu l'enfant avant de constater sa disparition.

— Ça, c'est une indication subjective; elle ne devait pas avoir de chronomètre en main.

— D'accord, mais le maillot retrouvé au même endroit? Je vois mal un kidnappeur convaincre l'enfant de le suivre sans se faire remarquer, d'ôter son maillot et de le lancer ou le rapporter à l'endroit où elle se trouvait. Si par ailleurs il l'avait forcée, j'imagine que la gamine se serait mise à crier. Et puis, d'après ce que j'en sais, ce genre d'enlèvement se prémédite, mais voilà des personnes qui ignoraient elles-mêmes qu'elles seraient en Islande quelques heures plus tôt, à plus forte raison un supposé kidnappeur. Et où serait-il passé? Aucun véhicule n'a quitté les lieux.

— Et du côté de la centrale?

— Nous y sommes allés voir. Tout le personnel est là depuis le changement de quart. Personne n'a quitté les lieux depuis seize heures. Et à côté, le laboratoire de produits de beauté est fermé pour toute la période des fêtes de Noël. Il ne s'y trouve personne depuis vendredi dernier.

— Que suggérez-vous comme explication?»

Gudnison secoue la tête pour signifier qu'il n'en a pas.

Les mains dans les poches de sa gabardine, Thorbjorson retourne vers l'édifice d'accueil et fait quelques pas sur une courte jetée de bois qui s'avance dans le lac. Voilà plusieurs mois qu'il n'est pas venu prendre un bain. Il se demande pourquoi puisque, chaque fois, il se sent ragaillardi pour au moins deux semaines. Il s'est toujours dit qu'il y a quelque chose ici, mais, bon sang! où est passée cette gamine? Tout cela n'a aucun sens. Il ne peut plus reporter le moment de parler à la mère, même si la malheureuse a l'air d'être en train de contempler l'enfer.

Miriam fait à peine attention à lui lorsqu'il se présente. Quelque part, elle sait qu'il faut coopérer pour conserver au moins la certitude de ne pas avoir abandonné. C'est presque sur un mode automatique qu'elle répond aux questions, toute pensée concentrée sur la douleur. Elle explique qu'elles étaient en train d'admirer l'aurore boréale, puis qu'à un moment elle s'est tournée vers sa fille, mais que celle-ci n'était plus là. Elle affirme de nouveau qu'il n'a pas dû se passer plus d'une minute, maximum deux, entre la dernière fois qu'elle l'a vue et le constat de son absence.

«Comment pouvez-vous en être certaine?»

Pour la première fois, elle regarde le policier dans les yeux, le fixe un bref instant en silence puis répond:

«Parce que c'est ainsi que ça s'est passé, rien d'autre.»

Sans pouvoir préciser pourquoi – il y a ainsi des évidences qui n'ont pas besoin d'explication – il sait qu'elle dit la vérité; non seulement la vérité selon elle, mais les faits comme tels. Cette femme est désespérée, mais elle a une tête sur les épaules et, aussi noir soit-il, le malheur n'a pas effacé l'intelligence dans son regard. Par où faut-il commencer pour seulement essayer d'y comprendre quelque chose?

«Ma question pourra vous sembler brutale, fait-il, mais je veux savoir maintenant. N'y réfléchissez pas, donnez juste votre sentiment: à votre avis où se trouve votre fille en ce moment?»

Miriam ouvre la bouche puis penche la tête comme pour mieux observer le sol dallé. Où est Hella?

«Avec son père», dit-elle avec l'impression que sa voix a perdu toute intonation.

Thorbjorson se redresse. Enfin une indication concrète.

«Et où se trouve son père?

— Il se trouvait avec nous juste avant que Hella disparaisse.

— Il l'a donc emmenée?

— Emmenée... Oui... Peut-être. J'espère au moins qu'elle est avec lui...

— Mais alors, il n'y a pas de disparition! Où se trouve votre mari actuellement?

— Non, je m'explique mal. Vous ne pouvez me comprendre. Mon mari, enfin... son père a disparu avant la naissance de Hella.»

Thorbjorson se reproche d'avoir trop rapidement sauté aux conclusions faciles. Ce que cette pauvre femme tente sans doute de signifier est qu'elle espère que sa fille a au moins rejoint son père décédé. C'est normal. Enfin, oui et non; est-ce qu'elle n'abandonne pas espoir un peu vite? Il le lui demande carrément, ce à quoi elle répond:

«Pour abandonner l'espoir, il faudrait au moins qu'il y en ait, mais je sais à présent qu'il n'y en a pas.

— Comment pouvez-vous en être ainsi persuadée? Nous ne savons encore rien de ce qui a pu se passer.»

Il vient près d'ajouter que les personnes qui poursuivent les recherches dans le lac vont peut-être finir par la retrouver, mais se rend compte qu'il n'y a en effet absolument rien là-dedans qui puisse susciter un quelconque espoir, pas même celui de parvenir à comprendre quelque chose.

Miriam répond que, pour qu'il commence à savoir quelque chose, il faudrait qu'elle lui raconte une longue histoire, mais qu'elle ne s'en sent pas la force, pas maintenant.

«J'imagine dans quel état vous devez vous trouver, je vous comprends. Cependant votre longue histoire pourrait peut-être nous faire progresser.

— Au contraire, croyez-moi.

— Écoutez, excusez-moi encore une fois de me montrer brutal, mais, surtout pour nous, policiers, la disparition spontanée n'est pas une option. Votre fille se trouve en ce moment quelque part et nous devons la retrouver. Si vous avez des éléments, n'importe quoi, vous devez nous aider. »

Miriam ferme les yeux, comme pour se concentrer. Il en profite pour l'observer. Une belle femme. Pas seulement dans l'apparence, mais une beauté qui émane de tout son être, une beauté qu'aucun cosmétique ou aucune chirurgie ne peut imiter.

« Une belle âme », aurait dit ma mère, pense Thorbjorson. Quelle histoire peut-elle détenir qui l'amène à la conclusion qu'il n'y a pas d'espoir? Est-ce la cause de ces petites ridules particulières au coin des yeux qui seules font qu'on ne peut plus parler d'elle comme d'une jeune fille? Des marques qui peuvent tout autant provenir de la joie que de la souffrance. Sans doute les deux.

Le chagrin qu'elle dégage exacerbe chez lui le besoin de la réconforter, mais comment poser une main sur l'épaule d'une femme en maillot quand on ne la connaît pas?

« Je comprends votre point de vue, dit-elle, mais mon histoire ne vous sera d'aucune utilité pour l'instant; elle ne pourrait que nous faire perdre du temps. Vous avez raison; ma petite fille se trouve forcément quelque part. »

Est-ce de s'entendre prononcer « ma petite fille », elle a un cri étouffé et éclate en sanglots. Thorbjorson se détourne, embarrassé, ne sachant que faire. La secouriste qui jusqu'à présent s'est tenue un peu à l'écart s'approche et pose, elle, une main sur l'épaule de Miriam : « Ne vous découragez pas, madame, rien ne dit que... »

Thorbjorson ne sait plus très bien où il en est. Pour la première fois de sa carrière, il se sent un peu dépassé. Il n'y a pas que cette disparition incompréhensible. Sans s'expliquer pourquoi ni comment, il pressent que ce doit être là le début de quelque chose de totalement indéfini, mais qui ne s'annonce pas facile. De par sa profession, il a appris à se méfier des pressentiments et des impressions. Cependant, en tant qu'amateur d'échecs, il sait aussi que les grands coups ne viennent pas le plus souvent à la suite d'un calcul génial, mais d'une vision, pour ne pas dire une révélation. Il faut donc toujours prendre garde de tomber dans les extrêmes et ne rien tenir pour acquis.

La jeune fille se tourne vers lui comme pour lui demander ce qu'il convient de faire à présent. Qui va prendre la décision de dire à cette mère qu'il ne sert à rien de rester ainsi toute la nuit sur cette chaise? Thorbjorson prend conscience qu'il est sans doute la personne désignée pour décider des prochains mouvements de cette femme. Que peut-il lui conseiller? Retrouver une chambre d'hôtel vide? Que peut-on suggérer à une mère dont l'enfant vient littéralement de disparaître? Gudnison se manifeste depuis le vestiaire des hommes et lui fait signe.

«Ça va mal, lui dit-il, le mont Hekla vient de sauter. Il semble que, cette fois, ce n'est pas une petite…

— C'était donc ça! Sur la route, en venant, j'ai remarqué que c'était rouge dans le ciel vers l'est… Le Hekla… Bon sang! C'est à cent kilomètres d'ici, ça doit barder là-bas. Tout arrive en même temps… Du nouveau, de votre côté, pour la gamine?

— Rien. Rien, sinon qu'on est à peu près certains qu'elle n'est pas dans le lac. Ce qui ne cadre avec aucune explication, c'est ce maillot; à se demander si…»

Il désigne Miriam du menton.

«Continuez, je suis certain qu'elle ne comprend pas l'islandais.

— Je commence à me demander si elle n'en sait pas plus long qu'elle ne le dit.

— J'y ai pensé aussi, et je crois, effectivement, qu'elle a des informations, mais je crois aussi que cela ne touche pas la disparition elle-même. En tout cas, c'est mon opinion pour l'instant.

Gudnison a un mouvement du chef pouvant signifier que son opinion à lui n'est pas aussi tranchée. Il fait signe à la secouriste et lui demande:

«Vous avez vu la fillette; comment était-elle?

— Une enfant qu'on n'oublie pas. De grands cheveux noirs en bataille et, surtout, de grands yeux. On ne pouvait pas ne pas la remarquer, même que…

— Dites, l'invite Thorbjorson.

— Je ne sais pas, c'est sans doute le genre d'enfant que

les gens qui n'en ont pas pourraient vouloir avoir... Enfin, vous voyez ce que je veux dire.

— Mais, dit Gudnison, vous m'avez dit vous-même qu'elle se trouvait trop loin de la berge pour pouvoir envisager que quelqu'un l'ait emmenée?

— Je sais. Et non seulement trop loin, mais si vous l'aviez vue ne serait-ce qu'une fois, vous sauriez que ce n'était pas du tout le genre d'enfant à se laisser enlever comme ça sans le vouloir.

— Suggérez-vous qu'elle est partie de son plein gré? demande Thorbjorson.

— Ce serait la seule explication, mais je ne vois pas comment ni avec qui, car je suis à peu près certaine que personne ne se trouvait autour du lac.

— Bref, nous en sommes toujours au même point. Il doit pourtant y avoir une explication rationnelle. »

Miriam a redressé la tête. Se mordant les lèvres, les yeux rougis et fixes, elle les écoute, cherchant à saisir un mot. En fait, elle se demande pourquoi elle ne comprend pas ce qui se dit ici, comme lorsque Paco a chanté. Par association d'idées, cela lui rappelle que Hella lui a réclamé le médaillon juste avant de disparaître et elle se demande soudain si elle n'est pas partie de son plein gré. Ce serait une possibilité, mais Hella est intelligente et sensible; elle ne serait pas partie ainsi en sachant combien sa mère serait malheureuse... À moins que ce ne soit pour éviter un plus grand malheur encore, sauf qu'il ne peut y avoir de plus grand malheur; le monde peut bien s'écrouler, elle s'en fout si on lui rend sa fille. Toujours par association, elle se souvient des paroles de Hella: « ... *le feu surgira et ses flammes danseront jusqu'au ciel...* » Sans s'en rendre compte, elle a prononcé les paroles à haute voix. Interloqués, les deux policiers se regardent.

« Vous comprenez l'islandais? lui demande Thorbjorson dans sa langue.

N'obtenant pas d'autre réaction qu'un regard interrogateur, il pose la question en anglais, ce à quoi Miriam fait signe que non.

« Comment savez-vous pour le volcan, alors?

— Quel volcan?

— Les paroles que vous venez de prononcer…

— Le feu et tout ça? C'est un poème que m'a récité ma fille en arrivant dans votre pays. J'essaie de comprendre le sens des paroles. »

Thorbjorson fait signe à son collègue de ne rien dire. Il se souvient qu'en arrivant au lac il s'est demandé si les rougeoiements dans le ciel et la disparition pouvaient avoir un rapport. Tout cela est en train de prendre une tournure dépassant ses compétences de policier. Non qu'il refuse d'y faire face, mais la tentation est forte, justement, de déclarer que c'en est assez de toutes ces sornettes et d'exiger des faits vérifiables. De son côté, la secouriste se souvient où elle a déjà entendu les paroles que vient de prononcer Miriam.

« C'est dans l'*Edda*! s'exclame-t-elle avant de poursuivre: … *le fimbultvetr, le formidable hiver. Il durera trois ans, sans été intermédiaire… Les frères s'entrebattront et se mettront à mort, les parents souilleront leur propre couche**… Le *Ragnarökr* commence ainsi.

— Je ne comprends rien à ce que vous dites », fait Miriam. Thorbjorson secoue la tête.

« Il n'y a pas de rapport, affirme-t-il. Il y a juste que nous venons d'apprendre qu'un volcan vient d'entrer en éruption à une centaine de kilomètres à l'est. Rien qui nous concerne ici. »

Miriam est immédiatement persuadée du contraire; la coïncidence est trop évidente. Mais aussi, l'accepter comme tel ne fait qu'entériner la disparition de Hella en lui donnant non pas une raison, mais l'amorce d'un sens.

La jeune fille lui propose de se changer et c'est surtout pour échapper aux policiers, desquels elle n'attend plus rien, que Miriam accepte. Cependant, accompagnant la secouriste vers le vestiaire, elle revient sur sa décision et explique qu'elle veut retourner dans le lac. Personne n'ose lui dire que c'est inutile.

À nouveau sous la nuit, de l'eau jusqu'au buste, Miriam se sent infiniment vide. Est-il possible de se laisser aller le temps qu'il faut pour échapper à ça? Sa peine est amplement

---

*Tiré de la *Völuspá*, strophe 45 du poème eddique (traduction de Régis Boyer).

suffisante pour contrebalancer tout instinct de survie. Toutefois, un doute subsiste encore : n'a-t-elle pas un rôle à jouer, ou plutôt une épreuve à surmonter qui pourrait lui ramener Hella? Et survivre n'est-il pas le début de cette épreuve? La simple idée de survivre sans Hella lui apparaît comme un châtiment sans nom.

Elle est revenue à peu près où tout a commencé, ou, plus exactement, pour elle, où tout s'est terminé. Quel vain espoir est-elle venue chercher à cet endroit? Elle comprend qu'elle ne cherche rien d'autre que de se rapprocher de Hella en se trouvant là où elle a disparu. De nouveau, des sanglots la secouent. Que fait-elle, ici, quelque part sur le cercle polaire, peut-être à jamais séparée de sa fille? Brusquement, elle s'en veut; pourquoi ne pense-t-elle qu'à elle-même? N'est-ce pas Hella qui vient d'être emportée loin de tout ce qu'elle connaît! C'est Hella, sa petite fille, qui a besoin d'aide en ce moment. Rien ne dit qu'Adam ne se trouve pas avec elle.

Elle se prend à douter de sa propre raison. Peut-être est-elle complètement cinglée, peut-être au fond Joe l'a-t-il possédée durant son sommeil, peut-être que Hella est vraiment la fille de Joe, qu'Adam vit en ce moment d'autres amours à Waterloo ou ailleurs, que la rencontre avec Paco n'a eu lieu que dans sa folie et que, finalement, l'éruption volcanique dont parle le policier a ouvert une faille momentanée dans le fond du lac, avalant Hella.

Mais il reste le maillot. La présence du maillot infirme cette possibilité. Non seulement le maillot, mais aussi la biche dans le champ de l'accouchement, le meurtre gratuit de Joe, les machines à sous, Callanish, sans oublier que Hella a demandé le médaillon juste avant de disparaître, une demande qu'elle n'avait jamais faite auparavant, comme si elle savait, ou tout au moins avait le pressentiment de ce qui allait arriver. Tout comme cette histoire de flammes jaillissantes jumelée à cette nouvelle à propos d'une éruption qui semble être survenue à peu près au moment de la disparition. Un volcan? Qu'est-ce que cela peut signifier?

Elle lève la tête. Il n'y a plus d'aurore boréale, plus d'étoiles non plus. Le ciel est bouché. Du côté de l'édifice

244

d'accueil, elle aperçoit le policier qui l'a questionnée. Debout sur le trottoir de bois qui s'avance un peu dans le lac, lui aussi a la tête levée vers le ciel comme s'il attendait quelque chose.

Pour elle, c'est arrivé; rien de pire ne peut désormais se produire. Elle se prend à chercher Hella du regard et comprend aussitôt qu'il en sera désormais toujours ainsi. Elle a une plainte que, sur les planches, Thorbjorson a la délicatesse de ne pas sembler entendre. Fixant toujours le ciel, le policier se demande si sa maîtrise rationnelle des événements n'est pas en train de l'abandonner, car il ne cesse de voir une relation entre la volatilisation de cette fillette et l'éruption du Hekla. Qu'en plus l'enfant ait au préalable récité les strophes du *Ragnarökr* en arrivant en Islande est plus que troublant. Bien sûr, en société, il n'a jamais cru à toutes ces légendes qu'il sait pourtant étroitement liées à la culture de son pays. Il n'y a jamais cru, cependant, jamais non plus il n'a réussi à s'affirmer catégoriquement que tout ceci n'est que balivernes. Comme la plupart des Islandais, il est assez féru de l'histoire de son pays et il n'a pas manqué de remarquer que l'âge d'or de l'Islande s'est terminé avec la christianisation. Il sait que la teneur même du message évangélique a peu à peu dissuadé les jeunes gens, dès les premiers jours du printemps, de s'embarquer pour des raids guerriers à travers toute l'Europe pour en revenir les bateaux chargés de biens terrestres. Après que la morale chrétienne eut fait son œuvre, il a bien fallu se contenter de ce qui pouvait se produire localement, et la grande misère a plus ou moins duré jusqu'au XXe siècle. Mais le christianisme n'explique pas tout; peut-être que, quelque part, des esprits tutélaires proches de la terre n'ont pas apprécié d'être laissés pour compte. Olaf Thorbjorson ne se pose pas vraiment la question, du moins il ne la met pas en mots. Après tout, il est croyant, se rend plus ou moins régulièrement à l'office du dimanche et considère que, même s'il a fallu huit siècles pour cela, la religion a réussi à tenir le chaos à l'écart. Et n'est-ce pas cela qui importe avant tout, l'ordre? Sans ordre, pas d'évolution possible et, surtout, pas moyen d'acquérir, de posséder et de profiter. Sauf que ce soir, le nez levé vers la nuit qu'il ne peut s'empêcher de trouver menaçante, il pressent jusque dans sa chair que des événements d'ordre ancien viennent de se mettre en œuvre. Et cette femme qui pleure dans le lac en est la première victime.

Il secoue la tête vivement. Qu'est-ce qui lui prend! Il n'est pas là pour laisser libre cours à une imagination débridée par une succession de faits dont la musique de Sibelius est sans doute le premier. Une enfant est manquante; son boulot est de la retrouver, ou tout au moins d'expliquer les circonstances de sa disparition, et de veiller à ce que les éventuels coupables soient remis à la justice. C'est ainsi et seulement ainsi que l'on peut faire face au chaos. Il se détourne pour ne pas voir, dans la courbe du dos de Miriam, l'image même de la douleur.

«Tout est inscrit dans la chair», se dit-il.

XXV

Tout d'aluminium poli et de bois précieux, le grand yacht transocéanique a quitté ce matin la marina de la baie de Yalong, au sud de Hainan. Pour la première fois depuis qu'il l'a quittée, Loki a décidé de mettre le cap sur la terre qui l'a vu naître. Non pour y étaler sa richesse comme cela pouvait encore se faire au XIe siècle – il se fiche radicalement du regard des autres –, mais parce que depuis quelques jours une force à laquelle il a appris à obéir lui enjoint de le faire.

La jeune fille n'a de nom pour personne, à peine un visage. Seul, peut-être, son regard restera. Dans la grande pièce lambrissée de bois de rose, dissimulés au regard, des haut-parleurs diffusent une composition langoureuse, mais elle n'y prête aucune attention; celle-ci est entièrement portée vers l'homme dont elle ne parvient pas à déterminer s'il peut ou non la servir, et, si oui, dans quelle mesure. Quelque chose dans l'attitude de l'homme lui dit qu'il peut tout lui donner, mais aussi tout lui retirer, jusqu'au pire. Que faut-il faire pour le séduire? Il ne ressemble à personne qu'elle a pu connaître; il est clair qu'il ne se satisfera pas d'une jolie risette.

De son côté, Loki se pose un peu la même question. Celle-ci sera-t-elle enfin celle qui le comprendra, la sœur qui saura tout partager avec lui? Vivrait-elle mille ans, serait-elle l'humanité naïve et innocente, sans regard pour ses crimes? Il se pose la question en observant la toile d'Edward Povey intitulée *Concealment*, récemment acquise dans une vente aux enchères à Kowloon et depuis suspendue à la cloison face au grand lit habillé pour l'instant d'un simple drap immaculé.

Loki a parcouru un long chemin. Il n'en existe pas de témoin depuis l'instant où, à Windsor, il a quitté la voiture en flammes. S'il y en avait un, quelle leçon pourrait-il en tirer, en tenant pour acquis que le bout du chemin puisse désigner un état au-delà de la richesse; la jouissance totale et sans limites de tout ce que la civilisation peut offrir?

Au départ, le soir de la mort d'Eisa, une étudiante est séduite par ce garçon surgi de nulle part et qui brûle d'une beauté qu'elle rencontre pour la première fois. Si bien séduite qu'il n'a aucun mal à la convaincre de laisser tomber ses études pour aller tenter leur chance sur la côte du Pacifique. Mais sitôt à Vancouver, sachant qu'il n'a plus rien d'utile à tirer d'elle, Loki voit en revanche tout l'intérêt qu'il peut y avoir à entretenir la flamme qu'il semble avoir allumée dans les sens d'une quinquagénaire chinoise, veuve d'un promoteur immobilier des plus prospères. Cette idylle dure deux ans. D'abord, six mois d'une liaison faite de rencontres à caractère presque clandestin, puis les manœuvres finissent par porter leurs fruits puisque, par un après-midi pluvieux, typique de Vancouver, ils officialisent leur union et lui donnent des dimensions autres que celles des sens. De ce jour, avec une extrême célérité, Loki démontre à son épouse qu'il a un don pour faire fructifier le bien qu'elle a eu le bon sens de garder exclusivement à son nom, c'est-à-dire en dehors des liens du mariage. Tant et si bien qu'elle lui remet des procurations de plus en plus capitales. De son premier mari, elle a une fille qui est repartie vivre à Hong Kong sitôt ses études terminées. Il va de soi qu'elle soit l'héritière du patrimoine familial et, à ce titre, lorsqu'elle rencontre Loki, elle accède aux souhaits de sa mère qui veut faire de son jeune mari l'administrateur de leurs biens.

Dès le départ, Loki applique à la gestion financière une technique qui n'a rien à voir avec le calcul ou les principes établis de l'économie. S'il y a calcul, celui-ci ne repose que sur la haine. Pour chaque opération financière, la question de départ de Loki peut se résumer ainsi : que pourrais-je faire pour apporter un peu plus de malheur? Mais, bien sûr, cela n'est pas conceptualisé par des mots. Il agit chaque fois dans ce sens, mais toujours sous l'impulsion du moment plutôt qu'à la suite d'une réflexion. C'est ainsi que la grande région de Vancouver lui doit bon nombre de ces immeubles à logements en série d'où découlent invariablement les problèmes sociaux.

Cependant, l'appétit de destruction de Loki est insatiable; il n'est pas question de se contenter d'œuvrer dans l'immobilier à Vancouver ni même à l'échelle canadienne. C'est lors de son premier voyage à Hong Kong et de sa seconde rencontre avec sa belle-fille qu'il prend sa première décision impliquant la mort d'une personne. Nul ne s'étonne que le cœur d'une quinquagénaire lâche alors qu'elle se trouve dans les bras d'un époux de trente ans plus jeune. Du reste, celui-ci montre tant de chagrin que sa belle-fille en a davantage le cœur brisé pour lui que pour elle-même. Ce qui, il le sait, constitue une étape importante dans cette délicate tentative de séduction où il s'agit de briser plusieurs tabous.

Cette fois, il lui faut un an d'une entreprise acharnée et de nombreux voyages à Hong Kong pour que la belle-fille devienne épouse. À ce moment, il a découvert la Chine et s'est rendu compte que, plus qu'aucun autre, c'est le pays des possibilités infinies. Il laisse néanmoins à sa nouvelle et plus jeune épouse la culpabilité de le convaincre de s'y installer, ce qui lui permet de réclamer quelques compensations en échange, comme le pouvoir de continuer à faire fructifier le bien familial, et de faire des bénéfices une propriété commune.

Durant les premiers temps de leur union, alors qu'ils hésitent encore entre s'installer à Hong Kong ou à Shanghai, ils logent au *Harbour Plaza*, à Kowloon, qui a pour avantage d'offrir le plus beau panorama. C'est là, sur le toit de l'hôtel où se trouve une piscine impressionnante, que Madame Cheng le remarque. Pour les initiés qui la connaissent, madame Cheng n'a pas de prénom, pas plus qu'elle ne semble avoir d'origine; on l'appelle donc Madame Cheng avec un respect beaucoup plus teinté de crainte que d'admiration. Madame Cheng doit être centenaire, mais cela ne l'empêche pas, chaque matin, de monter sur le toit de l'hôtel avec sa demoiselle de compagnie, et là, quittant l'inconfort de sa situation terrestre, pendant soixante minutes, d'évoluer dans le milieu liquide avec autant d'aisance qu'elle en avait un demi-siècle plus tôt sur la terre ferme. Seuls quelques initiés savent qui est Madame Cheng, une des trois femmes les plus fortunées de la planète et, surtout, jouissant d'un pouvoir que les deux autres, en Occident, n'ont certainement pas. Elle remarque Loki alors qu'elle se trouve dans la piscine et que lui, toujours animé de son besoin de faire souffrir – aussi dérisoire cela soit-il –, est en train de glisser le bigarreau coloré de marasquin rouge vif de son *punch planteur* du matin dans la poche du peignoir de bain blanc de la demoiselle de compagnie. Plus que le geste, alors qu'elle a les yeux juste à la surface de l'eau, Madame Cheng remarque le sourire caractéristique sur les lèvres de Loki et immédiatement elle sait qu'elle vient de trouver celui qu'elle cherche.

Loki a remarqué ce petit bout de femme toute flétrie, ratatinée et racornie. Il s'est d'abord demandé ce qu'elle fait au milieu des vivants, mais surtout où elle peut trouver l'énergie de nager avec tant de vigueur, faisant des longueurs de piscine l'une après l'autre sans interruption et sans faiblesse, à son âge!

Sans perdre de temps, Madame Cheng dit à sa demoiselle de compagnie, en réalité sa secrétaire, qu'elle exige d'être informée de tout ce qui concerne Loki pour au plus tard le lendemain. On ne badine pas avec une exigence de Madame Cheng. Aussi, le lendemain, avant d'aller prendre son bain matinal, elle connaît à peu près tout de Loki, excepté, bien sûr, ce qui n'est inscrit nulle part, comme son passage à Windsor, ou la façon dont sa première épouse a eu son infarctus fatal, bien que sur ce point Madame Cheng ne soit pas dupe. Pour elle, il n'y a qu'une question de nuance entre l'acte de glisser un fruit sirupeux dans la poche d'une inconnue et celui de trucider son épouse. À la lumière de ce qu'elle a appris, il ne lui faut que le temps de sa baignade pour mettre au point le plan destiné à donner à Loki le pouvoir d'accomplir ce qu'elle pressent chez lui. Avant de le mettre à exécution, elle doit toutefois s'assurer que l'homme est conforme à l'image qu'elle s'est faite de lui. Elle n'est pas devenue ce qu'elle est sans avoir appris à se méfier de tous, y compris d'elle-même.

C'est ainsi que, quelques jours plus tard, Loki reçoit un négociant en valeurs mobilières qu'il a consenti à écouter du fait que celui-ci, à mots couverts, a indiqué dans sa lettre de présentation être en mesure de lui procurer des facilités pour contracter avantageusement auprès du gouvernement central. L'envoyé de Madame Cheng n'y va pas par quatre chemins : il déclare d'emblée à Loki que ses mandataires lui seraient infiniment reconnaissants si, en sa qualité de citoyen islandais, il se trouvait avoir des contacts permettant de livrer du rorqual bleu à l'occasion d'un banquet annuel qui se tiendra le mois suivant près de Sanya. Un banquet où lui-même, pour ses bons services, est vivement convié. Loki ne se méprend pas sur le caractère impératif de l'adverbe. En revanche, il s'étonne tout haut que l'on s'adresse spécifiquement à lui sur le simple fait qu'il soit islandais, ajoutant que la baleine bleue est illégale pour tout le monde. Le négociant répond sans détour que sa très puissante cliente a remarqué à quel point il avait pris plaisir à glisser un bigarreau dans la poche d'une inconnue.

Sur cette réponse, Loki revoit la toute vieille, à peine capable de se porter une fois hors de l'eau, et il comprend qu'il l'a classée trop rapidement. Et c'est en grande partie parce qu'il se reproche ce jugement hâtif et inconsidéré qu'il pense se dédouaner à ses propres yeux en acceptant le principe de lancer une chasse à la baleine bleue, ajoutant pour lui-même qu'il y a sans doute là un commerce lucratif à développer en même temps que le plaisir de participer à l'extinction d'une espèce trop fascinante pour les jeunes enfants et autres esprits en quête de beauté. La bête humaine ne mérite rien de tel, seule la souffrance est son dû, et lui, Loki, est là pour y veiller.

251

Il n'a pas vraiment de mérite à armer le navire qui, quelques jours plus tard, quitte Sandgerdi en vue de répondre aux désirs gastronomiques d'une poignée d'élus s'étant entendus pour se rencontrer sur l'une des plus belles baies de la planète, la plus belle en considérant que d'autres, comme Rio, sont surpeuplées et offertes à tous.

L'expédition a été pourvue de toute la technologie nécessaire pour être fructueuse et, le jour dit, l'engagement est tenu et la précieuse viande arrive sur l'île d'Hainan en même temps que Loki. Tout un établissement sélect a été réservé pour l'occasion et le personnel régulier mis en congé, ce qui est fort extravagant en considérant que l'hôtel accueille en temps normal assez de clientèle pour remplir ses trois cent soixante chambres et que, à la surprise de Loki, les invités ne sont que douze, y compris lui-même. Le repas est ce qu'il doit être, c'est-à-dire somptueux et décadent. Les onze autres invités semblent plus ou moins se connaître, mais c'est toujours difficile à dire, en Chine, où tout le monde paraît tout le temps se connaître.

C'est après le dessert, en même temps que les alcools, que chacun est invité à choisir son «présent de participation». Loki est surpris pour la seconde fois, non pas parce qu'on lui propose de choisir un ou une partenaire de plaisir, mais parce que le choix qui lui est proposé inclut une fillette très nettement pubère. Il est encore plus surpris lorsque, ayant fait ce choix que visiblement on attendait de lui, un des convives lui murmure dans un sourire qu'il doit se sentir absolument libre d'en faire ce qu'il veut, absolument tout, et de ne pas se soucier du «ménage» puisque le «service d'entretien» passera à l'aube. Sa surprise passée, essayant de faire le point, il comprend que tout ceci doit avoir été organisé par la vieille toute ravinée entraperçue à la piscine de l'hôtel. Pourquoi? Il est incapable de le dire. Cette poignée de vieux chnoques tenaient-ils tant que cela à bouffer de la baleine bleue? Et pourquoi la vieille leur offre-t-elle tout cela? Ce n'est qu'en se retrouvant seul avec la fillette, alors qu'il prend conscience de son grand regard angoissé, qu'il se rend compte que la vieille fanée doit attendre qu'il prouve quelque chose.

Il prouve hors de tout doute, et le service d'entretien a fort à faire pour nettoyer la piscine qui se ramifie en petits bassins sous les palmiers, lesquels ce matin-là, dans les carmins du levant, semblent ployer sous l'abattement.

La semaine suivante, de retour à Hong Kong, dévoré d'une nouvelle soif, il reçoit un bristol l'invitant à rencontrer une certaine Madame Cheng, sur laquelle il sait déjà pouvoir mettre un visage. Elle réside au sommet d'une tour de prestige à proximité immédiate du *Harbour Plaza* et qui le domine de près de deux fois sa hauteur. Elle se trouve presque dans les nuées, d'où elle surveille le monde en bas, sa propriété. C'est du moins l'impression qu'il a en la découvrant sur sa terrasse, le regard perdu vers Victoria, assise droite dans un fauteuil de bois sombre à dossier très haut.

«Ne nous embarrassons pas de politesses, lui dit-elle immédiatement, laissant comprendre de façon implicite que cela ne servirait à rien entre eux. Du reste, cela ne cadrerait pas avec ce que j'ai à vous dire.

— Je vous écoute.

— Je l'espère. Voilà, je crois savoir ce qui vous motive et je suis intéressée à le financer. En d'autres termes, j'ai décidé de vous ouvrir un crédit illimité afin que vous puissiez lancer des entreprises de grande envergure.

— Quel genre d'entreprises?

— Tout ce que vous voudrez, tout ce qui vous fera plaisir. C'est très important; il faut que ça vous fasse plaisir.

— Cela semble intéressant, mais qu'attendez-vous de moi en retour?

— Rien de plus que ce que je viens de vous dire. Faites-vous plaisir. Enfin, oui, il y aurait une petite chose...»

Loki ne demande pas de quoi il s'agit; le silence lui donne du temps pour essayer de comprendre. Il regarde vers la baie, toujours fourmillante d'embarcations allant du plus vieux chaland pétaradant au plus moderne des porte-conteneurs, le tout s'entrecroisant dans tous les sens. La Chine en microcosme, grouillante, agitée de vies en quête de vie, mais qui s'en éloigne toujours un peu plus. N'est-ce pas ce qui l'a amené ici, finalement?

«En échange, je voudrais que vous soyez mon père...»

Il la regarde sans évidemment comprendre. Comment peut-on être aussi vieux, aussi ranci et vouloir encore vivre? Qu'est-ce qui la tient? Être son père! L'explication va venir et il sait déjà qu'elle va peser sur son existence. Si au moins il pouvait balancer cette poupée fanée vers la fourmilière, en bas, mais non, elle vient de lui proposer le monde. Plus tard, peut-être, si l'occasion se présente.

«Votre père? dit-il parce qu'il faut bien dire quelque chose.

— En quelque sorte, oui. Vous avez entendu parler du clonage?

— Comme tout le monde, mais ne m'en demandez pas plus.

— J'ai décidé d'y avoir recours. Il faut bien que quelqu'un commence. Plusieurs laboratoires ont travaillé pour moi et, comme pour les vaches ou les moutons, ça fonctionne.

— Pourquoi voulez-vous souffrir par corps interposé? Je crois que c'est bien établi, à présent; vos cellules ont le même âge que vous. Si vous en faites des clones, ce seront des espèces de bébés-vieillards.

— L'hypothèse est probable, mais nous devrions avoir le temps de faire ce que nous avons à faire... Ce que j'attends de vous est que vous soyez le père de ces copies.

— Ces copies? Il y en a plusieurs?

— Des dizaines, afin d'augmenter les chances que l'une d'elles soit viable. Comme les tortues, si vous voulez. Il faut que l'une d'elles ait au moins le temps d'enfanter l'enfant que vous lui ferez.»

Cette fois, Loki accuse la surprise.

«Moi! Pourquoi moi? demande-t-il.

— Parce que vous avez ce qu'il faut pour bâtir un empire: la volonté de détruire. Mais surtout parce que vous aimez de haine comme d'autres voudraient être aimés d'amour. Avec ce que vous lui laisserez, un enfant de vous et moi saura aller où nous-mêmes ne le pourrions pas.

— C'est-à-dire?

— Vous le savez, inutile d'épiloguer là-dessus.

— Donc, si j'ai bien saisi, vous m'offrez un crédit illimité pour lancer de grands projets qui me tiennent à cœur; en échange, je veille sur vos copies et dès que l'une d'elles devient pubère je…

— Vous la violez. Il est important que cela se passe ainsi. Pas de mots doux, pas de *daddy* par ci, pas de promesse; un viol dans sa forme la plus primaire, à ceci près que vous la laisserez vivre au moins le temps de porter le fruit de cette union. Si ça ne marche pas du premier coup, vous recommencez.»

Madame Cheng sort une vieille photo jaunie de la manche de sa robe et la lui tend.

«Voici à quoi je ressemblais autour de ma puberté. Juste pour vous rassurer.»

Il ne dit rien pendant un moment, regarde la vieille puis, finalement, secoue la tête dans un signe d'incompréhension:

«Je ne comprends pas. Dans ce marché, tout m'est avantageux. Habituellement, il y a toujours une contrepartie...

— La contrepartie, vous allez la créer vous-même, j'en sais quelque chose. Ce n'est pas un cadeau que je vous fais. Je vous propose ce que les imbéciles appellent l'enfer.

— Vous vous trompez. J'aime trop jouir pour accepter de souffrir.

— Vous allez bien vite vous rendre compte que votre jouissance viendra de votre souffrance. Vous voudrez davantage de cette dernière, jusqu'à ce que vraiment elle vous rattrape. Mais ça ne sert à rien de parler d'expérience; chacun veut faire les siennes. Alors, qu'avez-vous en tête pour commencer?

— Pour commencer, j'aimerais disposer d'une chaîne de télévision.

— Vous avez raison. Les médias, rien de tel pour préparer les gens à faire ce que l'on veut qu'ils fassent et à leur mettre dans le crâne tout ce qui pourra... leur nuire, n'est-ce pas?

— Permettez-moi de ne pas répondre à cette question.

— Vous n'avez pas besoin. Cependant, j'ai une dernière requête.

— Je ne suis pas en mesure de vous refuser quoi que ce soit.

— En effet. Vous devez même savoir qu'à partir de maintenant un système a été mis en place ainsi qu'un contre-système afin que même outre-tombe je sois assurée que vous remplirez votre part de l'entente. Tout le temps que vous en respecterez les termes, vous ne vous apercevrez de rien. Mais pour l'instant il s'agit d'autre chose; approchez…»

Il croit qu'elle veut lui dire quelque chose à voix basse, mais au lieu de cela, d'une poigne surprenante, elle lui attrape les testicules.

«Montrez-moi ça», demande-t-elle.

Le jeu commence à amuser Loki, qui ouvre son pantalon. Elle attrape un verre qu'elle lui tend.

«Masturbez-vous là-dedans, dit-elle. Je ne vais quand même pas investir mon avoir sans m'assurer de la qualité de votre semence. Simple assurance contractuelle, comprenez bien.

— Cela me semble honnête.»

Il plante ses yeux dans ceux de Madame Cheng et chacun soutient le regard de l'autre sans ciller.

«C'était bon», dit-il lorsque c'est terminé.

Pour toute réponse, elle plonge dans le verre un doigt jaune et comme vidé de sa chair, puis l'amène à ses lèvres. Loki pense au geste d'un paysan portant la terre à sa bouche pour connaître tout ce qu'il y a à savoir sur son patrimoine foncier.

«Nous sommes d'accord, dit-elle. Et n'oubliez pas: un viol!

— Y a-t-il des indications particulières pour l'enfant qui s'ensuivra?

— Non, ce serait inutile.»

Le développement prouve que Madame Cheng a vu juste. Sans le savoir, Loki applique sans relâche la recette presque exclusive des grandes richesses: travailler à faire souffrir.

Faire souffrir par procuration, en donnant à chacun ce qu'il pense être les ingrédients du plaisir et de la satisfaction.

Il a voulu la télévision pour contrôler les esprits; il se rend compte qu'il peut aussi les endormir. Dans la même optique, il investit dans la production de viande. L'idée est simple : entasser les animaux, fabriquer des millions de tonnes de viande malheureuse et en gaver des millions d'individus. Sa maxime est simple : une viande malheureuse ne peut se transformer en une chair heureuse. Toujours dans le domaine de l'agroalimentaire, il fait développer des semences miracle, dont le but n'est pas tant de s'approprier des espèces, comme l'affirment les écolos, et bien que ce soit le cas, mais surtout, à long terme, de dégénérer l'alimentation humaine et animale et par là d'obscurcir les esprits. Le domaine pharmaceutique se révèle aussi très satisfaisant. La planète entière est malade de la santé; empoisonner les gens à petites doses est non seulement soutenu mais exigé dans pratiquement toutes les strates de la société, des armées de blouses blanches assurant de la bénignité des effets secondaires. Dans le domaine des médias, il acquiert aussi un quotidien de Shanghai qu'il transforme en un journal gratuit de tendance populiste et nationaliste. Rédacteurs et journalistes repérés pour véhiculer ce genre d'idées sont engagés; il ne reste ensuite rien d'autre à faire que de leur donner le champ libre, une véritable liberté rédactionnelle, et d'attendre. Il répète la même opération en Russie et, petit à petit, l'on voit émerger chez les simples citoyens des deux côtés de la frontière des revendications territoriales concernant notamment toute la partie autrefois chinoise qui s'étend jusqu'à Vladivostok. Tout devient tellement facile, et lucratif, lorsque l'objectif fondamental est de nuire. Bien qu'il ait pris conscience que le procédé donne tout autant de dividendes en politique, il s'en garde cependant, car il tient à rester dans l'ombre, seule place forte du véritable pouvoir. Dans toutes ses opérations financières, il prend soin de placer des hommes de paille à la tête de sociétés que, dans les faits, il contrôle, des personnalités qui font la une des magazines économiques. Toute la société chinoise fonce en roue libre au-devant d'un mur de béton pour un crash aux proportions cataclysmiques, mais, comme elle a devancé l'Occident, l'économie poursuit sa lancée faramineuse, et ce seul indicateur suffit à rassurer tout le monde.

La diversité de ses activités ne le satisfait toujours pas. Même s'il se permet aussi souvent que possible de visiter l'une ou l'autre de ses porcheries, par exemple, et d'y ressentir la souffrance sans bornes des animaux entassés dans l'obscurité, s'il peut constater mois après mois le ton qui se radicalise dans ses journaux dévoreurs de forêts, reflétant l'état d'esprit de plus en plus vindicatif des lecteurs, si ses chaînes de télévision diffusent à longueur de journée des émissions de plus en plus abrutissantes, s'il peut voir à long terme le moment où le blé, la tomate ou le poireau n'auront plus aucune véritable valeur nutritive, si ses centrales au charbon continuent à noircir les paysages et les bronches, ce n'est pas encore assez.

Pour qu'elle soit totale, la souffrance doit venir des autres eux-mêmes, de leur volonté de se détruire, mais comment les y amener? La réponse lui vient en voiture, alors qu'il écoute à la radio le témoignage d'un tueur en série déclarant que c'est par la pornographie qu'il a perdu le contact avec lui-même. Loki jure tout haut; comment n'y a-t-il pas pensé plus tôt! Le pouvoir de la pornographie ne tient pas dans l'étalage effréné de parties génitales en action; si cela était le cas, les producteurs du genre auraient déjà fait faillite. Non, sa force tient dans l'exhibition de la déchéance. Le désir de l'autre devient le désir de soi-même, le désir de soi comme centre de l'univers, et le spectateur est subjugué par sa propre reddition à travers celle des autres. C'est la voie royale, bien sûr! La pornographie se garde de le dire, mais ce qu'elle propose nie l'idée même du sentiment. Au contraire, le plaisir ne vient que de sa renonciation. Échangistes et partouzeurs à tous crins ont beau clamer être en quête d'amour dans ce qu'il a de plus fondamental, le fait est que seule la jouissance est le Graal. Cependant, celui-ci se dérobe toujours un peu plus, demandant chaque fois davantage de renoncer aux sentiments. En apparence, la vie des pornophiles semble conforme aux exigences sociales, et c'est là le point fort, mais en réalité, tout ce qui se dresse entre soi et la réalisation du fantasme devient l'ennemi, y compris ce qu'en d'autres temps on appelait la vertu et qui est devenu la morale. En réalité, il s'agit là de l'idée que l'humain s'est construite de lui-même et qui précisément l'a rendu humain, c'est-à-dire aspirant à transcender sa bestialité.

Loki ne se transforme pas en vulgaire marchand de plaisirs; son objectif est plus ambitieux. Il se met en devoir de propager la bonne nouvelle. À la télévision, on voit apparaître des animateurs fort sympathiques et qui ne craignent pas d'afficher certaines convictions quant à la nécessité de l'assouvissement charnel pour parvenir à se réaliser; ceci allant de pair avec quelques quolibets à l'encontre de ceux qui hésitent encore à s'engager dans cette voie. Dans les journaux, les articles distillent les mêmes encouragements à plus de fraternité, d'ouverture d'esprit et à moins d'obscurantisme. Loki est loin d'être le premier dans cette voie, mais il ne ménage pas ses efforts et, doucement mais sûrement, la Chine dont même l'idéologie matérialiste athée n'avait pas entamé la morale, cette même Chine commence à glisser vers ce qui fait déjà rage en Occident. Et du même coup, les journaux et les chaînes de télévision de Loki deviennent de plus en plus populaires, ce qui lui permet de lancer une chaîne de restauration rapide débitant chaque jour des millions de poulets brevetés censés avoir une masse musculaire plus savoureuse, mais qui en réalité ont reçu dans leur code génétique rien de moins que des caractères *sapiens* ayant pour particularité de fabriquer des prions stimulateurs d'énergie sexuelle; bref, du poulet aphrodisiaque.

Le succès appelant le succès, tout s'enchaîne pour concrétiser chaque jour un peu plus les aspirations de Loki, ainsi que, accessoirement, sa fortune. Sa femme ne lui sert plus à rien, mais comme il serait néanmoins délicat de la faire disparaître à son tour, il l'utilise comme sujet d'expérience pour tester jusqu'où peut conduire la pornographie chez un individu moyen qui de prime abord croit à l'amour et autres grands sentiments. Le résultat dépasse ses espérances puisque, à la suite de ce qu'il nomme «la nuit des chiens», des spécialistes consultés préconisent l'internement. Heureusement, le groupe Cheng gère plusieurs cliniques privées de très bonne tenue. Le genre d'établissement indispensable dans tout empire qui se respecte.

Plus le temps passe, plus Loki se félicite du hasard qui l'a amené dans cette nation qui, en définitive, en est plus qu'une au sens usuel du terme. C'est un organisme vivant, une entité dont la terre et les hommes ne sont que les composantes. La Chine est bien plus qu'un territoire politique. Peut-être même s'agit-il réellement d'un dragon? Il se pose la question un soir sur les hauteurs cernant Chongqoing. Presque inconnue ailleurs et pourtant sans doute la plus grande agglomération humaine, la ville étend ses tentacules dans l'incessant fracas de ses forges, aciéries, raffineries, milliers d'usines et ateliers s'étalant sans fin sous des nuées qui vont du jaune sulfureux au rouge sanguin. C'est là un peu l'image du monde qu'il veut construire. Il suffit pour cela d'aider les Chinois à vivre sur le même pied, par exemple, que peut le faire un Islandais. Lorsque chaque Chinois aura sa voiture, son bungalow avec trois salles de bains et ses dix livres de déchets quotidiens, selon le principe de la goutte qui fait déborder le vase, quelque chose, quelque part, finira bien par céder et alors… Tout à cette ambition, il ne ménage ni son temps ni ses efforts, rasant la dernière jungle du Xishuangbanna pour amener toujours plus de poulet et de porc dans les assiettes, davantage de journaux gratuits où le malheur des autres sert à assurer la promotion de ce qui doit contribuer à faire le bonheur de Loki, c'est-à-dire le malheur de tous. Oui, Madame Cheng avait vu juste et, le sachant, elle s'est éteinte en paix.

En effet, Loki s'est scrupuleusement occupé de son rôle de «tuteur». Non par reconnaissance, bien sûr, mais parce que dès le début il a réalisé toute la malédiction qui ne pourrait manquer d'en jaillir. Aujourd'hui, le seul point sur lequel il s'écarte de la demande de la vieille, c'est cette histoire de viol primaire. C'est trop facile, trop simple, trop commun. Il y a mieux, ou plutôt pire : il entend faire son épouse secrète de cette fille à peine pubère, ou sinon de celle-ci, d'une autre copie qui attend. Bien que toutes soient identiques, il a découvert qu'elles peuvent réagir différemment. L'une d'elles, il veut s'en persuader, saura le rejoindre. Elle saura lui sourire sans aucune crainte lorsqu'il l'assoira sur lui. Elle ne cherchera pas d'échappatoires ; au contraire, elle plongera les yeux dans les siens pour se fondre en lui et, d'un coup, remplir les ténèbres incommensurables.

Il la regarde. Est-ce celle-ci ? Le moment est-il venu ? Ils se trouvent au large, aucune terre en vue, aucune escale prévue avant Panama, ensuite l'Atlantique et rien de nouveau jusqu'à Reykjavik. Il n'a embarqué qu'un seul «exemplaire», le voyage serait long si elle se révélait inutilisable. Ne vaut-il pas mieux faire durer l'attente ? Le plaisir, d'une manière ou d'une autre, n'en sera que multiplié. Il lui sourit, révélant l'éclat de ses dents, et, en mandarin, qu'il maîtrise à présent presque parfaitement, il lui demande :

«Tu dois te demander ce que tu fais ici, non ? »

Elle approuve d'un signe du menton. Ce n'est pas une marque de timidité, simplement une économie de moyens. Il se souvient d'où elle vient même si, visuellement, le lien est difficile à établir. Se peut-il qu'elle soit une version «neuve» de la vieille ? Et, si tel est le cas, ne constitue-t-elle pas la preuve irréfutable que l'âme au sens métaphysique du terme n'existe pas ? À moins que les clones en soient tout simplement dépourvus ? Question intéressante. Étrangement, Loki croit à l'âme, ou tout au moins il veut y croire. Sinon, quel serait le plaisir à faire souffrir ? Non, il faut qu'elle ait une âme, sinon elle n'aurait pas plus d'utilité qu'une poupée de caoutchouc.

«Tu es sur ce bateau parce que tu me plais beaucoup et que je veux faire un grand voyage avec toi. Peut-être un voyage pour toujours…

— Un voyage pour aller où ?

— On ne voyage pas pour aller quelque part, mais pour découvrir, pour connaître.

— Connaître quoi ?

— Eh bien, par exemple, se connaître, nous. Pour cela, on a besoin d'être ensemble, juste nous deux.

— Mais il y a d'autres personnes sur le bateau!

— Elles ne comptent pas. Elles sont là pour travailler, gagner leur petite vie; elles ne sont pas dans notre vie, à toi et à moi.»

Elle l'observe, cherchant visiblement à établir le sens de ce qu'il dit. Une nouvelle fois, il songe à la vieille. Malgré les apparences, il n'y a pas de doute, c'est elle. Il comprend qu'elle n'était pas arrivée où elle était par hasard. Il anticipe de nouveau ce sourire qui effacera tout: «Un sourire soleil lorsque j'embrasserai les lèvres au bas de son ventre, et plus encore lorsque je l'assoirai doucement sur moi. Alors nous exploserons, devenus un, enfin! Un pour affronter ce foutu monde. Un jusqu'à ce que d'elle se détache le fruit espéré par la vieille.»

Il porte le regard vers l'horizon bleu, de l'autre côté de la porte coulissante en verre.

«Qu'aimerais-tu, là, maintenant? lui demande-t-il.

— J'aimerais beaucoup prendre un bain dans la grande baignoire que tu as.

— Aimerais-tu que je te le donne, le bain?

— Tu veux me laver?

— Si tu veux. Tu veux?

— Les cheveux?

— Bien sûr, les cheveux.»

Il croit apercevoir, presque immatériel, un sourire sur ses lèvres. Un sourire qui semble aussi émaner des pupilles et qui le saisit.

«Nous allons d'abord choisir un parfum pour mettre dans l'eau, dit-il en lui tendant la main. As-tu une préférence, la vanille, l'orchidée?»

Elle hausse légèrement les épaules comme pour signifier qu'elle s'en remet à lui, puis elle glisse ses doigts dans les siens, commençant à se faire une idée sur le comment se comporter pour qu'il soit gentil avec elle.

XXVI

Pour Miriam, il n'y a plus de nuit ni de jour, plus rien qui semble avoir un sens ou une signification. Il n'y a que la douleur, abrutissante, aveuglante et assourdissante qui la vrille jusqu'au cœur du sommeil. Deux journées se sont écoulées depuis la disparition de Hella, mais ce n'est qu'une bouillie de temps écartelé entre le lagon et la chambre d'hôtel. Le cauchemar et la nausée. Ses yeux s'accrochent aux angles noirs, ses mains ne servent plus à rien, son corps n'est qu'un lambeau douloureux. Et, tout autour, la lave froide à l'infini, cervelle pétrifiée du monde.

Elle a appelé ses parents. Ils veulent la rejoindre, mais aucun avion ne peut survoler l'île; le volcan inonde toujours davantage l'atmosphère de ses scories, et le ciel pleure gris. Mais de cela elle n'a cure; le gris, le bleu, les couleurs ou les odeurs, aujourd'hui des accessoires inutiles. Tout à l'heure, l'inspecteur Thorbjorson a frappé à la porte de sa chambre. Ils se trouvent à présent tous les deux assis sur des sofas se faisant face dans le salon du petit hôtel, normalement conçu pour des apartés chaleureux. Lui aussi a changé depuis deux jours. Il n'a pas dû fermer l'œil un instant. Avec aussitôt le remords d'une pensée qui ne soit pas en lien direct avec Hella, Miriam prend conscience à quel point il doit être déstabilisé.

« Rien de nouveau, dit-il. Rien qui permette de nous éclairer. »

Mais il semble se remémorer un fait et plonge la main dans la poche de son veston de tweed.

263

«Si, j'y pense, vous nous avez dit que la petite portait un médaillon au cou; se pourrait-il qu'il s'agisse de celui-ci? »

Miriam pousse un cri léger et ouvre grand les yeux en reconnaissant l'objet que lui a donné Paco. Son cœur fait un bond; enfin, il se passe quelque chose!

«C'est lui! s'écrie-t-elle. Où l'avez-vous trouvé?

— Au fond du lac, mais assez loin d'où vous avez vu votre fille pour la dernière fois, ce qui tendrait à signifier qu'elle a peut-être échappé à votre regard un peu plus longtemps que vous ne l'évaluez. »

Miriam fait signe que non. La vue du médaillon lui a laissé penser un instant que les choses allaient peut-être reprendre un cours normal, mais, au contraire, les suppositions du policier ne font que les brouiller davantage. Et l'idée que Hella lui ait demandé le médaillon dans un but précis ne tient plus.

«Ce sont des runes, dit Thorbjorson en désignant l'objet. Je peux vous demander d'où vient cette pièce? »

Miriam se fait la réflexion qu'elle ne peut pas lui raconter toute son histoire, que si elle le faisait elle se retrouverait sans doute sous sédatifs dans une clinique.

«Un ami me l'a donné. Hella me l'a demandé juste avant de...

— Ce médaillon est donc plus à vous qu'à elle?

— C'est toujours moi qui l'ai porté.

— Vous savez ce que signifient ces runes?

— Un jour, j'ai regardé sur Internet par curiosité, mais je n'ai pu apprendre que le sens de chaque lettre, pas le sens général.

— L'ami qui vous a donné ce médaillon est-il islandais?

— Non, pas du tout. Pourquoi?

— Voyez, ici, ce mot signifie Snæfells. Il s'agit d'un glacier islandais assez connu. Un auteur français, Jules Verne, en a fait la porte d'entrée de son *Voyage au centre de la terre*. L'autre mot est *Ragnarökr*, vous connaissez?

— Cela me dit quelque chose...

— Dans la mythologie nordique, cela signifie le temps de la mort des dieux. Ce mot seulement pourrait associer le médaillon à n'importe quel pays scandinave ou germanique, mais le Snæfells est bien spécifique à l'Islande. Voyez-vous, sachant que la cause de votre séjour en Islande est totalement fortuite et que vous n'y étiez jamais venue auparavant, je m'explique mal la coïncidence. Votre ami, celui qui vous a offert le médaillon, pourrait-il se trouver actuellement en Islande?

— Ce ne serait pas ce qui s'appelle une impossibilité, mais je n'ai absolument aucune raison de le penser.

— Pouvez-vous me donner ses coordonnées?

— Tout ce que je peux vous en dire, c'est qu'il se prénomme Paco et qu'il est gitan. Je peux aussi vous dire qu'il n'a pas trouvé ce médaillon en Islande, mais au Mexique, alors qu'il y faisait un séjour avec un ami très proche.

— Au Mexique... Et pouvez-vous me donner les raisons pour lesquelles il vous a donné ce médaillon?

— En réalité, c'est mon ami qui l'avait découvert, au pied d'un temple maya. Cet ami est disparu et Paco me l'a donné en souvenir de lui.

— Je ne m'explique pas du tout ce que pouvait faire cette pièce islandaise au pied d'un temple mexicain. Une autre énigme...»

Thorbjorson regarde vers la baie vitrée. À l'extérieur, la plaine de lave à l'infini est presque noire sous un ciel où le demi-jour se trouve davantage assombri par les cendres en suspension dans l'atmosphère. En réalité, cette disparition d'une enfant qui en temps ordinaire aurait fait la manchette de tous les journaux est reléguée derrière l'éruption du mont Hekla. Bien que vivant en permanence sous une certaine menace volcanique, les Islandais comprennent que cette éruption en est une majeure et l'on se demande si on ne va pas retrouver les conditions qui, il y a près d'un demi-millénaire, ont asphyxié sous la cendre la plus grande partie de la flore insulaire.

«Une lumière de fin de monde», pense Thorbjorson.

Soudain, il établit un lien:

«Votre fille s'appelle bien Hella, n'est-ce pas?

— Oui, pourquoi?

— Hella, Hekla… Vous voyez ce que je veux dire… Et puis, non! Oubliez ça, simple coïncidence dans le rapprochement des noms. Je m'égare.»

Ce rapprochement rappelle cependant un souvenir à Miriam. Elle se revoit très bien dans le taxi, peu après son accouchement, en route pour la maison, demander à Joe ce qu'il pensait du prénom qui venait de lui apparaître, comme écrit en toutes lettres dans sa tête. Se pourrait-il qu'elle se soit méprise sur l'orthographe et que Hella lui ait semblé plus probable que Hekla?

À la dérobée, Thorbjorson l'observe de nouveau, essayant de se figurer les pensées derrière ce regard qui paraît contempler quelque vide horrifiant. Il a beaucoup appris depuis la disparition, notamment les circonstances dans lesquelles le père a été assassiné le jour même de la naissance et, surtout, juste avant qu'il vienne rencontrer Miriam à l'hôtel, les révélations de cet entretien téléphonique avec la généraliste qui a suivi Miriam durant sa grossesse, au point que pendant un moment il s'est demandé s'il n'était pas en train de parler à une espèce de guérisseuse chamane du Grand Nord plutôt qu'à un membre de l'ordre des médecins en Ontario. Rien n'est naturel dans cette histoire. Il cherche activement l'élément qui pourrait ramener le tout dans une optique rationnelle, mais chaque nouvelle information l'enfonce un peu plus dans ce qu'il n'est pas loin de considérer comme de la démence. Il sait que Miriam ne lui dit pas tout, mais il comprend aussi que c'est sans doute dans l'intention de ne pas passer pour une cinglée. Lui-même ne sait plus très bien comment parler de l'affaire avec ses collègues. Avant de lui poser des questions plus directes, des questions réclamant une plus grande confiance, il doit d'abord faire en sorte qu'elle le considère davantage comme un confident que comme un policier, même si bien sûr, de son propre point de vue, il n'y a pas d'antinomie à cela.

«Que comptez-vous faire? demande-t-il.

— Faire?

— Je veux dire, comptez-vous rester dans cet hôtel?

— Il n'est pas question que je quitte ce pays sans ma fille!

266

« — Ce n'était pas du tout le sens de ma question; je parlais plutôt de la possibilité de vous rapprocher de Reykjavik, où vous seriez sans doute plus libre de vos mouvements.

— Et où vous pourriez m'interroger sans avoir à faire tout le trajet.

— Je ne vous le cache pas, dans l'intérêt de l'enquête.

— Je préférerais que vous utilisiez le mot recherche. Cela dit, non, je ne veux pas m'éloigner de...

— Je comprends. »

La capitale, elle ne voit pas du tout en quoi sa présence pourrait y être plus utile. Mais puisque le nom apparaissant sur le médaillon désigne un site en Islande, n'est-ce pas en soi une indication du lieu où elle doit se rendre? Il y a aussi cette association Hella/Hekla; n'est-ce pas une autre indication? Mais le fait de se laisser ainsi guider par des rapprochements ou des coïncidences n'est-il pas un signe de folie? Après tout, la folie ne consiste-t-elle pas, justement, à tenir pour réel ce qui ne l'est pas? En partant de ce principe, tout devient simple: quelqu'un a enlevé Hella et il ne suffit que de le retrouver. Oui, simple, mais peut-être encore plus farfelu que le reste. Que lui faut-il décider, le Hekla ou le Snæfells? Se posant la question, elle se rend compte que de seulement imaginer l'action est déjà un antidote. Non pas à la douleur, à la peine ou à la désespérance, mais cela a au moins l'avantage d'absorber une partie de ses préoccupations pour les convertir en actions, lesquelles sont sans doute plus en mesure d'apporter un dénouement.

Elle n'a pas de réponse à sa question lorsque Thorbjorson lui tend le médaillon qu'il a gardé au creux de sa main. Elle observe l'objet un instant puis désigne la figure gravée au policier et lui demande s'il sait ce que cela représente.

« Il s'agit de Freyja, et, on me l'a confirmé, il semblerait également que la forme soit très ancienne.

— Qui est Freyja?

— Dans la mythologie nordique, Freyja est la déesse de l'amour, de la fertilité, mais aussi de la naissance et de la mort. D'un point de vue chrétien, elle n'est pas toujours ce que l'on pourrait appeler une bonne personne puisqu'elle n'hésite devant aucun recours pour parvenir à ses fins. Aussi, on la tient pour responsable de la luxure dans le cœur des humains comme des bêtes.

— Ça, c'est étrange. L'homme qui m'a donné le médaillon, Paco, m'a dit qu'il venait d'un temple dédié à Ixchel, qui est, si je me rappelle bien, une déesse maya de l'amour et de la fertilité.

— S'il s'agissait vraiment de cette Ixchel, ce serait encore plus étrange en considérant l'alphabet runique au verso. Ce serait intéressant de faire une datation de l'objet.

— Vous croyez que cela pourrait nous être utile?

— À l'heure actuelle, qui sait ce qui peut nous être utile ou non... »

Elle lui retourne le médaillon.

«Je vous le confie; peut-être qu'une date nous dira quelque chose. Sur un autre point, pouvez-vous me dire quelle est la différence entre les volcans Hekla et Snæfells?

— Actuellement, la grosse différence est que le premier est en train de nous ensevelir sous la cendre tandis que l'autre dort bien tranquille, pour longtemps, espérons-le. Pourquoi cette question?

— Comme vous l'avez fait remarquer, Hella est très proche de Hekla, mais d'un autre côté, Snæfells est mentionné sur le médaillon. Je me demande si ce n'est pas à partir de l'un ou l'autre qu'il faut commencer les recherches.

— Je sais ce que je vous ai dit, mais, sérieusement, en quoi un volcan pourrait-il avoir un rapport quelconque avec la disparition de votre fille?

— Je n'en sais rien, pas plus que je ne m'attends à ce que la police oriente ses recherches dans cette direction, mais, pour ma part, c'est tout ce que j'ai et tout ce à quoi je peux me raccrocher, car je sais – et je crois que vous le savez également – qu'il ne s'agit pas d'un enlèvement.

— Très franchement, je vous suis dans votre logique. Vous savez, ce n'est pas parce que nous sommes policiers que pour autant nous sommes hermétiquement fermés à des hypothèses, disons le mot, un peu paranormales. En fait, dans ce domaine, je me méfie beaucoup plus des légions de charlatans ou d'illuminés.»

Miriam le regarde sans répondre. Elle se demande si les paroles de l'homme sont sincères ou destinées à lui soutirer ce dont elle ne veut pas parler.

«Cela dit, ajoute-t-il, tout le secteur autour du mont Hekla a été évacué. En 2000, le volcan avait déversé dix-huit kilomètres cubes de lave; aujourd'hui, nous en sommes à cinquante et cela ne semble pas vouloir s'arrêter.»

Miriam reçoit ces indications presque comme une invitation. Si personne ne peut y aller, il faut qu'elle essaie. Finalement, peut-être a-t-elle un rendez-vous là-bas? Pas un instant elle n'envisage le fait que cela peut mettre sa vie en danger. De toute façon, si l'idée lui en venait, cela ne ferait sans doute que renforcer sa détermination.

Sur la route du retour vers la capitale, sans très bien savoir comment ses réflexions l'ont mené là, Thorbjorson se dit que les choses les plus grandes tiennent toujours à ce que sont les plus petites qui les composent. L'univers tient aux étoiles, celles-ci aux éléments, eux-mêmes déterminés par leurs atomes régis par leurs particules soumises au vide quantique. Lorsqu'une fillette disparaît dans un lac et que l'on est presque convaincu que personne ne l'a enlevée, à quoi peut-on attribuer cette disparition? Si l'on y ajoute que le maillot et le médaillon sont restés sur place, faut-il en déduire que seule la chair vivante a pu emprunter un certain passage?

De l'autre côté du pare-brise, une neige folâtre mêlée de cendre tombe du ciel bouché, couvrant le paysage d'une espèce d'ouate grise dont la vue seule est oppressante. Brusquement, il frappe le volant de son poing fermé. Il ne peut s'ôter de l'esprit l'idée ridicule que la fillette peut être au volcan ce que le vide quantique est aux particules subatomiques. Et cette histoire de médaillon, de déesse de la fertilité et de l'amour, et cette conception virginale! Il nage en plein délire.

«Récapitulons, se dit-il. Comment un kidnappeur pourrait-il convaincre une fillette ayant atteint l'âge de raison de se déshabiller dans le lac puis de le suivre, et cela, en évitant toutes les caméras de surveillance? Bordel! Tout a été épluché, analysé, toutes les possibilités imaginables d'enlèvement ont été réduites à néant... Et ce fichu médaillon mexicain avec des runes, ça doit bien signifier quelque chose. Quoi? »

Il faut le reconnaître, actuellement, le seul suspect possible est la mère. Mais encore là, comment aurait-elle pu faire disparaître sa fille, et ceci d'autant plus qu'elle n'était en Islande que depuis deux ou trois heures et n'y avait jamais mis les pieds auparavant. Non, encore une fois, impossible, d'autant plus que la douleur de la pauvre femme est trop palpable pour envisager sérieusement sa culpabilité. Personne n'a le pouvoir de leurrer les sens des autres à ce point. Du moins sa conception de l'humanité ne lui permet pas de souscrire à une telle hypothèse. Cela même s'il sait, sans parler des monstres de l'Histoire, que des individus peuvent volontairement détourner leur véhicule pour le simple plaisir d'écraser un chat, sinon, s'ils en ont l'occasion, un enfant. Oui, cela existe et c'est la raison pour laquelle tous les abords du lac ont été fouillés de fond en comble, à la recherche possible de la dépouille d'une fillette tuée pour le simple plaisir de faire du mal. Mais là encore, et c'est tant mieux, les recherches n'ont rien donné.

Il actionne le lave-glace pour ôter les traces que laisse la cendre sur le pare-brise. Mais si en revanche la fillette était elle-même pour quelque chose dans tout ce micmac, cela signifierait qu'il se trouve face à face avec l'inconnu. *Ragnarökr*... Se pourrait-il que la légende n'en soit pas une? Délirant, mais si jamais? Il envisage de s'offrir sur-le-champ un billet pour les antipodes, mais se souvient que les avions ne décollent plus. La radio annonce même que les liaisons transatlantiques sont sérieusement perturbées; tous les appareils doivent emprunter la route du sud. Soudain, il jure, freine graduellement et va se ranger sur le bas-côté pour faire demi-tour. Comment n'a-t-il pas compris ça plus tôt! C'est évident, la mère va tout faire pour tenter de rejoindre le volcan. Il ne peut pas l'enfermer pour l'en empêcher, mais peut-être, au contraire, peut-il l'y aider.

XXVII

Pas un nuage dans le ciel. Comme il se doit de l'être, le Pacifique est bleu et sans limites. Étincelant, le yacht file plein cap vers Panama. Sur le pont, étendu sur un transat capitonné de cuir blanc, Loki écoute la première partie de *Die Walküre* du *Der Ring des Nibelungen*, retransmise depuis Berlin par la radio satellite. Totalement sous l'influence wagnérienne, il pense au regard fraternel que se sont échangé Sieglinde et Sigmund. Un regard comme celui qu'il attend de celle qu'il appelle Petite Sœur. Le type de regard qui brisera sa solitude et le rendra définitivement fort, apte à contrôler n'importe qui et n'importe quoi. Un seul vrai regard complice, et le pouvoir sera à lui puisque, alors, plus rien ne pourra lui faire peur, pas même le néant. Brodant sur cette idée, emporté par ce qu'il considère comme l'essence même de la grandeur, il tente de concevoir de quelle manière l'interdit à outrepasser constituera l'affront définitif à ce qui tente encore de le diriger. Ce n'est qu'à ce prix que le sourire aura toute sa valeur. Et c'est pourquoi il n'a rien fait de plus que de lui donner son bain, se contentant de caresses qui la font rire. Il a tout son temps, et toutes les transitions se feront en douceur. Bien sûr, elle saura, il le faut, c'est impératif, mais, contrairement au souhait de la vieille Cheng, elle le voudra. Oui, elle le voudra autant que lui.

Il fait vraiment très beau, ni chaud ni froid, la lumière est parfaite et la seule brise vient du déplacement du navire. Il lui suffit d'entrouvrir les paupières pour se sentir englouti dans la vastitude du ciel et de l'océan conjugués. Englouti, mais aussi puissant. Ce navire est le sien, à lui, de lui et, sur sa seule volonté, il peut traverser les océans quand bon lui semble. Il n'est pas même contraint par les besoins énergétiques inhérents à tous les autres yachts de la planète; il a manœuvré pour assurer le gouvernement central d'un approvisionnement continu en uranium canadien et, en échange, s'est vu accorder la permission tacite de réaliser son yacht à pile nucléaire. Ainsi, sur ce navire, s'il le faut, il peut vivre cinq années sans aucun apport énergétique extérieur. Il peut faire ce qui lui plaît. Là, par exemple, il lui suffirait de dire un mot et le capitaine jetterait l'ancre le temps qu'il le désirerait, comme ça, pour rien. Ou il pourrait tout aussi bien commander de mettre le cap sur l'Afrique ou l'Antarctique; il lui suffit de désirer. Sauf que pour l'instant, ce qu'il désire, c'est le sourire complice de Petite Sœur. Son sourire sans retenue lorsqu'elle prendra pleinement conscience que l'innocence qu'il sera en train de lui prendre, elle ne pourra jamais la retrouver ou l'offrir à un autre. Alors elle saura le défi qu'ensemble, unis par la chair, ils lanceront à l'humanité, à sa morale puante et à ses dieux. Oui, il faut que ce soit celle-là puisque, selon toute probabilité, il ne retournera pas en Chine avant des mois et, par conséquent, ne disposera pas de «sœur» de substitution d'ici là. Et puis, si vraiment c'est elle, il pourra toujours par la suite exécuter les prescriptions de la vieille sur les autres. Tout à l'heure, il ira lui proposer son bain quotidien et, pour programme aujourd'hui, peut-être lui offrira-t-il de le prendre avec elle, comme ça, sans aller plus loin. Les paupières transformées en flaques de feu par le soleil, il savoure son érection. Ainsi, sans faire le moindre geste, du seul fait d'imaginer, il se sait en mesure d'éjaculer vers le ciel.

Tout à son fantasme, il ne se rend pas compte que le concert est terminé. Ce ne sont que les premières notes de la voix de Hella, présentée comme étant Selma, qui le clouent sur place. Comme des millions d'autres le sont déjà, il est subjugué par la voix. Comme blessé, il entrouvre la bouche et son pouls s'accélère. Il a l'impression qu'une porte s'ouvre sur quelque chose d'infiniment plus vaste encore que le firmament au-dessus de l'océan. Il ne prête pas même attention aux paroles, la voix seule l'emplit d'un sentiment nouveau, ou tout au moins très lointain. Pour la première fois depuis des années, sa vue se brouille. Il oublie ce qu'il s'apprêtait à faire et perd la certitude qu'il peut tout avoir quand il le veut. La chanson terminée, il reste étendu sur le transat, essayant de donner un visage à la voix, se demandant si, en définitive, ce n'est pas plutôt de ce visage encore inconnu qu'il lui faut attendre le sourire.

Puis ses pensées prennent un cours différent en entendant le bulletin de nouvelles où il est annoncé que l'éruption du mont Hekla, en Islande, prend des proportions inquiétantes, non seulement pour ce pays, mais aussi pour l'ensemble de l'hémisphère nord. Des spécialistes, s'appuyant sur des modèles informatisés, pensent qu'il est probable que le taux de cendre en suspension dans la haute atmosphère formera un écran susceptible de suffisamment réfracter les rayons solaires pour qu'il n'y ait pas de réel été dans les régions continentales de l'hémisphère.

«Peut-être que tout le monde aura crevé lorsque j'arriverai là-bas, se dit-il. En tant que survivant, je pourrai revendiquer le territoire... Qu'est-ce que je pourrais en faire? Peut-être un pénitencier privé. Non, mieux : une île du plaisir. Un endroit à l'écart des lois où toutes les déviances seraient permises. Les avions se bousculeraient pour atterrir et tous les touristes repartiraient en portant le germe. Pas mal!»

Cependant, l'idée le lasse vite et ses pensées retournent à cette Selma qu'il vient d'entendre. Il va immédiatement demander qu'on réunisse tout ce qu'il y a à savoir sur elle. Après tout, il peut lui offrir la Chine. Elle lui en sera forcément reconnaissante, sans compter qu'il n'a rien perdu de son pouvoir de séduction. De toute façon, aucune femme ne résiste à un empire; c'est phallique. Certaines essaient bien de s'en affranchir, mais cela ne fait que les rendre plus folles que les autres et elles reviennent, prêtes à tout. Il se rend tout à coup à une évidence qu'il a négligée : cette voix de la chanson porte vers le positif. Comment a-t-il pu s'y laisser prendre? Il ne s'agit pas de la laisser saboter ce qu'il est en train de bâtir. Non, il va falloir faire en sorte qu'elle ne chante que pour lui. Un autre soupçon le prend : le voudra-t-elle?

Pour la première fois depuis qu'Eisa a poussé son dernier souffle, il se sent intimidé par quelqu'un. Et le plus fort est qu'il ne connaît même pas la personne. Oui, c'est ce sourire-là qu'il lui faut! Celui-là pendant qu'il prendra l'innocence de l'autre!

XXVIII

Ils roulent dans la nuit. Une nuit qui semble doublée d'une autre; des ténèbres gigognes.

«Je vous y conduis uniquement pour que vous en ayez le cœur net», a dit Thorbjorson.

En réalité, il ne peut se défaire d'un état d'esprit que pourtant il prête à la superstition. Une impression qui lui laisse croire qu'il en saura plus à proximité du volcan. Dans un même temps, il ne cesse de se répéter que ce voyage est pure folie. Les risques de recevoir un caillou d'une tonne sur la tête, d'être enseveli sous la lave ou asphyxié sont tous du domaine du probable.

Épaissie par la cendre presque en suspension, comme immobile dans l'atmosphère, l'obscurité engendre un sentiment d'oppression et d'étouffement. À tout moment, le policier s'attend à ce qu'un manque d'oxygène fasse caler le moteur et les laisse définitivement isolés dans cette poix ténébreuse.

«L'embranchement pour le volcan sera sans doute condamné, dit-il comme s'il avait oublié l'avoir déjà mentionné avant de partir. Et de toute façon nous ne passerons pas le périmètre de sécurité.

— Je suis mathématicienne. S'il y a une chose que j'ai apprise, c'est que même lorsque les probabilités sont nulles pour qu'un fait donné se réalise, paradoxalement, il subsiste une infinité de certitudes que le même fait se concrétise.

— Je ne suis pas mathématicien et ce que vous me dites me semble aussi obscur que ce qui nous entoure. Ce n'est pas la première fois que je constate que vous, les mathématiciens, dont on s'attendrait à ce que vous soyez les personnes les plus réalistes, au contraire, vous semblez vivre dans un monde dans lequel les faits n'en sont pas.

— C'est que, pour beaucoup de gens, les faits se limitent à ce que leurs sens perçoivent. Au-delà des sens, les maths vont dans la réalité pure, là où, pour donner un exemple, les couleurs ne sont plus des couleurs, mais ce qu'elles sont vraiment : des longueurs d'onde.

— En d'autres mots, vous me dites que rien n'est ce qu'il semble être. Ça, je le savais.

— Je vous remercie de me conduire. Je vous avoue que je ne voyais pas la police comme ça. Enfin, vous comprenez ce que je veux dire. »

Ces derniers mots s'achèvent sur un sanglot réprimé. Il garde le silence, autant parce qu'il ne sait quoi dire que par une gêne presque maladive de faire état de ses émotions.

La neige et la cendre amortissent le son des roues sur la chaussée. Le faible halo des phares n'éclaire que l'avant immédiat du véhicule. Plus ils avancent, plus augmente l'impression que tout retour est impossible, que le chemin qu'ils ouvrent se scelle définitivement derrière eux. Cependant, seul Thorbjorson s'en préoccupe. Pour Miriam, en avant ou en arrière, sans Hella, tout est scellé, clos, muré. Les mots «espoir» ou «avenir» n'existent que dans l'hypothèse d'une réapparition de Hella. Mais ce terme lui-même n'appartient-il pas à un vocabulaire réservé aux croyants, c'est-à-dire à ceux qui ne peuvent se résoudre à l'idée qu'ils ne seront plus lorsque leur corps ne sera plus?

Miriam a soudain envie de fumer. Elle n'a jamais fumé de sa vie, sinon quelques joints à l'université. Peut-être est-ce le contexte, presque en noir et blanc, qui évoque ces films des années 1950 où, dans une voiture lancée dans la nuit, la femme à côté de l'homme se devait de fumer.

«Les mathématiques, reprend Thorbjorson surtout dans l'intention de casser le silence – mais aussi pour éviter à sa passagère de penser et donc de souffrir –, j'ai toujours trouvé ça un peu rébarbatif, pour ne pas dire ennuyeux.

— C'est sans doute que personne n'a su vous démontrer que le monde des maths est une autre façon de faire ou de vivre la poésie.

— Là, vous me voyez un peu sceptique.

— Pourtant, si l'on tient pour acquis que la poésie, la vraie, est un moyen d'ouvrir de nouvelles portes de la perception, et non pas simplement de faire joli, les maths, par exemple, vous permettent d'envisager la quatrième dimension et, non pas d'en voir, mais d'en appréhender les richesses infinies.

— La quatrième dimension, c'est le temps, non?

— Non, pas du tout. Ça, c'est une notion introduite par des revues pseudo-scientifiques ou encore par des auteurs de science-fiction qui n'ont pas fait leurs devoirs. En géométrie, une dimension se représente par une droite. Lorsque vous avez deux droites ayant un point commun et formant un angle droit, vous obtenez un plan, c'est-à-dire un espace à deux dimensions. Avec trois droites issues d'un même point et perpendiculaires entre elles, vous reproduisez l'espace tridimensionnel dans lequel nous vivons – ou avons l'impression de vivre –, mais lorsque vous imaginez une quatrième droite du même point et toutes perpendiculaires entre elles, vous obtenez un espace à quatre dimensions. Dans un tel espace, que nous ne pouvons représenter, tous les détails se modifient en permanence. D'un instant à l'autre, cet espace est totalement différent bien que cohérent. C'est un monde d'une beauté sans nom, mais qui ne nous est accessible que par la pensée mathématique, qui seule peut en concevoir les phases réelles. Si nous vivions dans ce monde, le nôtre nous apparaîtrait aussi monotone que peut nous apparaître un monde à deux dimensions.

— Merci. Je commence à comprendre. Il m'aura donc fallu attendre la quarantaine pour commencer à entrevoir que les maths sont autre chose qu'un casse-tête ennuyeux. Pourquoi personne ne m'a jamais expliqué ça?

— Je me suis souvent posé la question. Une réponse est que peut-être le pouvoir n'a pas intérêt à ce que trop de monde fasse preuve d'une imagination constructive au-delà des apparences. La quatrième dimension, par exemple, n'est pas un pur produit de l'imagination; elle existe, sauf qu'elle est inaccessible à nos sens. Tenez, j'ai développé une petite théorie : imaginons Dieu, pas celui de Michel-Ange assis sur son nuage, mais dans la force à l'origine de ce qui est. Exprimons-nous ainsi. Ce Dieu s'ennuie, l'éternité est longue et n'en finit pas, alors Il imagine des univers et les réalise. Je sais que c'est une image anthropocentrique, mais elle est commode. Donc, le simple fait d'imaginer et pouf! Ce que nous appelons réalité n'est, selon cette théorie, que l'imagination de Dieu. Quoi qu'il en soit, pour que l'ennui disparaisse, il faut de l'interaction, et Dieu se dit qu'Il sera les hommes. Tous les hommes passés, présents et à venir sont une seule et même entité : Dieu. Vous allez me répondre que c'est impossible, que nous sommes là, tous les deux, en même temps, pas un seul. Je vous réponds que nous sommes dans l'illusion du même temps, car c'est également ce que permettent des dimensions supplémentaires; et c'est sans doute pourquoi nous en sommes exclus.

— Je ne vous suis pas jusque-là. Pour moi, les choses sont plus simples et, puisque nous venons d'aborder le point, elles n'ont que trois dimensions. Chacun de nous, une facette de Dieu? Ça me dérange un peu.

— Je ne vous dis pas que c'est ce que je crois; c'est uniquement une théorie parmi d'autres. En fait, j'ignore ce que je crois.

— Pourquoi ne pas se contenter de ne croire qu'à ce que l'on peut vraiment éprouver? N'y a-t-il pas que cela de réel?

— Vous avez raison. »

Ils s'enfoncent toujours plus dans ce qui semble l'épaisseur du ciel. Outre l'angoisse liée à l'impression qu'ils s'engloutissent dans une matière dont ils ne pourront ressortir, Thorbjorson comprend que ce qu'il éprouve pour l'instant – et donc, qui est réel –, c'est le fait qu'il souffre parce qu'elle souffre. Il voudrait lui poser la main sur l'épaule, même s'il sait que ce geste n'entamerait en rien la douleur où elle se débat. Mais à qui profiterait ce geste, sinon à lui en lui rappelant qu'il est fait de chair, de sang et de solitude? Bref, se fait-il valoir avec consternation, le réconfort ne serait que pour lui et le geste, strictement égoïste. Mais, en voyant les choses ainsi, peut-il en être autrement?

Soudain, la cendre s'épaissit encore dans l'atmosphère, au point qu'il se trouve bientôt incapable de distinguer quoi que ce soit devant lui. Il freine et s'arrête.

«Je ne vois plus rien…

— Où sommes-nous?

— Je dirais à une dizaine de kilomètres de Hella.

— De Hella?

— Oui, bon sang! Je le réalise, je n'y avais pas pensé. Il y a ce village nommé Hella d'où part la piste vers le mont Hekla.

— Un village nommé Hella…

— Sans doute une coïncidence.

— J'ai tendance à ne plus rien considérer comme tel. Qu'y a-t-il de spécial à Hella?

— Rien. Rien, que je sache. C'est juste un village tranquille, sauf bien sûr lorsque le volcan se réveille. Ce qui me préoccupe surtout, pour l'instant, c'est que nous ne pouvons plus avancer.

— Que proposez-vous?»

Il ne répond pas et tire son téléphone portable de sa poche pour se rendre compte qu'une fois de plus il a oublié de le recharger. La situation prend des proportions qu'il n'avait pas imaginées. Qu'est-ce qui lui a pris de se lancer ainsi dans cette histoire!

L'habitacle est éclairé seulement par les voyants du tableau de bord. Miriam le voit tendre la main vers les boutons de la radio. Elle se demande pourquoi il s'est laissé convaincre de la conduire vers le volcan. Cherche-t-il, lui aussi, une réponse ailleurs que dans le type de faits dont la police n'est pas supposée s'écarter? Elle voit les doigts hésiter, puis la main recule, laissant la radio éteinte. Au lieu de cela, il ferme le contact, fait valoir qu'il est plus prudent à présent de ménager le carburant.

L'habitacle se trouve plongé dans l'obscurité la plus totale, aucune lueur ne vient de l'extérieur et le silence n'est troublé que par un froissement à peine discernable.

«Vous savez, dit Thorbjorson en reprenant la conversation sur un ton égal, comme je l'ai dit, je ne crois pas aux phénomènes paranormaux, mais, est-ce mon âme islandaise, sans y croire intellectuellement, j'y suis sensible dans ma façon d'agir. Ne sommes-nous pas ici…

— Vous ne croyez pas à de tels phénomènes justement parce que vous les nommez paranormaux, mais si je dis à la personne la plus terre à terre qui soit que la physique quantique nous apprend qu'il existe une probabilité pour que, par exemple, je me retrouve tout à coup dans ma chambre d'hôtel, la personne terre à terre n'émettra aucune objection à ma déclaration, car je lui aurai présenté la chose en utilisant un vocabulaire scientifique. Si j'omets ce vocabulaire, aussitôt la personne me catalogue à la rubrique des déjantés.

— Ce que vous venez de décrire se tient dans un discours de salon, mais, dans un rapport de police, il est impensable de rapporter qu'un phénomène quantique puisse être à l'origine d'une disparition.

— Parce que les probabilités sont négligeables, même à l'échelle du temps géologique, et que donc toute autre probabilité est davantage envisageable. Cependant, cela n'empêche pas la possibilité.

— Vous ne pensez pas que cette possibilité soit en cause aujourd'hui, n'est-ce pas?

— En tout cas, pas au premier titre puisque, dans l'exemple que je vous ai donné, il s'agissait d'un pur hasard.

— En d'autres mots, vous croyez qu'il y a une cause précise à…»

Il hésite à employer encore le terme disparition devant elle.

«J'ignore si croire est le verbe qui convient, mais ressentir, oui. Oui, c'est l'impression que j'ai.

— Et, outre une cause, pensez-vous qu'il y ait un coupable?»

Miriam s'apprête à répondre par la négative, mais elle est frappée par une idée du type de celles qui ne doivent rien à la réflexion. D'où jaillissent de telles idées? Ne sont-elles pas là de tout temps, n'attendant qu'un signal convenu pour se manifester, un instant déterminé, comme l'événement programmé d'une mécanique précise?

«Vous ne répondez pas? demande Thorbjorson.

— J'allais vous répondre que non, que je ne pensais pas qu'il puisse y avoir de coupable, mais je crois que je viens de changer de point de vue...

— Vous pensez à quelqu'un en particulier?

— Non, ou plutôt si: à nous.

— Nous?

— Moi, vous, les autres, tous autant que nous sommes.

— Si vous faites allusion à une certaine culpabilité de l'humanité au sens philosophique, je crains que mon rôle ne s'en accommode guère. Pourquoi faire endosser pareille culpabilité à l'ensemble de l'humanité?

— Peut-être parce qu'elle a fait du plaisir sa raison d'être.»

Thorbjorson se tourne vers l'extérieur, comme s'il y avait quelque chose de discernable. Il se répète qu'il s'est embarqué dans une aventure aussi stupide que sans issue. Voilà qu'ils sont prisonniers des ténèbres et, s'ils ne peuvent bouger de là, ils seront sans doute gelés avant longtemps.

«Ne croyez pas que je veuille me montrer dur envers vous, dit-il en essayant de mettre le plus de douceur possible dans son ton, mais qu'est-ce qu'on fiche ici si la disparition de votre fille résulte de je ne sais quel nouvel avatar de la faute originelle? Ce genre de raisonnement ne nous aide pas du tout, je vous assure.

— Je suis désolée...»

Au ton, il comprend qu'elle n'en pense pas moins. Il soupire profondément et tente de s'installer plus confortablement, comme dans l'intention de s'assoupir en attendant que quelque chose se passe. De son côté, Miriam continue d'élaborer toute une théorie voulant que ce soit pour racheter l'humanité qu'elle doit passer cette épreuve. Bien sûr, sa raison conteste cette théorie; seule la douleur peut la conduire à de telles inepties. Cependant, ces arguments sensés n'ont pour effet que de renforcer ce qu'elle considère comme une illumination, au point qu'elle commence à voir la raison comme un déguisement de la tentation cherchant justement à la faire renoncer à l'épreuve qui lui est destinée. Elle se doit d'avoir la foi en ce qui lui est apparu, même si sa raison ne peut y croire. Foi et croyance sont deux concepts totalement différents. S'il faut se méfier du second, il convient, pour être au diapason de soi, de rester en contact avec le premier. Cela fait partie de l'épreuve, et le retour de Hella ne s'obtiendra qu'après l'avoir passée. En fait, elle ne veut surtout pas songer qu'il ne puisse pas y avoir d'épreuve; cela serait trop lourd de signification.

Le temps passe, le froid s'installe en force dans l'habitacle même si, jugeant du rythme de la respiration du policier, Miriam se dit qu'il a dû s'endormir. Se demandant comment il le peut en pareille situation, elle veut encore y voir un signe. Le moment est venu de faire ce qu'elle a à faire, c'est-à-dire s'éclipser dans la nuit pour aller, seule, à la rencontre de ce volcan.

Elle boutonne le col de son manteau, cherche mentalement ce qu'elle a à emporter, et se rend compte qu'il n'y a rien. Outre ce qu'elle a sur le dos, c'est presque aussi démunie que le jour de sa naissance qu'elle va s'avancer vers le volcan. Elle est non seulement dépourvue de tout bien matériel, mais aussi de tous les a priori qu'elle a pu se forger jusqu'à présent. Pour affronter quoi, elle ne le sait pas. Peut-être ce qui n'est pas lié à l'épreuve à proprement parler, le froid, la cendre et tous les risques inhérents à une situation volcanique.

À peine entrouvre-t-elle la portière, en prenant toutes les précautions pour réduire au minimum les inévitables cliquetis mécaniques, qu'elle sent la main du policier qui la retient par l'avant-bras.

«Où allez-vous? demande Thorbjorson d'un ton impliquant qu'il connaît déjà la réponse.

— Un besoin naturel…» répond-elle en y mettant autant de banalité que possible.

Thorbjorson ne la lâche pas pour autant. Elle peut deviner son regard sans le distinguer.

«Vous ne pourriez pas parvenir au volcan ni nulle part, dit-il. D'abord, on n'y voit absolument rien; ensuite, il y a des torrents, des chutes, des ravins et des rivières, dont vous n'avez aucune idée. Quelques pas dehors et vous êtes perdue. Vous ne pourrez pas même retrouver votre chemin, rien pour vous réchauffer; uniquement la solitude et une mort certaine. Ce pays n'est pas facile en temps normal, alors, à présent…

— Qu'est-ce qui vous fait penser que je veux quitter la voiture?

— Je me trompe?»

Miriam ne répond pas et soupire en silence.

«C'est une aventure impossible, reprend le policier, quelles que soient les intentions qui vous animent.

— Que proposez-vous?

— Rien. Rien sinon d'attendre une accalmie. Notre seul espoir pour l'instant est de rester ici, dans cette voiture, et d'attendre.

— Et si rien ne se passe?

— Il se passe toujours quelque chose, mais si jamais ce n'était pas le cas, vous trouverez ce que vous cherchez tout autant dans cette voiture que perdue je ne sais où dans les environs, les os brisés, au fond d'un ravin.»

Miriam comprend tout à coup l'ampleur de la situation dans laquelle elle l'a entraîné, mais aussi dans laquelle il s'est placé pour elle. Jusqu'à maintenant, elle n'a vu en lui que le policier, l'enquêteur accomplissant son boulot; elle se rend compte qu'il est allé bien au-delà. Elle n'avait pas le droit de l'entraîner là-dedans; c'est une histoire juste entre elle et… Et qui? Aucune réponse ne lui vient. De nouveau, elle doute de sa raison. Elle secoue légèrement la tête; pour l'instant, il importe de ramener cet homme en zone moins exposée. Ensuite, elle pourra voir par elle-même sans mettre en danger la vie d'autrui. Sans doute aussi a-t-il raison; elle doit en apprendre plus sur le terrain avant de se lancer à l'assaut de ce volcan.

«Si je marchais devant la voiture pour ouvrir la route, propose-t-elle, vous pourriez me suivre. Je veux dire, en retournant d'où nous venons.

— Inutile, cela prendrait trop de temps et trop de carburant.

— Je m'en veux de vous avoir entraîné dans cette situation.

— Je vous fais remarquer que c'est moi qui ai conduit jusqu'ici. Je suis entièrement responsable de mes actes.

— Pourquoi avez-vous accepté de me conduire?

— À vrai dire, vous touchez un point intéressant; je ne saurais pas trop l'expliquer. Peut-être tout simplement pour voir...

— Voir quoi?

— Je l'ignore. D'une certaine manière, je me suis laissé dire qu'il y avait sans doute un élément qui dépassait le rationnel quotidien.

— Et maintenant?»

Elle ne le voit pas qui, dans l'obscurité, désigne leur environnement invisible.

«Maintenant, tout ceci ne fait pas partie du quotidien rationnel. J'ai toujours su que j'habitais un pays où le surnaturel cherche à s'imposer, mais, jusqu'à ce jour, j'ai mis cela plus ou moins sur le compte de la culture locale. Maintenant – peut-être que l'éruption y est pour quelque chose – j'ai le sentiment que cette terre sous nos pieds cherche à s'exprimer. Un peu comme si, assoupie jusqu'à présent, elle venait de se réveiller; vous savez, dans le style: un géant s'est réveillé. Je sais que tout ça n'a ni queue ni tête, mais... je veux vous aider à retrouver votre fille.

— Comment puis-je vous appeler?

— Mes parents m'appelaient Olaf.

— Cela semble loin dans le passé. Vous n'avez pas de famille?

— Ça ne s'est pas trouvé. Peut-être par un idéalisme que vous allez trouver tordu, j'ai longtemps voulu croire que l'amour était un sentiment beaucoup trop pur, beaucoup trop élevé pour le souiller dans une union à long terme. Ceci jusqu'à ce que je me rende compte que j'étais un fieffé imbécile et que, pour avoir placé l'amour sur un piédestal réservé aux anges, je n'avais fait que flatter mon orgueil et étais passé à côté de ce qui était vrai. Le sens de la vie, comme on dit un peu pompeusement, n'est pas dans ce que l'on pense ou dans ce que l'on est, mais dans ce que l'on donne, et, à moins d'être un saint, la seule façon de donner au jour le jour, je crois bien que c'est dans une union qui se concrétise dans ceux qui devront prendre le relais. Le reste, ce sont juste des histoires qu'on se fait pour fuir ses responsabilités, non pas parce qu'on en a peur, mais parce qu'on a peur tout court.

— Hella disait… dit souvent que la peur est ce qu'il y a de pire.

— Si elle dit cela, vous avez raison de parler d'elle au présent.

— Merci. Ça n'ôte pas la douleur, mais, au moins, quand il y a de l'espoir… Et puis, pour vous non plus, rien n'est perdu.

— Sauf que pour l'instant, pour être franc, toute cette obscurité est un peu pesante… »

Miriam ne répond pas. Au-delà de la douleur à vif, elle aussi ressent cette pesanteur. Sa mémoire retrouve une oppression suscitée par ce film vu dans son adolescence dans lequel une femme se réveille étendue dans un cercueil scellé et déjà enseveli sous six pieds de terre. Cherchant à chasser cette impression qu'il ressent tout autant, Thorbjorson remet le contact. Les lumières du tableau de bord ont un effet salvateur, mais, lorsqu'il allume les phares, tous deux ont l'illusion de se trouver devant une muraille s'élevant à l'infini. Il ouvre la portière et sort un pied pour se rendre compte que, outre la cendre, il neige avec une intensité encore accrue.

« Il neige beaucoup, constate-t-il; je reviens sur mon idée: je crois qu'il nous faut essayer d'aller quelque part. On va faire comme vous avez proposé tout à l'heure, sauf que c'est moi qui vais marcher et vous qui allez conduire. Je crois qu'il est plus sage de tenter d'avancer jusqu'à Hella plutôt que de rebrousser chemin. Rendus là, nous verrons. Il y aura certainement moyen de trouver un abri. »

Ils font ainsi et, strictement au pas, entament le périple vers

Hella. Miriam se cramponne au volant de crainte, parfois, de perdre Thorbjorson de vue et de lui passer sur le dos. Bien que native d'un pays réputé pour sa neige – Windsor, comme Vancouver, faisant un peu figure d'exception –, elle n'a jamais imaginé que la vision puisse être nulle à ce point. Parfois, Thorbjorson lui fait signe d'arrêter et va voir à droite et à gauche s'il peut trouver des indications permettant de se situer. Il revient chaque fois sans en savoir plus et de plus en plus découragé. Chaque quinze ou vingt minutes, il rentre pour se réchauffer un instant.

«J'ai vécu ici toute ma vie, dit-il après deux heures de marche, et je crois que je n'ai jamais vu autant de neige. Heureusement, elle est poudreuse; autrement nous ne pourrions déjà plus avancer.

— Sommes-nous encore loin, à votre avis?

— Normalement non, mais si je me suis trompé de trois ou quatre kilomètres, cela peut encore prendre une heure. Ce que j'espère, c'est...

— Quoi?

— Que nous ne manquerons pas de carburant.

— La jauge indique encore plus du quart de la réserve.

— Oui, cela sera suffisant. On imagine toujours le pire dans des situations comme celle-ci.

— Sinon, nous marcherons et nous finirons par arriver.

— Bien sûr.»

Ce qu'il ne dit pas, c'est qu'il ignore tout de la situation à Hella, sinon que la localité a été évacuée. Pour le reste, comme il n'y a plus personne sur place, la radio n'a aucune information précise à donner. Ce qu'il craint surtout, c'est d'arriver pile sur une coulée de lave, puisque c'est cette possibilité peu probable mais néanmoins envisageable qui a forcé l'évacuation. Pourquoi s'est-il laissé entraîner là-dedans!

À force de fixer sa silhouette dans la lumière diffuse des phares, Miriam a souvent l'impression d'être étourdie, et aussi de se trouver dans un cauchemar. Rien ne semble réel. Seule sa peine l'est. Soudain, elle écarquille les yeux, ne parvenant pas tout d'abord à croire ce qu'elle voit. Venu du sud, un vent assez violent pousse au nord toute la masse nuageuse, entraînant la neige avec elle. Sous l'influence de ce vent marin, la cendre elle aussi est chassée vers le nord et, brusquement, semblant donner raison aux anciens qui voyaient en lui la porte des enfers, monstrueux, incandescent, le Hekla apparaît sur leur gauche.

Thorbjorson marque le pas et Miriam écrase inutilement le frein. Ce qu'ils découvrent présage plus qu'un désastre ou une catastrophe; c'est l'apocalypse en marche. Miriam a un cri sourd. Comment a-t-elle pu imaginer un lien entre Hella et ça! Il n'y a ici que l'œuvre du diable ou de ce qui peut lui être associé. Thorbjorson revient prendre place dans le véhicule.

«C'est lui», dit-il.

Ils restent là, hypnotisés, incapables pour le moment d'aligner deux pensées cohérentes.

«C'est terrible!» dit enfin Miriam comme cherchant à sortir de l'emprise qu'exerce la vue du monstre crachant rouge et jaune dans les ténèbres.

Du doigt, Thorbjorson désigne le fleuve rougeoyant qui, partant de la montagne, qui elle-même semble fendue par quelque hache céleste, descend dans les vallées en direction de la mer.

«Je crois que c'est foutu pour rejoindre Hella. Voulez-vous que je conduise?»

Miriam fait un signe affirmatif et sort du véhicule pour en faire le tour, de la neige jusqu'aux mollets. Il sort également et, se croisant devant la voiture, ils s'arrêtent pour faire face au volcan.

«Je crois que j'ai peur», dit Miriam, exprimant le fond de son sentiment.

Thorbjorson approuve, sachant très bien qu'elle ne fait pas allusion à une peur pourtant compréhensible pour sa propre vie, mais à une terreur beaucoup plus profonde. Ce n'est pas uniquement le spectacle, pourtant effrayant en lui-même, qui provoque cette peur; cela vient d'autre chose qu'il est incapable de définir, comme si la vue qu'ils ont du volcan comportait des entre-images beaucoup plus lourdes de sens que le tout.

«À présent, demande-t-il, avez-vous une idée de ce que vous cherchez ici?»

Miriam secoue lentement la tête. Non, elle n'en a pas le moins du monde. Elle se demande même comment elle a pu imaginer... Imaginer quoi? Se mesurer au volcan? En d'autres circonstances, ce serait risible.

Il doit pourtant bien y avoir une raison derrière ça; que peut-elle apprendre de cette montagne fendue par la hache d'un titan? Quel rapport y a-t-il entre la disparition de Hella dans l'eau bleue d'un lac thermal et la terre expulsant et vomissant son magma rouge par la gueule de cette montagne qui pue la fin du monde? D'abord, il y a eu un petit garçon qui parlait une langue inconnue et qui semblait venir de nulle part. Ensuite, devenu jeune homme, il s'est rendu au Mexique où, par des indications d'un songe induit par des plantes, il a découvert un médaillon sous les pierres d'un temple dédié à une déesse de la fertilité. Puis il y a eu leur rencontre placée sous le signe des mathématiques, l'île à la Pêche, l'orage à Manitoulin, la conception de Hella, sa naissance dans un champ, puis les forces qui voulaient la détruire et qui ont tué Joe. Quoi d'autre? Ah oui! Cette baignade nocturne à Skye, l'affaire de Callanish et puis cette volonté que Hella a eue de rester en Islande plutôt que de repartir pour Toronto via Boston et de retrouver ses grands-parents le jour même. Et sa demande pour porter le médaillon juste avant de disparaître. Qu'y a-t-il à tirer de tout cela? Il manque des éléments, c'est évident. Et maintenant cette montagne infernale qui préfigure plus que la mort. Se peut-il qu'elle explose et les engloutisse? Cela ne paraît pas impossible du tout, au contraire. La mort ne serait qu'une libération de cette douleur qui ne veut jamais finir. Après, il n'y aurait plus rien, plus que la paix... Et puis non! Ce n'est pas possible: la mort ne peut pas ainsi tout emporter, faisant que tout ce qui a précédé n'ait aucun sens, aucune cause, que tout n'ait été que le fruit de l'indifférence terrible du hasard. C'est exclu! Mais quoi, alors? Et si elle racontait tout à cet homme qui finalement a prouvé beaucoup en l'accompagnant jusqu'ici? Il est policier. En faisant abstraction de sa tâche elle-même, n'est-il pas entraîné à faire des déductions logiques? Oui, elle va tout lui raconter depuis le début.

Ils repartent en sens inverse, roulant cette fois aussi vite que la neige et la visibilité le permettent. Tout va bien tout le temps qu'ils sont en mesure de distinguer les traces qu'ils ont laissées, mais après une dizaine de kilomètres il devient difficile de discerner ce qui est la route de ce qui ne l'est pas. Sombres, des massifs rocheux leur cachent à présent le mont Hekla; ils en gardent cependant l'image gravée dans l'esprit et se retournent parfois comme pour s'assurer qu'il ne les rattrape pas. Ils roulent à peu près à la vitesse d'un piéton pressé lorsque Miriam entreprend de raconter son histoire, tâchant de n'omettre aucun détail en mesure d'apporter des éclaircissements. Si ce n'est pour se faire préciser tel ou tel point, Thorbjorson ne l'interrompt pas et, lorsqu'ils arrivent en vue des premières lumières de Selfoss, il sait à peu près tout. C'est ce qui le conduit à déclarer:

«Nous passerons la nuit à Selfoss; j'ai l'impression que vous aviez raison…

— Que voulez-vous dire?

— Finalement, je crois qu'il faut quand même aller voir le Hekla de plus près.

— Pourquoi?

— Dans tout ce que vous avez dit, j'ai retenu un point particulier, celui où le gitan vous a dit qu'Adam ne pouvait pas les suivre en Europe parce qu'il appartenait à l'Amérique.

— C'est vrai, ce n'est qu'après que Paco est reparti que je me suis rendu compte qu'il y avait un tas de choses que je voulais lui demander, dont celle-ci, qui n'a aucun sens. Quel rapport avec le volcan?

— Le Hekla se trouve exactement à cheval sur la fosse atlantique qui sépare la plaque nord-américaine de la plaque européenne. L'Islande est le seul endroit émergé traversé par cette fosse qui écarte les deux plaques de plus de deux centimètres par an.

— Ce qui signifie que le Hekla est en quelque sorte un point de jonction entre les deux continents?

— Tout à fait. Je n'ai aucune idée de la raison pour laquelle quelqu'un ne pourrait pas passer d'un continent à l'autre, mais les faits géologiques, eux, sont indéniables.

— L'Islande appartient donc aux deux continents?

— Du point de vue géologique, il n'y a pas de doute. »

Miriam se demande comment Adam aurait pu appartenir à l'Amérique au point de ne pas pouvoir quitter le continent. Pour cela, en admettant que ce soit possible, il aurait fallu qu'il en soit une incarnation. Elle doute de sa raison en cherchant à établir un rapport avec le fait qu'il a été trouvé « tout fait » sur un banc.

« Et quel pourrait être le rapport avec la disparition de Hella? demande-t-elle, voulant aussi échapper à ces raisonnements qui frisent le délire.

— Je n'en ai pas la moindre idée, mais laissons libre cours à l'imagination et prenons pour hypothèse, complètement folle, que sa disparition soit liée à l'éruption. Est-ce que cela ne pourrait pas s'expliquer par le fait que, à travers Hella qui elle pouvait venir ici, Adam soit en quelque sorte à l'origine de l'éruption?

— Mais pourquoi? C'est complètement insensé!

— Tout ce que vous m'avez raconté est insensé. Et puis il y a ce médaillon qui, lui aussi, semble lié aux deux continents à travers une déesse de l'amour et de la fertilité, ce qui là encore pourrait être relié aux paroles de votre fille quand elle vous parlait de sa mère la Terre.

— Je n'avais pas fait ce rapprochement...

— Pour poursuivre sur cette lancée, même si cela dépasse tout ce que je suis prêt à croire, ne peut-on pas imaginer qu'Adam et votre fille soient... Comment dire? Des incarnations de la planète?

— Ne le sommes-nous pas tous?

— Oui, dans un sens, mais disons que, eux, ils le seraient par filiation directe. »

Miriam secoue violemment la tête pour réfuter les paroles.

« Non! Je les connais, j'ai enfanté Hella; ils ne sont pas différents de vous et moi. Ma fille est humaine!

— Bien sûr, je n'ai jamais voulu insinuer le contraire. »

Il n'en ajoute pas plus, pensant qu'il serait brutal de sa part de rappeler à Miriam que c'est elle qui a voulu venir au volcan dans l'idée d'y retrouver sa fille. Il est vrai aussi, en admettant un instant que tout ceci ne soit pas qu'un spectaculaire dérapage de la raison, qu'il lance toutes ces suppositions scabreuses sans pouvoir établir de fil conducteur logique en mesure de laisser entrevoir des tenants et des aboutissants.

«Vous ne m'avez pas dit pourquoi il fallait retourner vers le volcan? demande Miriam alors qu'il range la voiture devant une construction sur un seul étage, style grand bungalow de banlieue américaine des années 1970.

— En réalité, je n'ai pas de raison spécifique à vous donner, sinon que je n'ai strictement rien d'autre à proposer. Disons que je marche à l'intuition.

— Je vous avoue que, sur le coup, en voyant le volcan, j'ai été effrayée, mais, oui, j'ai le sentiment qu'il y a un lien.»

Miriam se sent attirée par l'impression chaleureuse que diffusent les lumières de la réception du petit hôtel; lorsque Thorbjorson descend pour y aller s'informer des disponibilités, elle le suit d'emblée. L'intérieur simple et doucement coloré lui semble presque un abri inexpugnable au cœur d'une tourmente où c'est la terre elle-même sur laquelle on marche qui rappelle que rien n'est stable. Derrière la réception, une femme blonde entre deux âges et aux épaules de nageuse olympique explique quelque chose au policier sans que Miriam puisse y comprendre un mot. Enfin, Thorbjorson se tourne vers elle pour lui expliquer qu'il n'y a plus de chambre disponible à Selfoss du fait que les réfugiés des environs de Hella veulent rester le plus près possible de chez eux. Il ajoute toutefois que le restaurant est ouvert et qu'il est possible de s'y restaurer d'un café et de sandwiches légers. La réceptionniste ajoute en anglais qu'il est aussi possible de leur préparer des hamburgers. À Miriam, tout est égal; c'est surtout pour Thorbjorson qu'elle accepte la proposition de se restaurer. Elle lui demande néanmoins:

«Et ensuite?

— Ensuite... Bien, si une nouvelle tempête de neige ne se présente pas, nous retournerons d'où nous venons.

— Vous n'êtes absolument pas obligé, vous savez.»

Il la regarde dans les yeux et comprend pourquoi, au contraire, il est obligé. Ce n'est pas uniquement une question de curiosité, encore moins de professionnalisme; il se sent ce qu'il nomme de l'affection pour cette femme. Il a un boulot qui peut être bénéfique à la société et cela lui donne une raison d'être suffisante pour ne pas sombrer dans l'alcoolisme, la pornographie ou la dépression, mais l'affection qu'il se découvre en ce moment, même s'il sait que cela n'ira jamais plus loin, lui procure au moins l'illusion d'être utile à quelqu'un en particulier et, de là, de compter un tant soit peu pour cette personne.

«Je sais», répond-il.

Miriam commande du thé en précisant «Earl Grey» et elle se sent immédiatement coupable de cette préoccupation propre aux gens heureux. Après que Thorbjorson eut passé commande, elle s'enquiert de la direction des lavabos, laisse son manteau sur la banquette et s'y dirige. Elle vérifie la propreté du siège, y dépose deux bandes de papier hygiénique par précaution et s'y installe, plongeant son visage entre ses mains, cherchant à se retrouver. Mais soudain tout bascule et, désorientée, elle croit un instant qu'elle se trouve sur un navire. Elle se fait valoir que l'hôtel se trouve on ne peut plus sur la terre ferme lorsque, fantastique, se produit le fracas. Avant qu'elle comprenne que le bruit vient de l'extérieur, que ce n'est pas son propre crâne qui explose, elle se trouve plongée dans l'obscurité la plus totale. Il y a encore quelques bruits, comme du verre brisé, une seconde de silence angoissé, puis des hurlements.

XXIX

Dans les jours qui suivent, l'explosion du mont Hekla fait la une des nouvelles du monde entier. Pour l'Islande, les dégâts sont catastrophiques. Sur le plan matériel, toutes les fenêtres ont volé en éclats dans un rayon de cent cinquante kilomètres, murs et fondations sont lézardés jusqu'à cinquante kilomètres à la ronde et tout le pays est couvert d'une importante couche de cendre volcanique. Le nuage a plongé l'île dans une nuit qui a duré quatre jours puis, en retombant et en se mêlant à la neige, il s'est transformé en acide, tuant toute la végétation. Situées à moins de cent kilomètres du volcan, les principales villes du pays font face à un problème majeur du fait d'une architecture qui, pour pallier les longues nuits hivernales, est résolument orientée vers la lumière et comporte donc un maximum d'ouvertures vitrées, lesquelles ont toutes été soufflées, tuant sur le coup des dizaines de personnes, en blessant des milliers d'autres et laissant une grande partie de la population sans protection vis-à-vis des rigueurs de l'hiver qui commence. La violence de l'explosion a été telle qu'elle a été entendue aussi loin qu'en Europe de l'ouest. Cependant, ce qui est le plus tragique pour l'ensemble de la planète, ce sont les vingt kilomètres cubes de cendre projetée à près de quatre-vingts kilomètres dans la haute atmosphère et qui, en moins de deux semaines, forment un filtre bloquant les rayons solaires. Les grands ordinateurs sont mis à contribution et, assistés de leur puissance de calcul, les spécialistes prévoient un refroidissement global de l'ordre de deux degrés pour les années à venir. Cette annonce, qui sursoit de façon un peu ironique à la psychose du réchauffement global, entraîne un krach sur toutes les places boursières et une ascension vertigineuse du marché des grains. Deux degrés ne correspondent pas à une variation bien terrible dans le cadre d'un salon ou d'une chambre à coucher, mais à l'échelle planétaire cela signifie au moins l'absence d'été pour l'année à venir dans les régions tempérées, c'est-à-dire celles où se produit la plus grande part de l'alimentation humaine.

Cette nuit de l'explosion, dans les toilettes, ne comprenant absolument pas ce qui se passe, et surtout portée à croire à une déflagration résultant d'une fuite de gaz, Miriam entrouvre prudemment la porte pour se rendre compte avec un effroi grandissant qu'elle ne voit rien de plus qu'à l'intérieur. Des cris, des râles et des paroles incompréhensibles viennent de diverses directions. Il y a dans l'air quelque chose qui brûle les yeux et les lèvres. Elle ne comprend ce dont il peut s'agir. Elle appelle plusieurs fois Thorbjorson sans obtenir de réponse. Quelqu'un va-t-il trouver une lampe torche ou une bougie, quelque chose qui permette de se rendre compte? Elle s'avance dans ce que de mémoire elle pense être le restaurant. Au froid qui s'engouffre plus qu'à la différence de densité des ténèbres, elle se rend compte que les baies vitrées sont fracassées. Elle appelle de nouveau le policier, se demande où il est passé et surtout pourquoi il ne lui vient pas en aide. Ce n'est que lorsqu'elle estime se trouver grosso modo à l'endroit où ils ont pris place pour se restaurer qu'elle commence à comprendre. Pilant sur du verre, elle rencontre d'abord une épaule puis, de toute évidence, une tête. Mais celle-ci est posée sur la table. Alors, pendant qu'elle appelle cette fois le policier par son prénom, ses doigts entrent en contact avec une substance douce, visqueuse et à peine tiède, mêlée à des morceaux de verre sur le vernis de la table. Elle secoue l'épaule de Thorbjorson, lui intime de reprendre conscience, mais le policier ne peut plus rien entendre. Sous l'impact qui a soufflé la baie vitrée, un éclat lui a sectionné la jugulaire. Il n'a eu que le temps de se demander ce qui se passait, puis il s'est senti partir sans comprendre pourquoi. Miriam joint son hurlement à celui qui se propage dans l'établissement, en ville et au-delà. Mais pour elle, cette fois, il s'agit davantage de colère que de peine ou de peur. Une colère qui lui fait trouver la sortie, rejoindre la voiture du policier et en allumer les phares pour s'apercevoir qu'il neige noir. Le faisceau de lumière éclaire le restaurant d'une lueur grise. Elle y retourne et constate de visu qu'elle ne peut plus rien pour Thorbjorson. Des silhouettes fantomatiques vont et viennent, qui pleurant, qui essayant de réconforter, du moins à ce qu'elle peut en juger au ton. Elle ignore encore ce qui a pu se produire, mais elle se sent un peu responsable de ce qui est arrivé à cet homme qui, outrepassant nettement ses fonctions, a voulu lui venir en aide. Elle pose la main sur sa nuque, cherchant à lui transmettre le type de chaleur qu'il ne peut plus percevoir et dont elle devine qu'il l'a attendue en vain toute sa vie.

Que doit-elle faire à présent? Faut-il seulement faire quelque chose? L'univers est cul par-dessus tête, à moins qu'il ne soit en train de reprendre ses pleins droits; l'ordre considéré comme normal par le genre humain n'est sans doute que l'une des nombreuses facettes du chaos, une anormalité dans le grand fracas cosmique, comme l'amour et même la mort, son aboutissement inévitable, peut-être même sa raison d'être.

«La voici, Adam, la Théorie unifiée!»

«Maman...»

Hella est là, avec son sourire coquin, ses cheveux en bataille, toute nue et ruisselante.

«Ma chérie! Mon amour! Mais où étais-tu, mon bébé? Ô ma petite fille!»

Miriam s'approche pour refermer ses bras sur elle, la retrouver enfin, et la protéger du froid qui s'engouffre. Mais là où elle s'attend à toute la plénitude du monde, elle ne rencontre que le vide et se met à hurler.

Des secours se sont organisés. Les patries d'origine de leurs ancêtres offrent asile aux Islandais, et des navires de tous genres partent de Norvège, de Suède, du Danemark, mais aussi des îles Britanniques, du Canada et même d'Australie. Beaucoup, la plupart, partent en se promettant de revenir dès que possible, d'autres prennent le parti de rester quoi qu'il puisse leur en coûter. Miriam est de ces derniers, pour deux raisons qui peuvent sembler paradoxales. La première est qu'elle ne peut envisager de quitter cette île où se trouve Hella selon tout ce qu'elle peut savoir. La seconde est que, pour des motifs qu'elle est incapable de s'expliquer elle-même, plus qu'à tout autre, elle s'est attachée à ce pays qui lui a pourtant tout pris. Qu'il étouffe sous la cendre noire, qu'il soit en ruine, que l'herbe elle-même n'y repoussera pas avant des années, tout cela n'y change rien, peut-être même au contraire.

Les premières journées qui suivent l'explosion sont terribles. Ténèbres sans fin, comme si elles devaient durer pour la nuit des temps, cendre omniprésente, froid contre lequel il y a peu pour lutter, désorientation, impression d'évoluer dans un cauchemar. Puis, petit à petit, les éléments prennent leur place, ou tout au moins un semblant d'ordre leur est donné. En premier lieu, Miriam veille à ce que Thorbjorson ne soit pas inhumé en solitaire et ignoré de tous. Elle l'accompagne jusqu'au charnier de Selfoss et s'assure que, lorsque le printemps reviendra, s'il revient, il soit placé dans une tombe identifiée où, si le destin le lui permet, elle pourra revenir lui rendre hommage.

Elle a récupéré le médaillon puis, grâce à trois bons Samaritains et en autant d'étapes, elle réussit à atteindre la péninsule du Snæfells où, selon tout ce qu'elle sait – ou plutôt pressent –, s'il doit y avoir un prochain rendez-vous, ce sera là.

XXX

Considérées depuis le centre du Pacifique, les nouvelles de ce qui s'est produit en Islande peuvent paraître irréelles, mais Loki sait imaginer et il s'est félicité d'être en route pour son pays natal. Il se réjouit en anticipant les scènes de désolation dont font état les médias. Le seul point sur lequel il ne sait comment réagir est qu'il ignore ce que sont devenus ses parents, dont il n'a jamais pris de nouvelles depuis qu'il a quitté Windsor. Sur ce point, il ne sait trop s'il doit se réjouir ou non du fait que peut-être ils aient succombé à l'explosion du Hekla ou à ses suites.

Il n'en sait pas plus lorsque, suscitant la curiosité de toute la communauté, son yacht vient s'amarrer dans le port d'Olafsvik.

Pourquoi faut-il qu'une formule mathématique soit esthétique? La beauté est-elle la vérité et vice-versa? La vulgarité d'une proposition prouve-t-elle de facto son inanité? N'y a-t-il pas dans ce mystère la réponse aux questions que se pose Miriam? Bien que le simple fait de nommer mystère ce qui ne doit être qu'une loi physique donne à penser que les réponses demeurent hors d'atteinte. La beauté ne s'explique pas; impossible de la réduire à quelques définitions ou composantes, au même titre que toute la force déployée dans l'explosion du Hekla – des millions de fois Hiroshima – serait impuissante à séparer un malheureux proton en ses quarks constituants. La beauté est la loi et la loi est la vérité. Cette trinité ne peut porter d'autre nom que amour, puisque seul ce dernier est beauté, loi et vérité. Mais, puisqu'il en est ainsi, comment est-il possible qu'en inversant son spin, la beauté devienne laideur? Comme matière et antimatière, chaque chose, y compris l'amour, n'est-elle possible qu'avec son contraire? En s'imposant, l'affirmative à cette question engendre la terreur. Comment accepter l'innommable? Cependant, il y a pire encore: se peut-il que la laideur puisse être réellement belle, ou seul l'art du mensonge peut-il induire cette perception?

Lorsque Miriam aperçoit Loki, elle ne se pose pas toutes ces questions; elle le trouve beau, excessivement beau. De même, lorsque Loki aperçoit Miriam, il la trouve formidablement belle, ce qui la distingue des filles ou femmes qu'il peut rencontrer et qu'il qualifie de désirables.

Encore une fois, à supposer que le hasard n'est pas ce qu'il prétend être, cette rencontre a lieu à Olafsvik, chez les parents de Loki, lesquels, croyant leur fils mort quelque part en Amérique depuis près de quinze ans, louent parfois la pièce qui a été sa chambre à des gens de passage, visiteurs ou nouveaux résidants, et pour l'occasion à Miriam. C'est une petite maison comme les autres, parmi celles qui sont plus ou moins regroupées autour du port. Une maison de bardeaux peints en noir, en contraste avec les cadres blancs des portes et des fenêtres. À l'intérieur, le plancher est de bois peint en blanc et recouvert d'un tapis tressé rouge. À l'étage, la chambre de Miriam est tapissée d'un papier monochrome représentant des geishas occupées à préparer du thé. Une petite fenêtre donne sur le port et Miriam y reste des heures à regarder sans voir. C'est à travers cette fenêtre qu'elle a vu arriver l'étrange navire argenté dont les lignes dépouillées évoquent davantage un vaisseau spatial qu'un bâtiment maritime. Elle a été intriguée quelques instants puis a oublié et est retournée à l'intérieur d'elle-même. Adolescente, elle avait tiré de la modeste bibliothèque familiale un vieux recueil de poèmes d'Alphonse Piché dont trois lignes l'avaient alors marquée sans qu'elle sache très bien pourquoi. Aujourd'hui, tout aussi mystérieusement, ces lignes lui reviennent en mémoire :

> Je suis de cette grève immobile
> Passive, je suis de cette roche
> De siècle en siècle seule.*

Quelque chose l'a alertée. Elle descend au moment même où Loki, sans prévenir, fait irruption dans le domicile familial. Miriam ne comprend pas les paroles, mais les attitudes sont éloquentes. D'abord, il y a le père qui jure, se lève de sa chaise et reste comme paralysé, les mains ouvertes vers l'arrière. Puis il y a la mère : elle blêmit, en appelle au Seigneur, porte les mains à sa poitrine et, enfin, crie. Un cri contenant en parts égales la surprise, le reproche et la joie. Demeurée sur la seconde marche de l'escalier, Miriam comprend que le fils perdu est de retour. Elle le comprend en arrière-plan de sa première réaction qui est de saisissement. Elle ne l'a jamais rencontré et, cependant, comme cela a été le cas avec Adam, il lui semble qu'elle le connaît. Contrairement à Adam, toutefois, elle sait immédiatement qu'il n'est pas son ami, plutôt un objet de fascination dangereuse.

Loki n'est pas en reste; il remarque Miriam sur-le-champ et, tandis qu'il tente, pour toute excuse, de faire valoir à ses parents qu'il n'a pas voulu revenir ni même donner de nouvelles avant de pouvoir leur offrir le monde, son œil ne cesse de passer par-dessus leurs têtes pour regarder Miriam et, déjà, imperceptiblement, lui sourire. Lui aussi a l'impression de la connaître et il cherche dans sa mémoire quelle gamine du village a pu devenir cette femme à l'image de la femme à laquelle il a fini par ne plus croire.

Se ressaisissant, Miriam se rend compte qu'elle ne peut ainsi rester dans l'escalier au beau milieu de ces retrouvailles; la bienséance veut qu'elle s'éclipse. Elle adresse une brève salutation au fils de la maison et se dirige vers la sortie. Si elle était restée quelques instants de plus,

---

*Marée d'Alphonse Piché.

peut-être aurait-elle perçu la répugnance de Loki lorsque sa mère s'est précipitée vers lui pour l'étreindre, et la suite de l'histoire eût peut-être été différente.

Chaque jour, Miriam occupe les quelques heures de semi-clarté à arpenter les alentours du Snæfells. Le paysage est couvert des cendres du Hekla. Çà et là, les dernières chutes de neige laissent des taches allant du gris au blanc, le tout offrant un aspect de désolation et en même temps, sans doute à cause des émeraudes, des turquoises et des argents de l'océan, celui d'une renaissance à venir. On ne peut affirmer que ce paysage soit beau selon les paramètres des dépliants touristiques, mais, s'il est attentif, l'observateur peut sentir s'en dégager une énergie qui porterait à l'inquiétude si celle-ci n'était pas déjà de mise au milieu de cette désolation.

Le temps et la durée diurne ne permettent pas encore à Miriam de tenter l'ascension du glacier couvrant le volcan que l'on dit éteint, mais elle ménage ses énergies dans cette optique; absurde espoir qui lui reste de retrouver Hella, ou peut-être de comprendre pourquoi elle n'est plus là. Le plus souvent dans sa chambre, elle dort peu et passe ses heures de veille à tenter d'établir des liens et des concordances en mesure de lui apporter l'amorce d'une explication. Mais rien ne vient, au point qu'elle se demande aussi parfois s'il faut continuer à chercher une explication qui n'existe pas, et cela, pour l'excellente raison que rien n'a de raison, que les choses arrivent sans préméditation et que le temps les efface, car justement il n'y a rien à en retenir, et que l'hypothèse la plus probable pouvant expliquer la disparition de Hella est que l'activité sismique a dû ouvrir une faille momentanée dans le lagon. Sauf que, bien sûr, le maillot et le médaillon viennent infirmer cette explication rationnelle. Mais là encore il est possible de se faire valoir que, se sentant sur le point de retourner à ce qu'elle appelait sa mère la Terre, Hella ait voulu le faire aussi nue qu'elle en était venue. Et le cycle des questions recommence, sans fin, comme se doit de l'être un cycle.

Ce jour-là, celui du retour de Loki, Miriam a clairement

l'impression qu'un nouvel élément vient de s'ajouter au puzzle. Rien dans l'arrivée de ce navire irréel et de son propriétaire ne s'inscrit dans la normalité; il est par conséquent probable que ce fils prodigue apporte une nouvelle dimension au problème. Repensant à lui, elle se surprend à souhaiter le revoir et s'en donne pour explication qu'elle n'est pas certaine de pouvoir confirmer certains détails le concernant. Par exemple, de quelle couleur sont ses yeux? De mémoire, comme ça, elle dirait noirs et brillants, comme les bardeaux de la maison familiale, mais, à bien y repenser, peut-être sont-ils bleus, du bleu de l'océan. Et son sourire! N'est-il pas étrange, ce sourire, comme animé de sa propre autonomie? Un instant fugace, elle imagine qu'il l'aide dans sa quête de Hella; il lui apporte son aide et soudain tout devient plus facile. Elle secoue la tête pour chasser cette pensée importune, mais ce faisant, elle ressent un vide froid.

Loki, lui, se demande pourquoi, à l'exception de cette femme aperçue dans l'escalier de la maison familiale, pourquoi le foutu volcan n'a pas englouti tout le monde. Voilà qu'il doit jouer le fils aimant auprès de deux presque vieillards dans lesquels il ne se reconnaît en rien. Deux fanés puant les bons sentiments. Qu'est-il venu faire en Islande? Il est vrai que cette femme aperçue dans l'escalier semble valoir le déplacement. Déjà, il sent qu'il la lui faut. Non pas comme il lui faut toutes celles qu'il ramasse où et quand il le veut, non. De celle-ci, il lui faut les sentiments, les vrais. Pas ce miel sirupeux que lui sert ce chiffon de chair qui lui a donné le jour.

Alors que, bizarrement sans aucune ostentation, il explique à ses parents ébahis qui il est devenu, les éblouissant de la Chine, de ses usines, de ses légions d'employés et de sa fortune qui ne se compte plus, entre le nombre de succursales de sa chaîne de restauration rapide et celui de ses cheptels passant par ses abattoirs, sa mère, elle, veut savoir s'il a des enfants et combien. Pris au dépourvu, il mentionne une fille, avec lui sur le bateau, mère décédée, terrible! Et comme si c'était à propos, il demande qui est cette femme qui se trouvait chez eux lorsqu'il est arrivé.

« Une pensionnaire, lui répond sa mère. Une Canadienne qui a perdu sa fille dans des conditions inexplicables. Elle ne veut pas quitter l'Islande avant de l'avoir retrouvée. Un peu folle, sans doute les ravages du chagrin, mais elle est bien gentille. Mais toi, pourquoi n'as-tu pas amené ta fille ici, à la maison? »

Analysant en arrière-plan ce qu'il vient d'apprendre, il répond qu'il n'a pas voulu multiplier les chocs en même temps. Déjà, il prépare les arguments pour que ses parents, mais en résumé surtout leur pensionnaire, acceptent de dîner ce soir à bord de son yacht. Tout à cette pensée, il ne se rend pas compte que le calme bleu du regard de son père l'évalue sans concession, nullement abusé par le butin amassé par sa progéniture. Après tout, des ancêtres bien avant lui sont revenus en habits d'écarlate, apportant des trésors rutilants de tous les points de l'œkoumène; mais les seuls qui soient revenus avec l'unique bien vraiment tangible n'étaient-ils pas ceux qui ont rapporté une foi bâtie sur l'amour dans ce pays où le diable pourrait facilement se sentir chez lui?

XXXI

Afin de convaincre Miriam de participer au repas qu'il donne en l'honneur de ses parents, Loki n'y va pas par quatre chemins :

«Mes parents m'ont dit que vous étiez Canadienne. J'ai une grosse dette envers le Canada et je serais offensé si vous refusiez mon invitation.

— Je ne sais pas. Vous venez juste de retrouver votre famille et…

— Justement, je suis seul avec ma fille. Vous apporterez, comment dire, une diversion à ce qui autrement pourrait être un peu lourd en fait de sentiments trop longtemps contenus. En réalité, c'est davantage un service que je vous demande.

— Je ne suis pas certaine, mais si cela peut… Enfin, c'est entendu. Quel âge a votre fille ?

— Treize ans. Mes parents vont être déçus. Je me rends compte que je ne me suis pas donné la peine de lui faire apprendre une autre langue que sa langue maternelle.

— Qui est ?

— Le mandarin. Vous ne parlez pas mandarin, par hasard ?

— Pas un mot.

— J'ai appris pour votre enfant. Je suis désolé. Nous en reparlerons, si je puis être utile de quelque façon que ce soit…

— Je vous remercie, mais…

— Ne dites pas "mais". Jusqu'à preuve du contraire, il y a toujours de l'espoir.

— Merci.

— Appelez-moi Loki. Je vous appellerai?

— Miriam.»

Il lui prend doucement la main par l'extrémité des doigts et, se penchant, y dépose l'effleurement de ses lèvres, presque un souffle. Un instant, Miriam ne peut s'empêcher de baisser les paupières.

«À votre service, Miriam.»

L'intérieur du navire ne cède en rien à l'extérieur, au contraire. Miriam n'a jamais réellement imaginé ce que la vraie fortune peut procurer. Ce n'est pas tant la richesse des matériaux utilisés que leur disposition, où le plus parfait dépouillement réussit à créer une impression de plénitude. Qu'elle le veuille ou non, elle se trouve dans une situation où elle ne peut juger Loki indépendamment du pouvoir qui émane de lui à travers ce qu'il possède, et dont ce navire ne donne qu'une idée.

Ils passent d'abord dans un salon où les bois, les plantes, le mobilier et les gravures créent l'illusion de ce que pouvait être le salon particulier d'une impératrice d'Extrême-Orient. Dans de fines coupes qui tintinnabulent, il leur est servi un champagne de Crimée élevé spécialement pour la cave du navire, et c'est à ce moment que, vêtue d'une robe de fil d'or minimaliste, leur est présentée celle qu'il prénomme affectueusement «Freyja, la joie de mon cœur».

Miriam sursaute en entendant le prénom. De son côté, la grand-mère présumée a un bref instant d'hésitation en constatant que sa petite-fille semble totalement chinoise, mais vite son cœur de grand-mère prend le dessus et son visage rayonne. Le grand-père, lui, paraît fondre. Il faut rappeler que Petite Sœur est très belle. Du même type de beauté, finalement, que celui qui se présente comme son père. Oui, à bien y regarder, ils se ressemblent étrangement. Et les parents de Loki peuvent facilement s'y laisser prendre. Un peu plus tôt, en quelques mots, Loki a mis sa «fille» au courant de la situation, et la nouvellement prénommée Freyja se prête admirablement au jeu. Au point même que Loki n'est pas sans apprécier ses facultés d'adaptation.

L'on passe des canapés exotiques, et le luxe de tout ceci a quelque chose de surréaliste dans ce petit port d'une île couverte de cendre noire, alors qu'une grande partie de ses habitants a dû trouver refuge sous d'autres cieux. Et c'est alors que se produit un fait qui, en autant que ce soit possible, ravive la douleur de Miriam au point qu'elle ne peut retenir une plainte qui en elle-même modifie de quelque peu les pentes du cœur de Loki. Mais de quelque peu seulement. Il ne faut qu'une milliseconde à Miriam pour reconnaître Hella dans l'enregistrement que Loki a mis en fond sonore. Sur le coup, elle ne se rend pas compte que le disque a pu être mis en ondes et donc elle ne comprend pas que l'enregistrement, qui doit se trouver chez elles, à St. Andrews, puisse être en possession de ce fils perdu surgi de nulle part.

«Comment pouvez-vous? Vous n'avez pas le droit!» s'écrie-t-elle.

Loki n'a aucune idée de ce qu'elle peut lui reprocher. Il s'étonne que cette voix qu'il trouve si troublante, tellement autre chose que tout ce que l'on peut entendre, puisse provoquer cette réaction, en particulier venant de cette femme qui ne lui semble pas comme les autres.

«Rendez-moi l'enregistrement! C'est tout ce qui me reste de Hella!»

D'outré, le ton de Miriam s'est fait implorant.

«Je crois que vous faites erreur, croit devoir préciser Loki. Le nom n'est pas Hella, mais Selma, et je ne vois pas...

— Selma est le nom d'artiste que Hella s'est choisi et...»

Miriam réalise soudain que, comme Brigit l'a promis, le disque doit être sorti et que le fils de ses hôtes ne fait qu'en passer un enregistrement. Cependant, Loki va vite en déduction:

«Voulez-vous dire que, quel que soit son nom d'artiste, cette chanteuse est votre fille?»

Miriam acquiesce en silence. Loki détourne les yeux pour dissimuler le trouble que lui cause cette nouvelle. Une réaction qu'il n'a pas eue depuis très longtemps.

«J'ignorais, dit-il. Je suis confus. Vraiment.

— C'est moi, vous ne pouviez pas savoir... Non, je vous en prie, laissez-le jouer. »

C'est à cet instant que leurs regards se croisent et que leur système sanguin reçoit un afflux inaccoutumé de neurotrophines NGF. Ce qu'il voit en elle évoque pour lui la délivrance. De quoi, il l'ignore, mais, oui, cette femme, il en est convaincu, peut le délivrer. Ce qu'elle voit chez lui ressemble aux nouvelles tours de Detroit vues de nuit depuis la rive canadienne. Une volonté brute de puissance dressée dans les ténèbres, des angles vifs, des lumières froides, le tout pourtant fascinant et exerçant un pouvoir d'attraction jusque chez ceux qui s'en défendent; peut-être même davantage chez ceux-là.

L'incident n'a pas de suite et tout retourne à la normale, si tant est que la situation puisse être ainsi qualifiée. Ils passent dans la salle à manger d'influence zen uniquement meublée d'une longue table d'ébène dépouillée aux proportions harmonieuses sous un éclairage subtilement orangé. Loki prend place à l'extrémité, encadré par ses parents. Miriam se trouve à la droite du père, face à Freyja. Celle-ci a un sourire charmant, mais quelque chose dans son regard ne semble pas procéder du même état d'esprit. Ce n'est pas un sourire mauvais, calculateur ou quoi que ce soit de ce genre, non, en fait le décalage réside dans ce que le regard n'exprime rien du tout. Miriam se souvient de son prénom; se peut-il qu'il y ait un rapport entre cette fille et la déesse du médaillon? Non! Il lui faut cesser de voir des liens dans tout ce qu'elle peut rencontrer. Il est parfaitement normal qu'un Islandais, dont la fille a pris tous les traits raciaux de sa mère, veuille la rattacher à lui-même en lui donnant un prénom résolument nordique. Toutes ces correspondances significatives qu'elle peut imaginer ne sont-elles pas plutôt le symptôme d'un dérèglement de la perception objective?

Ce n'est que vers le milieu du repas, excellent, qu'elle prend conscience que le personnel paraît uniquement composé de Chinois mâles, quadragénaires et presque interchangeables. Des êtres sans histoire, un peu comme ces «Chinois-objets» sans âme qu'adolescente elle a reprochés à

Conrad dans son roman *Typhon*. Outre cet apparent manque de personnalité, ils ont en commun de faire preuve d'un respect presque religieux vis-à-vis de leur patron. La fortune peut-elle aussi acheter cela? Loki est en train d'expliquer à son père que son succès ne réside pas dans la chance ni dans une quelconque idée de génie; tout simplement, il fait exactement ce qu'il a envie de faire sans même penser aux conséquences. Miriam l'observe, cherchant dans le dessin de ses traits une explication plus fondamentale, une vérité qui ne peut s'énoncer, car, enfin, il y en a d'autres qui font ce qui leur plaît sans pour autant acquérir le type de fortune permettant de s'offrir un tel navire. Pour la seconde fois, elle s'avoue qu'il est beau. À quoi cela tient-il? Si on le considère indépendamment, rien chez lui n'offre de particularité exceptionnelle, rien qui permette par exemple de dire: quel visage avenant, quelle carrure, quelle silhouette, non, rien de tout cela. Seule l'énergie qui émane de lui et imprègne chacun de ses mouvements semble responsable de ce jugement de valeur qu'elle ne peut s'empêcher de porter. Et, bien entendu, elle se reproche de telles considérations alors que Hella n'est pas là. Il est inconcevable d'avoir la tête traversée de telles puérilités alors que son enfant a disparu. Désormais, et jusqu'au retour de Hella, toutes ses pensées ne doivent tendre qu'à sa recherche. Tout ce qui peut dévier son attention, et surtout lui faire oublier son malheur ne serait-ce qu'un instant, tout cela lui est interdit.

Ce qui ne l'empêche pas, quelques instants plus tard, de se surprendre à détailler chacun des gestes de Loki. Elle prend sa décision: elle a remarqué un abri de pierre et de terre abandonné sur les contreforts du Snæfells. Demain, elle s'y installera pour réfléchir, rien d'autre. Elle n'en repartira que lorsqu'elle aura résolu le mystère qui d'une part lui a donné Hella et de l'autre la lui a reprise. Car, à présent, elle sait au moins cela: la conception et la disparition de sa fille, pas plus explicables l'une que l'autre, constituent les deux faces d'une même pièce.

En fait d'observation, Loki n'est pas en reste; quel secret se dissimule dans chaque courbe que prend le corps de

Miriam? Il a lui-même dessiné la carène de son yacht, il sait que la ligne est belle, mais il ne peut en expliquer la raison. En quoi réside la beauté? Peut-être davantage que la majorité de ses contemporains, Loki se pose souvent la question, mais ce soir, cette femme assise à sa table ne fait que l'exacerber. Il l'a vue marcher sans réussir à décomposer son mouvement; il y a manifestement autre chose que le mouvement lui-même. Quoi? Plus tôt, dans le salon, alors qu'elle tenait sa coupe de champagne en appuyant l'équilibre de son corps sur une seule de ses jambes, il s'est émerveillé de la courbe parfaite que présentait sa silhouette. Tout ceci sans prendre en compte le fait qu'elle est la mère de Selma et que, donc, pour une part, cette voix qui le subjugue vient d'elle. En réalité, il n'en est pas étonné; il n'y a pas de miracle. Plus il l'observe, plus il est convaincu que son retour au pays natal doit avoir des raisons aussi profondes que la beauté, des raisons dont lui-même n'a pas eu conscience lorsque, comme ça, apparemment sous une simple impulsion du moment, l'idée lui en est venue. Et puisqu'il en est ainsi, il peut également anticiper qu'à l'avenir cette femme qui lui était inconnue hier influera sur chacune de ses décisions. Sa beauté vient de compromettre sa liberté. Cependant, puisque de toute évidence il s'agit de l'incarnation de la déesse imaginaire dont il se veut l'amant unique, il n'en est pas fâché, loin de là. Il reste cependant à la soumettre, mais comment soumettre la beauté sans l'altérer? Habitué à posséder la beauté circonscrite dans des formes, il ne peut concevoir qu'il puisse en aller autrement lorsqu'elle émane d'un être.

Cherchant à oublier cet hôte qui accapare un peu trop ses pensées, Miriam reporte une nouvelle fois son attention vers Freyja à qui elle sourit avec une mimique impliquant qu'il est dommage qu'elles ne puissent se comprendre par le langage. Elle cherche chez elle un trait venant de son père. Elle croit le trouver aux commissures des lèvres, là où se dissimule l'ironie. En temps normal, elle aurait peut-être pensé cynisme, mais cela ne peut être applicable à une jeune fille. Encore une fois, il est question de beauté, car, oui, elle lui en trouve une étrange, qui n'est pas sans rapport avec celle de son père. De quoi peut-il s'agir? Des images noires lui viennent, des images qui portent en elles quelque chose de luxurieux. Elle les repousse vivement, les attribuant à des effets du champagne de Crimée.

XXXII

Petit à petit, Miriam s'imprègne de son nouvel environnement. Chaque jour un peu plus, elle se sent devenir partie indifférenciée du paysage. Plus le temps passe, plus elle prend conscience que ce qui est là, sous ses pieds, est vivant. Vivant et conscient. Elle se souvient de la description qu'Adam lui a faite de cette nuit au bord du lac Sainte-Claire, lorsqu'il a senti battre le cœur du continent. Ici, elle ne sent pas le pouls de la terre comme tel, mais elle sait en faire partie.

Elle se nourrit de presque rien, dort lorsqu'elle a sommeil, ne respecte aucun rythme diurne ou nocturne; chaque instant est consacré à retrouver Hella. Ce qui semble toutefois se produire est que cette terre vit à travers elle. Sans doute est-ce toujours le cas pour qui que ce soit, mais, ici, elle en devient consciente avec un peu plus d'intensité chaque jour. Elle, Miriam, comme toutes les créatures de tous les règnes et de toutes les espèces, n'est que l'Esprit prenant conscience de lui-même à travers la matière, laquelle n'a d'autre but que celui-ci. Cette conscience, toutefois, est limitée à son horizon géographique. Le paysage de lave ancienne est toujours couvert de cendre et de neige mélangées, souvent la mer est anthracite et le ciel déploie toute la gamme des gris et des bleus. Se sentir partie de tout cela ne signifie pas un quelconque détachement du monde, au contraire. Jamais Miriam n'a tant réfléchi aux affaires de ses semblables; la différence est que son point de vue devient plus global et, outre Hella, s'attache beaucoup moins à ce qui la concerne personnellement. La marche du monde ne la préoccupe plus dans son actualité immédiate, que de toute façon elle ne reçoit plus, et dont par ailleurs elle se rend compte qu'elle est toujours la même sans cesse recommencée sous des noms différents. D'un autre côté, sentant que d'une certaine manière la disparition de Hella y est liée intrinsèquement, la marche de l'histoire occupe ses pensées. Ainsi, comme elle l'éprouve dans sa chair, il est clair que le froid ne lâche aucune prise au fur et à mesure que l'on s'avance vers l'équinoxe du printemps. Aux nouvelles qu'elle ne reçoit pas, météorologues et climatologues exposent des graphiques destinés à expliquer comment le filtre de poussières provoqué par l'explosion du Hekla compromet l'été à venir. Dans l'hémisphère sud, des gelées inhabituelles ont déjà détruit de nombreuses récoltes, laissant présager une réduction des ressources alimentaires pour l'année à venir. Rien de dramatique, sans doute, pour les pays développés, mais une aggravation certaine pour ceux qui déjà n'ont pas grand-chose. Miriam n'a nullement besoin d'entendre ces nouvelles; elle les devine à la luminosité du ciel, ainsi qu'à une dureté indéfinissable qui cherche à pénétrer ses os. Le monde, comme n'importe quel organisme, est voué à vieillir. Peut-être même est-il déjà vieux. Elle fait le lien avec ce que Thorbjorson a appelé *Ragnarökr*. Est-il possible que, sans s'en rendre compte, le monde soit entré dans son déclin? Et surtout, surtout! Adam et Hella en sont-ils les agents? Pourtant, l'un comme l'autre, ils l'ont aimé, ce monde, peut-être plus que quiconque. Le monde a-t-il failli? Encore une fois, elle se pose la question pour la forme, connaissant déjà la réponse. Hella ne disait-elle pas que la beauté est le visage de l'amour? Il est évident que de ce point de vue le genre humain n'a de cesse que de s'enlaidir, lui ainsi que ce qui l'entoure. Peut-il y avoir de l'espoir pour une espèce dite intelligente qui s'entête à s'empoisonner dans tous les sens du terme? À moins que la débâcle actuelle ne soit un passage obligé vers un autre état de civilisation? Dans les cas les plus optimistes, l'existence humaine n'est que d'une douzaine de décennies; n'est-il pas compréhensible que la créature consciente qui ne dispose que de ce laps de temps pour tout voir et tout sentir veuille en profiter au maximum, même si cela doit parfois se faire aux dépens des autres? Elle-même, pour l'instant, ne désire rien, car elle ne se sent aucun droit d'être heureuse. Mais que Hella revienne, ne repartira-t-elle pas de plus belle vers tout ce que la civilisation a à offrir, surtout la musique, car ici, plus que la nourriture ou le confort, c'est ce qui lui manque le plus? Cela lui semble même étrange. Bien sûr, si elle n'avait pas de riz ou de sardines, ou son duvet pour la préserver du froid nocturne, la musique passerait au second plan, mais puisque ses besoins physiques essentiels sont comblés, elle a le sentiment que si elle pouvait mettre de la musique là où il n'y a que du silence, du vent et le ressac au loin, tout serait différent. Avec la musique, c'est le reste du monde qui entrerait dans son abri. Mais, encore une fois, ce n'est pas compatible avec ce qu'elle se doit de ressentir; le ressassement continu de sa douleur est tout ce qui la relie à Hella. Ce lien ne peut être rompu.

Ce qu'elle ne s'avoue pas, cependant, c'est que, plus encore que la musique, ce qui lui manque, c'est une présence. Souvent, très souvent, elle évoque Adam, mais celui-ci ne s'est plus jamais manifesté comme il l'a fait juste avant la disparition de Hella, presque comme si, à ce moment-là, il n'était venu que pour détourner son attention. Aussi, parfois, avant de réagir et de se reprendre, il lui arrive d'imaginer que cet homme étrange qui a fait fortune en Chine surgit à l'improviste dans son abri. Lorsqu'elle se pose des questions à son sujet, elle hésite à lui attribuer une cote entre le vice et la vertu, puis, lorsque l'imagination cherche à se débrider, elle s'efforce de penser à autre chose. Mais tout de même, pourquoi cet homme singulier et sa fille prénommée Freyja sont-ils survenus dans son existence juste après la disparition de Hella, comme si, là encore, il pouvait y avoir programmation?

Tout ceci tant et si bien que Miriam n'est pas autrement étonnée lorsque Loki se présente réellement dans l'encadrement de la porte de l'abri.

«Bonjour, Miriam, je suis venu vous apporter des nouvelles…» dit-il sur un ton qui ménage un peu le suspense.

Puis d'ajouter, avant qu'elle ne se méprenne douloureusement:

«Selma se trouve en tête au *top ten* de toutes les radios de la planète. Il faut vous rendre compte: il ne s'agit pas d'un succès au sens habituel du mot; c'est un phénomène de société. Sincèrement, je crois que vous devez vous rendre compte.

— Bonjour… Qu'entendez-vous par phénomène de société?

— Eh bien, des mouvements se forment en son nom, réclamant plus de justice, de partage, d'amour, de respect des autres et de l'environnement.

— Il n'y a vraiment rien de nouveau là-dedans. Il est toujours facile de faire bonne figure en réclamant. Ne dit-on pas que l'enfer est pavé de bonnes intentions?

— Bien sûr, sauf que cette fois, au-delà des modifications dans les comportements sociaux, même les politiciens semblent influencés. Rendez-vous compte: depuis que Selma a envahi les ondes, peut-être à cause de la chanson *Your Body Your Soul*, on a enregistré une baisse de plus de trente pour cent du chiffre d'affaires de l'industrie de la détente pour adultes.

— Vous parlez de la pornographie?

— Exactement. Et ce n'est pas tout. Les chiffres sont officiels: sans aucune raison apparente, les dons de charité ont augmenté à l'échelle planétaire dans un rapport de plus de mille pour cent. Plus de mille pour cent! Et cela continue.

— Vous pensez réellement que c'est dû au disque?

— Le fait est que cela va en parallèle.

— Si tel est le cas, je suis contente. Je suis contente, mais je comprends encore moins pourquoi on m'a repris Hella.

— Je voulais vous donner ces nouvelles, je me disais que cela pourrait non pas vous consoler, bien sûr, mais au moins vous apporter un peu de réconfort.

— C'est gentil à vous. »

Miriam ne sait que penser de cette visite. Oui, elle est contente d'apprendre que le disque de Hella provoque un mouvement positif, même si elle a un peu de mal à s'en persuader, mais elle ne peut concevoir que ce soit uniquement pour lui apporter cette nouvelle que ce capitaine d'industrie s'est déplacé jusqu'ici. Du reste, elle est étonnée de ce qu'il se trouve encore en Islande; un homme possédant tant de pouvoir ne devrait-il pas se trouver près de ses affaires? D'un autre côté, même si elle refuse de l'admettre, cette visite ne la laisse pas indifférente, encore qu'elle aurait aimé être prévenue afin de se rendre un peu plus présentable. Sur ce point, d'une certaine manière, Loki avait envisagé la trouver un peu moins bien que dans son souvenir et ainsi avoir une bonne raison de se libérer de l'emprise qu'il ressent depuis l'instant où il l'a vue, mais il n'en est rien. Miriam a beau porter des vêtements qui conviendraient parfaitement sur le pont d'un chalutier, il la retrouve égale à son souvenir, sinon mieux. Peut-être que le seul moyen de se libérer est de la séduire, mais là encore, il n'est pas certain de vouloir être libéré.

Il désigne le chemin qui, à près d'un kilomètre, serpente en contrebas :

« Je me suis permis de vous apporter quelques provisions. Je me doute qu'ici, sans véhicule, cela ne doit pas être facile.

— Il ne fallait pas! J'ai tout ce dont je peux avoir besoin. »

Il secoue la tête, réalisant qu'il s'est mal engagé. Il est sans doute préférable de se montrer clair et direct; toutes ces politesses ne font que dresser des barrières.

« Cela me fait plaisir ainsi, Miriam. Vous m'êtes profondément sympathique depuis le moment où je vous ai aperçue; c'est donc pour me faire plaisir à moi que je suis ici. N'ayez pas de crainte, il ne s'agit aucunement d'un élan charitable suscité par une quelconque pitié. »

Pour la première fois depuis des semaines, Miriam éclate de rire. Un rire cristallin presque inconvenant dans cet environnement davantage taillé pour la tragédie. Un instant, Loki se demande s'il n'a pas dit quelque chose de risible, puis il comprend qu'elle rit tout simplement parce qu'il a cassé la glace. Comme dans le flash d'un kaléidoscope, il prend conscience du cou gracile de Miriam, presque un symbole de fragilité. Peut-être y a-t-il là un autre moyen de se libérer? Non, cela ne correspondrait en rien à ce qu'il souhaite pour le moment.

«J'ai dit quelque chose? feint-il de s'étonner.

— Non, non, excusez-moi, c'est juste qu'il y a longtemps que je n'ai pas parlé à quelqu'un.

— C'est une question que je me suis posée; vous n'avez aucune famille?

— Oui, bien sûr, mes parents sont venus alors que je logeais chez les vôtres.

— Et ils ne vous ont pas convaincue de repartir avec eux?

— Ils ont bien essayé. En réalité, j'ai du remords à les laisser dans le tourment à mon sujet, mais que pourrais-je faire... Quoi qu'il en soit, j'avoue que je suis contente de parler à quelqu'un.

— Vous auriez sans doute préféré une connaissance, mais c'est moi...

— Je suis contente que ce soit vous.

— Voilà qui me réjouit! Est-ce trop indélicat de vous demander pourquoi? »

Le sourire encore apparent de Miriam s'efface. Ils se dévisagent en silence puis la réponse s'impose:

«Bien... Peut-être pour répondre à une question que je me suis posée à votre sujet...

— Je suis fébrile de l'entendre.

— Je ne sais pas, elle va sans doute vous surprendre et peut-être aussi vous fâcher.

— Allez-y quand même?

— Alors voilà: en quoi pourriez-vous être le "père du serpent"? »

Le visage de Loki s'éclaire:

«Je vois à quoi vous faites allusion. Loki, le serpent, la mythologie, l'*Edda*. Pour tout vous dire, j'ignore toujours pourquoi mes parents m'ont affublé de ce nom.»

Miriam n'a aucune idée de ce dont il parle. Va-t-elle découvrir un fait nouveau?

«Je ne comprends pas... dit-elle.

— Vous venez de le dire, Loki, le serpent. Dans la mythologie, Loki est effectivement le père d'un serpent.

Yeux écarquillés, Miriam sent battre son cœur.

«Je ne connais rien à la mythologie, dit-elle. Qui est Loki?»

C'est lui, cette fois, qui éclate de rire, un rire blanc éclatant sur fond de ciel ravagé.

«Loki est le prince des menteurs. Il est aussi le père de Jörmungandr, le serpent qu'il a eu avec une géante dont j'ai oublié le nom. Cela dit, n'ayez crainte, je ne pense pas avoir de liens avec ce Loki. Mais alors… pourquoi cette question sur le serpent si vous ne connaissiez pas la mythologie?»

Miriam ne sait où elle trouve la force de rester apparemment calme et de répondre sans trop s'étendre.

«Un jour, un gitan m'a mise en garde contre une possible rencontre avec le père d'un serpent…

— Qu'est-ce qui a pu vous donner l'idée que ça pourrait être moi? Je ne sais pas comment je dois le prendre.

— Ne le prenez pas mal, mais je suis une personne ordinaire et j'ai du mal à concevoir comment l'on peut amasser une fortune comme la vôtre sans jamais… comment dire… tricher?»

Il se détourne comme pour contempler l'océan. Lorsqu'il revient à elle, son visage exprime une certaine douleur.

«Je comprends à présent le sens de votre question, dit-il d'une voix blanche et sans rien ajouter.

— Je ne voulais pas vous blesser! s'écrie Miriam, qui ne sait plus quoi penser.

— Ce n'est rien, je comprends. Je veux seulement que vous sachiez que, pour une raison que j'ignore moi-même, même si je ne vous connais pas, je vous estime beaucoup et il m'est un peu douloureux de savoir que vous puissiez m'imaginer en tricheur. Mais oublions ceci. Je vais aller chercher vos provisions. Je ne serai pas long.

— Attendez, Loki, je vous accompagne.»

Il lui sourit.

Côte à côte, en silence, ils font le trajet jusqu'à la petite route, uniques silhouettes sur toute la circonférence de l'horizon.

Outre les provisions visiblement choisies avec intention, il lui tend un petit lecteur numérique.

«J'ai pensé qu'ici, toute seule, vous deviez manquer de musique. En tout cas, à votre place, cela me manquerait terriblement. Il y a là-dedans plus de mille morceaux. J'ai pris soin d'y inclure tout Selma. Je vous ai également apporté des piles supplémentaires.

Bien qu'elle sache à présent qu'une mécanique est en train de se mettre en place, Miriam est émue par cette pensée qui prouve sans l'ombre d'un doute qu'il a pensé à elle d'une façon qui dépasse la simple sympathie. Se le faisant valoir, elle s'avoue que, de son côté, elle n'a jamais vraiment cessé de penser à lui. L'espace d'un instant, elle se laisse même aller à imaginer qu'il lui pose la main sur l'épaule, ou un geste du genre qui scellerait cette étrange complicité qu'elle ressent.

«Je ne sais comment vous remercier, et je vous insulte…

— Non, je peux me mettre à votre place et comprendre que vos questions sont tout à fait naturelles. Tiens, parlant de me mettre à votre place, je sais pourquoi vous tenez à rester ici, mais permettez-moi de vous dire que je ne suis pas certain que ce soit la bonne solution.

— Vous voulez dire pour oublier?

— Non, pas du tout. Vous le savez, j'ai tout de suite été fasciné par la voix de Selma, je veux dire de Hella; au point, aujourd'hui, que je me demande si elle n'est pas dans toutes ces ondes autour de la planète qui portent sa voix.

— Que voulez-vous dire?

— Ce que je veux dire… En temps normal, je ne suis pas très porté sur ce qui n'est pas tangible, mais la force d'impact de cette voix a quelque chose qui dépasse le cadre ordinaire et je me demande s'il n'est pas permis de penser que Hella puisse être là, partout, sachant que par ses chansons elle peut réellement changer quelque chose.

— Je n'avais pas pensé à cela, mais les enregistrements

étaient ce qu'ils sont bien avant qu'elle disparaisse. Pourquoi aurait-il fallu que…

— Je ne sais pas. Je sais que c'est complètement insensé, mais… non, c'est ridicule! Tout ce que je peux dire, c'est que trop souvent les artistes croient qu'il suffit de fabriquer l'œuvre. Ils considèrent que leur tâche s'arrête là sans se poser la question de l'utilité de l'œuvre si celle-ci n'est pas diffusée.

— Je ne vois pas bien le rapport avec Hella? D'autant plus que la diffusion requiert un talent que n'a pas nécessairement l'artiste.

— Je ne suis pas certain d'adopter votre point de vue puisque le travail de l'artiste en est avant tout un de communication, de partage. Le poète a une émotion, une perception, il la transcrit par le verbe, mais à quoi bon s'il glisse ensuite la feuille dans un tiroir pour l'y oublier?

— Vous imaginez donc que Hella se serait dissipée dans les ondes pour mieux communiquer son message?

— Non, bien sûr, non; à l'entendre ainsi, c'est tout à fait ridicule. Ce que je voulais dire… Non, je ne sais même plus ce que je voulais dire.

— Là, par contre, moi je sais ce que vous voulez dire; je suis sans arrêt dans cette position en équilibre entre l'imagination et l'impossible. Je n'arrive pas à en sortir.

— Il y a peut-être une solution… Je me demandais justement si pour vous le meilleur moyen de rester en lien avec votre fille ne serait pas de l'aider à diffuser son album.

— Est-ce que vous ne venez pas de dire qu'il était déjà partout premier dans le monde?

— Oui, mais je peux voir plus loin. Imaginez! Un spectacle holographique en son et lumière, ici, en Islande, retransmis simultanément dans le monde entier. Imaginez l'impact… De grandes religions ont transformé le monde en partant de beaucoup moins.

— Justement, Hella était plutôt allergique à tout ce qui s'appelle religion.

— C'est ce que je comprends dans le message de ses chansons: "arrête de croire sans savoir", "bâtis sur l'amour, pas sur des dogmes", "écoute ton cœur, ferme tes oreilles aux paroles des geôliers de la conscience", "l'empathie est à l'autre bout du dogme". C'est ce que je comprends en l'écoutant et, avec votre aide, cela pourrait être diffusé aux quatre coins de la planète. J'en ai les moyens, Miriam. »

Miriam se demande s'il n'a pas raison. À part Olaf Thorbjorson dans une certaine mesure, personne encore ne lui a apporté une explication utile à la disparition de Hella, et voilà, en plus, qu'il propose de mondialiser le message à travers un spectacle peut-être en mesure de changer un petit quelque chose. Mais quoi, s'il est le père du serpent dont a parlé Paco? Non, Paco a juste spécifié que le médaillon ne devait pas se trouver entre eux, qu'elle le porte ou non. Il n'y a aucune raison de penser qu'un spectacle pourrait dégénérer en... non! Bien sûr que non! Et puis, que pourrait-il arriver de pire que la disparition de Hella? Le pire ne s'est-il pas déjà produit? Elle se souvient de Ralph Aalto, mais écarte aussitôt l'hypothèse implicite, sachant pertinemment que, aussi moche qu'ait été cette histoire, elle n'a impliqué aucun père du serpent et que, selon tout ce qu'elle sait aujourd'hui, Loki remplit parfaitement le rôle. Sauf que, outre la mise en garde transmise par Paco, rien ne permet de penser que le père du serpent soit nécessairement mauvais.

« J'avoue que l'idée mérite d'être étudiée, dit-elle en extirpant le médaillon de sous son gilet de laine puis en le désignant: qu'est-ce que cela représente, à votre avis? »

Se penchant, Loki perçoit l'odeur de Miriam et y réagit par une érection qui le surprend lui-même par son intransigeance.

« Je dirais qu'il s'agit d'une déesse, répond-il. Pourquoi? Qu'est-ce que c'est?

— Ça représente Freyja, la déesse de l'amour et de la fertilité, à ce qu'on m'a dit. C'est aussi le prénom que vous avez donné à votre fille. Y a-t-il à cela une raison particulière?

— Pas réellement, mais j'aime à dire que cela vient de ma conviction que, s'il y a un principe créateur, il est d'abord féminin, le masculin n'en est que le complément. Les anciens l'avaient bien compris: à Sumer elle s'appelait

Inanna, à Babylone c'était Ishtar, à Canaan c'était Anat, puis Isis en Égypte, Aphrodite en Grèce, Vénus à Rome et Freyja chez nous; toujours la même, personnifiant ce qui fait tourner le monde.

— N'est-ce pas un prénom un peu lourd à porter?

— On voit que vous ne la connaissez pas... Et vous, pourquoi ce médaillon?

— Oh, simple cadeau d'un ami, pas d'autre signification particulière. »

Elle ne comprend pas pourquoi elle éprouve le besoin de lui mentir ainsi, d'autant plus que, le faisant, elle a l'impression de se mettre à sa merci. Pourquoi ne peut-elle lui donner la véritable histoire de ce médaillon? Comme si cette complicité ressentie, paradoxalement, se nourrissait du mensonge.

Il hoche la tête et lâche le médaillon qu'il a tenu jusque-là. Miriam perçoit comme une odeur de musc. C'est presque subjectif, mais elle demeure figée une seconde. Une image or et ténèbres traverse son crâne. Loki la voit entrouvrir les lèvres comme de stupeur et sourit en lui-même. Elle est là, juste devant lui, celle qui lui sourira en toutes circonstances.

XXXIII

Hormis peut-être dans le nord de l'Écosse et surtout dans les Hébrides, Miriam ne peut se souvenir de paysages dans lesquels elle se soit autant sentie en symbiose. À la réflexion, elle n'arrive pas à comprendre pourquoi. Elle est née dans la région sud des Grands Lacs américains, une région plutôt riche, généreuse et accueillante pour l'homme. Les hivers n'y sont pas trop rudes et les étés sont suffisamment longs et chauds pour permettre des cultures en plein champ comme celles de la tomate, du piment ou du soya. La flore y est variée et les arbres y vivent centenaires; comment peut-elle se sentir chez soi dans ce pays de lave torturée, de végétation rabougrie et de grèves de sable noir attaquées par un océan sans cesse écumant? Son âme appartient-elle aux indigos et aux gris de cette terre? Sans doute puisqu'elle le ressent comme tel, mais pourquoi?

Non loin de son abri, passé un défilé étroit entre deux parois d'une lave ancienne tirant sur les tons de brique, se trouve un petit réservoir d'une eau presque turquoise alimenté par une source thermale. Patiemment, elle l'a débarrassé des cendres qui s'y étaient accumulées après l'explosion du Hekla, et depuis, chaque jour, elle vient s'y baigner quelle que soit la température. Là, seule, entourée de sombres parois avec le ciel souvent ardoise tout en haut, elle a la sensation de se trouver exactement à la place qui lui est assignée dans l'univers. Si elle était native de ce pays, elle pourrait comprendre, mais elle vient du Détroit. À moins, tout simplement, que les couleurs tragiques du ciel et de la terre islandaise soient celles de sa psyché?

Il est vrai par ailleurs que ces couleurs, associées à l'hiver, prévalent actuellement sur l'ensemble de la planète. En ce début de septembre, nulle part il n'y a eu d'été suffisamment digne de ce nom pour permettre des récoltes et pour engranger. Il va falloir vivre toute l'année à venir sur les réserves et entamer le cheptel de façon drastique. Les livraisons de céréales vers les pays chroniquement affectés par la faim sont réduites à presque rien. Au Niger, au Tchad, en Haïti ou au Bangladesh, les coopérants, impuissants, baissent les bras et regagnent leurs pays d'origine en rapportant des témoignages qu'aucun média n'a le cœur de couvrir. Le temps est au chacun pour soi. Il n'y a pas d'autre choix que de nourrir les populations locales et de garder suffisamment de semences pour l'an prochain. Toujours prompts à appliquer des préceptes qui semblent découler de quelque loi universelle genre «du pain et des jeux», les gouvernements favorisent la mise en place de dispositifs permettant aux amuseurs publics de laisser libre cours à tous leurs délires. Plus que jamais, les divertissements sont à l'ordre du jour. C'est dans ce contexte que Loki a œuvré ces derniers mois à organiser le *Selma Live* qui, depuis les cendres du Hekla, sera retransmis simultanément dans pratiquement toutes les nations. Il n'a rien ménagé. Bien entendu, Selma ne sera pas là – sa véritable histoire (ou presque) a fait le tour de la planète –, mais artistes et ingénieurs ont travaillé à recréer une Selma holographique qui, dit-on, sera aussi haute que le volcan l'était. Dans toute la définition du mot, un spectacle auquel, répartis dans toutes les grandes capitales, participeront les grands noms de la musique contemporaine. Un spectacle comme jamais encore on n'en a vu, et auquel tout le monde est expressément invité à participer. Un peu comme lors des célébrations du changement de millénaire, tous danseront et se donneront la main à travers une même fête planétaire.

Miriam a donné son accord de principe, mais elle n'a pas voulu s'engager davantage, se réservant tout entière, loin de la rumeur du monde, pour poursuivre la quête de sa fille. Loki a bien essayé de la convaincre de l'épauler, rien n'y a fait. Tout au plus a-t-elle accepté de dire quelques mots en mémoire de sa fille lors de l'ouverture du concert. Un message qui sera retransmis à travers toutes les capitales et dans tous les foyers et qui donnera le coup d'envoi d'une «communion globale rêvée par Selma».

À part les visites plutôt régulières de Loki, Miriam reste confinée dans la solitude et, chaque jour un peu plus, se sent en mesure d'interpréter la terre qui la porte et dont elle est le regard privilégié. À aucun moment, elle n'a souhaité faire ce que d'autres appellent un retour à la nature, pas plus qu'elle n'a prémédité de se retirer dans un quelconque ashram nordique. Pas du tout; toute son ambition ne tient qu'à un seul mot d'ordre: rester en contact avec Hella. L'est-elle? Elle-même est incapable de l'affirmer, mais elle est cependant convaincue que toute autre forme d'activité l'en éloignerait.

Aujourd'hui, veille du spectacle, Loki a décidé d'aller trouver Miriam afin de la convaincre de passer la nuit sur son navire pour avoir ainsi le temps et les moyens de se préparer. Il ne lui a encore rien dit, mais il a passé beaucoup de temps à concevoir puis à faire tailler la robe qu'il a imaginée pour sa prestation. À force d'y penser, il l'a appelée «la robe bionique». Il est vrai que le vêtement qui résulte de ses recherches et de son travail est pratiquement vivant, en ce que les matériaux qui le composent sont censés interagir avec l'épiderme qu'ils habillent. Une robe qui, sur Miriam, deviendra un peu Miriam.

Ne trouvant pas cette dernière dans son abri, ni autour, il part à sa recherche, laquelle est facilitée par les traces laissées dans le tapis de cendres glacées qui couvre toujours l'île. S'engageant dans le défilé de lave, il déduit qu'elle doit sans doute être en train de prendre un bain dans ce bassin naturel dont elle lui a déjà parlé. Aussitôt, il fait son pas plus léger. Le pas du chasseur.

Les yeux fermés, de l'eau jusqu'au menton, Miriam ne l'entend pas venir, mais, à travers le roc et la lave avec lesquels elle fait corps, elle le sent et même perçoit son changement d'allure. Elle ne bouge pas, n'ouvre pas les yeux, consciente que l'eau saphir de ce bassin la couvre autant que le ferait un vêtement. Elle veut savoir combien de temps cela prendra avant qu'il se manifeste. Puis elle sait qu'il est là et regrette aussitôt sa décision en se rendant compte qu'elle n'est pas insensible au fait de se trouver ainsi, presque exposée à son regard. Mais avant qu'elle puisse faire ou ne pas faire quoi que ce soit, la première chose qu'elle voit, surprise, en ouvrant brusquement les paupières, c'est Loki, nu, plongeant dans le bassin.

« Dieu! que c'est bon! » s'exclame-t-il en réapparaissant et en affichant un sourire propre à désarmer toute velléité de reproche, formulé ou non.

— Vous m'avez presque fait peur », dit-elle en cherchant des mots aptes à noyer le fait qu'elle sent trop bien à travers toute sa chair qu'ils sont là, nus tous les deux, dans une eau qui, à la température du corps, ne semble que le prolonger.

Excusez-moi, dit-il, ça a été plus fort que moi... Là, je comprends presque votre désir de rester par ici.

— Il s'agit quand même d'autre chose.

— Je sais, Miriam. C'était un moyen d'exprimer le bien-être que je ressens. Prévenez-moi si vous voulez sortir; je fermerai les yeux, promis!

— Parole de boy-scout? cherche-t-elle à plaisanter pour désamorcer sa propre tension.

— Je ne sais pas quoi vous répondre. Il me semble qu'en de telles circonstances n'importe quel boy-scout qui se respecte n'aurait aucun tracas de conscience à renier sa parole. Dans boy-scout, il y a *boy*...

— Tous les hommes ne sont-ils pas des *boys* en puissance?

— J'inverserais plutôt la proposition. »

S'immergeant, il disparaît. Miriam sent qu'il est là, à quelques mouvements, peut-être même peut-il la discerner. Et puis après? La discerner, si tel était le cas, n'est pas la voir. Une image volée n'est pas une image offerte. Sans compter qu'un homme comme lui, réellement beau et riche, doit avoir eu le loisir de contempler à sa guise les femmes les plus belles. Du reste, son détachement prouve qu'il doit avoir dépassé ce genre de préoccupation justement attribuable à des boy-scouts. N'est-ce pas elle qui pense un peu *girl-scout*?

«Je suis venu vous chercher, dit-il en réapparaissant.

— Je pensais que c'était demain?

— Demain, je n'aurai pas le temps, et puis, aussi, je vous ai préparé une surprise qui ne peut attendre demain…

— Une surprise?

— Vous verrez. Tout ce que je peux vous dire, c'est que c'est pour demain.

— Loki, vous le savez bien, nous en avons déjà parlé, je ne veux plus rien attendre de cette vie sans Hella.

— Alors disons que c'est une surprise que je me fais à moi. Et puis, êtes-vous certaine que c'est vraiment ce que Hella voudrait? Sans compter que…

— Que quoi?

— Simplement que ce n'est pas vous qui avez quitté Hella.

— En d'autres mots que ce serait Hella qui m'a quittée?

— Non, elle ne vous a pas quittée, ce n'est pas ce que je veux dire, mais, selon ce que vous m'avez vous-même rapporté, il lui fallait voir à des «affaires supérieures».

— Que suggérez-vous? Que je mène une vie mondaine sans signification, champagne, week-end à Honolulu, Ritz-Carlton, strass et je ne sais quoi?

— Je ne m'engage pas dans cette conversation, Miriam, nous l'avons déjà eue.

— En effet.

— Vous parlez comme si vous étiez fâchée?

— Pas du tout, non.»

Il hoche légèrement la tête comme s'il n'en était pas tout à fait convaincu, puis il se laisse aller sur le dos, regard planté dans la trouée de ciel. Miriam le voit et se rend à l'évidence que, selon tout ce qu'elle croit savoir, elle ne lui fait pas d'effet, du moins pas comme il lui en fait puisqu'elle ne voudrait pas qu'il la voie en ce moment. Cependant, ce constat ne fait qu'engendrer un besoin irrationnel d'être regardée pour ce qu'elle est : une femme. Quelques minutes plus tard, se redressant et apercevant le regard de Loki posé

327

sur elle, elle ne fait rien pour s'y dérober. Il ne s'esquive pas alors qu'elle croise son regard.

«Vous êtes très belle, dit-il.

— Je vous retourne la même appréciation.

— Ne mélangez pas les diamants et les pierres du Rhin.»

Miriam ne peut s'empêcher de rire.

«Cette fois, dit-elle, vous péchez par excès de modestie.

— Disons que ce n'est pas désagréable de se l'entendre dire, surtout venant de vous.»

Miriam se retient de relever cette précision, sachant bien où cela pourrait conduire. Loki comprend qu'il a manqué de subtilité et perdu l'ouverture qu'il croyait s'être ménagée. Il n'en est pas contrit. Au contraire, il sait qu'il faut attendre que tout soit en place pour que leur «union» soit parfaite; cela, même si, du strict point de vue sensuel, un «soulagement» serait bienvenu.

Ils ont dérivé sans s'en rendre compte vers l'endroit où une longue dalle plate descend en pente douce dans le bassin. Miriam se demande si, comme il le lui a suggéré, elle doit le prévenir qu'elle va sortir. Non, le mieux est qu'elle sorte le plus naturellement du monde, même si cela ne lui semble absolument pas naturel – sans doute son éducation –, et qu'elle aille paisiblement s'habiller comme si de rien n'était. C'est l'option qu'elle choisit et, le cœur battant à tout rompre, elle se retrouve sur la pierre plate et se dirige vers ses vêtements. Pendant qu'elle s'essuie, elle ne peut s'empêcher de se demander s'il s'est détourné ou si, au contraire, il la regarde. Elle s'en veut de ces considérations puériles.

Lorsqu'elle se tourne enfin vers le bassin, elle se rend compte qu'il s'apprête à sortir à son tour, ce qui tend à prouver qu'il l'a observée tout au long. Elle se détourne. Une seconde plus tard, elle l'entend jurer et, surprise, se tourne à nouveau vers lui pour découvrir qu'il s'est tordu une cheville dans une anfractuosité. Plus tard, elle se demandera si elle a agi par simple compassion ou si elle a profité de la situation; toujours est-il qu'elle se précipite vers lui alors que, sous la douleur, il s'assoit dos tourné pour se masser le pied, en continuant dans sa langue natale à lancer des obscénités qui arrêteraient certainement Miriam si elle pouvait les comprendre.

« Ça va, merci », dit-il en l'apercevant.

Le ton est dur, presque mauvais. Elle l'attribue à la douleur et s'avance néanmoins pour s'agenouiller face à lui afin de regarder sa cheville. Quelque chose chavire en elle au moment où elle pose les doigts sur lui. Elle sait pourtant immédiatement que ce n'est pas de l'amour, du moins pas au sens qu'elle pense devoir lui donner, et certainement pas au sens où elle a aimé Adam. C'est autre chose et, quoi que ce soit, tout aussi puissant. On pourrait facilement déduire qu'il s'agit de désir, mais ce serait faire fausse route. Non, à l'instant où elle touche le pied de Loki, et bien qu'il se trouve nu et que son sexe semble la regarder comme un troisième œil de lui-même, ce qu'elle ressent avec une force dévastatrice, c'est le besoin absolu d'être anéantie. Il lui faut toute la volonté du monde pour, lui semble-t-il, paraître naturelle et dire :

« Je crois que c'est foulé. Je vais tirer un peu, ça va vous faire mal puis ça ira mieux. »

Elle fait comme elle a dit. Il grimace puis, dans un soupir de soulagement, se laisse aller sur le dos.

« Je crois à présent que je n'ai plus rien à vous cacher », dit-il.

Miriam hausse les épaules comme si tout cela n'était que broutille et s'apprête à se relever, cherchant surtout à fuir ce qu'elle ressent. Il la retient en lui prenant la main et se redresse.

« Miriam, ce n'est sans doute pas le moment, ou alors ce sera celui-là, commence-t-il sur un ton grave et profond, mais vous devez savoir que je sais que vous me désirez autant que je vous désire. Je sais aussi que pour toutes sortes de raisons vous ne voulez pas reconnaître ce désir, et encore moins l'assouvir, mais ce que je veux que vous sachiez, c'est que je vous attendrai le temps qu'il faudra. Dans un mois, dans un an ou dans dix ans, vous le reconnaîtrez et, ce jour-là, je serai là pour vous. Uniquement pour vous. C'est inévitable, car vous êtes la lumière comme je suis les ténèbres. Pour que la nuit vienne et pour que naisse un autre jour, ils doivent se rencontrer. Vous avez besoin de ma nuit comme j'ai besoin de votre jour.»

Il lui lâche la main, elle se mord les lèvres.

«Pourquoi devrais-je avoir besoin de la nuit? demande-t-elle d'une voix sourde en regardant un horizon qui n'existe pas.

— Sans doute tout simplement parce que vous voulez être bonne, gentille, pure et tout dans ce sens. Mais comment l'être réellement sans d'abord éprouver les ténèbres?

— Éprouver ne signifie pas nécessairement succomber.

— Mais ne pas succomber signifie renoncer à jamais. À jamais! Renoncer à apaiser ce qui vous brûle; et vous brûlez depuis longtemps, Miriam. Seulement, jusqu'à ce que nous nous croisions, vous ne saviez pas de quoi, ou plutôt de qui. Regardez-moi, je suis celui qui vous brûle. Regardez-moi et osez affirmer le contraire.

— Je vous regarde et, en admettant une possible attract-ion, je dis bien en admettant, je ne vois pas en quoi on pourrait appeler cela un quelconque appel de la nuit ou des ténèbres.»

Loki sourit de toute la blancheur de ses dents.

«Parce que c'est moi qui vous brûle, et il en est ainsi parce que je suis l'envers de vous comme vous êtes l'envers de moi. Pas le contraire, l'envers. Bien sûr, si je me trompe, tout aura été dit et, du fait même, rien n'ira jamais plus loin.

— Exactement.»

Il saute sur ses pieds comme si jamais il ne s'était tordu la cheville, fait quelques pas vers ses vêtements et se tourne vers elle qui n'a pas cessé de le suivre des yeux.

«Un jour, dit-il, l'un de nous deux implorera l'autre. J'avoue que je suis incapable de prédire si ce sera vous ou moi. Par contre, je sais que vous ne m'aimez pas de ce que vous appelez l'amour, mais ceci ne signifie pas que moi non plus je ne vous aime pas de cette façon. Demandez-moi n'importe quoi, Miriam, je vous le donnerai. N'importe quoi!

— Alors donnez-moi votre amitié, je n'ai besoin que de cela.

— Elle vous est déjà acquise, vous le savez.

— Que voulez-vous dire quand vous dites : "Ce que vous appelez l'amour"? N'en existe-t-il pas qu'un seul?

— Oui, mais, comme tout le reste, il a deux faces.

— Quelle peut être l'autre?

— Ce que vous ressentez pour moi, ou plus exactement pour ce que je suis.

— Et qu'est-ce que vous êtes?

— La croix sur laquelle vous désirez être crucifiée.

— Comment pouvez-vous dire des choses pareilles!

— Peut-être parce que j'ai besoin de dire la vérité, surtout quand elle dérange.

— Votre vérité n'est certainement pas la mienne.

— Il n'y en a pourtant qu'une. »

Marchant à ses côtés vers l'abri, presque pour minimiser la portée de ces paroles, Miriam ne peut se cacher que tout à l'heure, alors qu'il était juste face à elle, elle a souhaité qu'il l'attire contre lui. Et elle est incapable d'affirmer ce qu'elle aurait fait si tel avait été le cas. Tout ce qu'elle peut se dire, c'est que si un jour elle a trouvé la force de dire non au recenseur, c'était parce qu'il n'était pas Loki.

XXXIV

Pour Miriam, la transition entre son abri et la cabine que Loki lui a fait faire en prévision de ce jour équivaut pour ainsi dire à passer de l'âge de pierre à une époque postgalactique. La cabine peut en effet évoquer celle d'un vaisseau spatial dévolu à une quelconque impératrice régnant sur un empire interplanétaire. De Hong Kong, il a spécialement fait venir une garde-robe signée Vivienne Tam. L'attention va jusque dans la salle de bains où un flacon de cristal brut contient une eau de toilette signée Jean Patou et portant pour nom *Miriam*.

«Un vrai rêve de petite fille», pense Miriam sans pour autant se sentir dans le rêve. En réalité, elle voudrait se sentir détachée vis-à-vis de toute cette opulence, ne pas faire de différence avec son abri de pierre, mais elle ne parvient pas à s'ôter de l'esprit qu'elle se trouve dans un décor conçu pour elle, un décor qui à lui seul doit représenter le salaire d'une vie pour un cadre moyen du monde occidental. Flattée n'est pas le mot; ce qu'elle ressent a un certain rapport avec le fait de savoir pertinemment qu'il lui suffirait de vouloir et tout ceci deviendrait son quotidien. Tout est possible, il n'en tient qu'à elle. La tentation dans toute la définition du mot.

Sur un plan plus philosophique, assise au bord du lit assez vaste pour y dormir de tout son long dans n'importe quel sens et à ce point surélevé qu'en ce moment ses pieds posent à peine sur le tapis persan où se perd son regard, elle se demande quelle différence fondamentale il peut y avoir à vivre ici plutôt que dans son abri. Une vie en ces lieux est-elle plus valable qu'une autre dans une caverne? Il y a de fortes probabilités qu'elle soit plus confortable, mais autrement? Sans doute que vivre en de tels lieux ne doit pas manquer de stimuler l'orgueil et, par là, d'accroître un pouvoir de séduction permettant de réaliser plus facilement des ambitions de conquêtes quant à un partenaire de jouissance et de reproduction; mais quoi pour la tendresse? Sur l'échelle des besoins fondamentaux, cette dernière ne règne-t-elle pas loin au-dessus du besoin de séduire ou celui de jouir? Elle a beau chercher, la tendresse n'a pas besoin de tout cela. Il se peut cependant que sa perception soit faussée par une conception romantique à l'eau de rose de l'existence. Peut-être même que c'est ce qui cloche chez elle : une propension à croire que les couchers de soleil bras dessus, bras dessous valent mieux qu'un orgasme anonyme dans le plan d'ombre d'un parking, comme s'il n'était pas possible d'envisager l'orgasme amoureux sur fond de couchant, et depuis le pont d'un yacht comme celui-ci.

Elle fait non de la tête, cherchant à chasser ce qui s'est insinué en elle dans l'après-midi et qui, à n'en pas douter, imprègne maintenant toutes ses pensées. Il lui faut se reprendre! Dès le lendemain, après le spectacle, elle retournera à son abri et priera Loki de ne plus y revenir. Il n'y a pas d'alternative si elle veut se retrouver. Cependant, en filigrane de cette résolution, un autre courant de pensée lui fait se demander si elle est réellement ce qu'elle croit – ou veut être –, si la véritable Miriam n'est pas en train de sortir de sa chrysalide.

Comme en écho à cette supposition, elle se remémore cette présence mauvaise qui l'a poussée à se réfugier chez *Jerry* juste avant de rencontrer Joe. Qu'était-ce exactement? La même chose qui a provoqué la mort de Joe en essayant de s'en prendre à Hella? Ou encore cette présence visqueuse à l'hôtel de Glasgow? Est-ce cela qui est à l'œuvre à travers Loki? Elle ressent encore ce qui l'a saisie lorsqu'elle lui a touché le pied; c'est toujours là, au cœur d'elle-même. Suivant du regard les entrelacs géométriques du tapis qui tendent à provoquer un kaléidoscope de couleurs dans sa tête, elle s'arrête sur un point particulièrement rouge et, brusquement, un autre souvenir revient à sa conscience. Elle ne l'a jamais évoqué depuis que les faits qui le composent se sont produits. Pourquoi revient-il à présent? Elle avait quoi alors? Sept ans? Oui, elle était en deuxième année. Un prêtre était venu à l'école et leur avait expliqué que, sur terre, les hommes – encore à cette époque pas si lointaine l'expression valait autant pour les femmes –, les hommes donc avaient le choix de faire le bien ou le mal. Le petit Joseph Chauvin avait alors demandé pourquoi, si Dieu était tout-puissant, permettait-il que des gens fassent du mal à d'autres gens. Le prêtre avait répondu que cela était inhérent au libre arbitre que Dieu avait donné aux hommes. Joseph Chauvin avait alors demandé pourquoi il y avait les tremblements de terre et les épidémies si Dieu était tout-puissant. Cette fois, le prêtre avait évoqué un prétendu mystère en ajoutant la formule passe-partout comme quoi Dieu avait ses raisons que l'on ne pouvait connaître. À ce moment-là, sous le coup d'une idée qui lui avait semblé lumineuse, elle s'était adressée à son tour au prêtre pour lui affirmer que, si Dieu était infiniment bon, il ne pouvait pas être tout-puissant puisque infiniment bon signifiait qu'il était incapable de faire le moindre mal à qui que ce soit; il devait donc être comme un petit bébé qui ne peut que pleurer. Par contre, si vraiment Dieu était tout-puissant et pouvait faire n'importe quoi, cela voulait dire qu'il n'était pas infiniment bon. Le prêtre lui avait répondu qu'elle était trop jeune pour savoir de quoi elle parlait. Elle s'était néanmoins entêtée, disant que c'était logique, que, jeune ou non, si on lui disait quelque chose qui n'était pas logique, ça ne pouvait pas être vrai. Tout en essayant de conserver son calme, le prêtre avait déclaré pour toute la classe que Dieu était tout-puissant et infiniment bon, «point final, que cela semble logique ou non à la jeune demoiselle». Elle avait répliqué qu'elle le préférait infiniment bon, qu'autrement ce n'était pas son Dieu. Cette fois, le prêtre avait blêmi et lui avait dit que ce devait être le diable qui lui donnait tout cet orgueil de vouloir avoir raison.

Elle s'était fâchée et avait presque crié que c'était peut-être à lui que le diable donnait l'orgueil de vouloir avoir raison quand ce n'était pas logique. Son enseignante l'avait vivement réprimandée et elle avait dû rentrer chez elle porteuse d'une note destinée à ses parents. Cependant, à peine était-elle arrivée à la maison que son père lui avait appris que sa mère avait dû partir précipitamment au Québec pour être présente aux funérailles d'une tante. Ne sachant comment réagirait son père sans personne pour le calmer, elle avait décidé de ne pas donner la note avant le retour de sa mère. Mais, le même soir, tenaillée par la curiosité, elle avait décacheté l'enveloppe afin de lire la note. Le langage utilisé lui avait paru un peu compliqué. Il était notamment question de mauvaise influence et, ne sachant trop à quoi raccorder cela, elle s'était mis en tête que la note informait ses parents qu'elle se trouvait sous l'influence du diable. Sur le coup, elle avait fait front et avait déclaré tout de go au diable que, s'il l'entendait, il pouvait retourner dans son enfer, qu'elle était du côté du Dieu infiniment bon et que par conséquent il ne pouvait rien contre elle. «Rien, tu m'entends!» Un peu plus tard, se référant à sa propre logique, elle s'était fait la réflexion que, si Dieu était infiniment bon, peut-être que c'était le diable qui était tout-puissant, et elle avait pris peur. Elle s'était débattue longtemps avec cette idée avant de parvenir à s'endormir. Au milieu de la nuit, elle s'était réveillée en hurlant et avait trouvé son père déjà auprès d'elle, essayant de la rassurer, lui disant que ce n'était qu'un cauchemar. Cependant, même éveillée, elle ne parvenait pas à en sortir. Elle était toujours dans les images où son père était attaché sur une table de pierre tandis que le diable lui ouvrait le ventre pour en sortir des choses sanguinolentes qu'elle devait manger. Passant outre à ce qu'il avait pu lire dans *Comment élever son enfant*, son père l'avait emmenée dans son lit où, réconfortée, elle avait fini par se calmer et lui par s'endormir. Elle regardait la lune à travers les lattes des stores et lui trouvait quelque chose de sinistre et même de mauvais. Se pouvait-il vraiment qu'elle soit influencée par le mal et donc par le diable?

Comment pouvait-on le savoir? Non, ça ne se pouvait pas; elle ne voulait faire de mal à personne, elle aimait tout le monde, et son papa par-dessus tout! Emportée dans cet élan, elle avait voulu l'entourer de son bras alors qu'il dormait en lui tournant le dos et, ce faisant, elle était arrivée sur son sexe, dont tout ce qu'elle savait alors était, confusément, que c'était secret, sinon interdit. Mais sur le coup, elle n'avait pas réalisé de quoi il s'agissait; il y avait là quelque chose d'anormal, puis, comprenant, elle était restée là, paralysée, autant par la crainte que par la curiosité. Cela, bien sûr, n'avait jamais été dit, mais elle savait parfaitement qu'elle n'avait pas le droit de toucher ainsi à la «chose» de son père, que c'était mal. Mal, mais aussi, c'était étrange, elle se sentait plus près de lui. Ils étaient proches comme jamais ils n'avaient été, ils étaient là, tous les deux, et rien ne pouvait se mettre entre eux. Bon, c'était la place de maman, mais elle n'était pas là; en attendant, elle l'occupait, c'était normal. Lorsque la respiration de son père avait changé, elle avait voulu ramener son bras pour ne pas qu'il sache, mais ce qui s'était alors produit sous ses doigts l'avait paralysée. Le cœur battant à lui faire mal, comprenant que son père s'était réveillé, elle s'était dit qu'elle n'avait d'autre choix que de faire celle qui dormait et que sa main ne se trouvait là que par hasard. Alors qu'elle s'efforçait de respirer comme si elle dormait, un million d'idées contradictoires lui traversaient l'esprit. Elle ignorait totalement ce qui se passait physiologiquement sous ses doigts, mais elle savait trop bien que ce n'était pas innocent, ni pour elle ni pour son père, et que, par conséquent, il se passait en ce moment quelque chose de terrible. Quelque chose dont aucun des deux ne pourrait jamais parler, même l'un à l'autre, car ce qui se passait démontrait qu'on n'était pas ce qu'on voulait être. Puis soudain, son père s'était éjecté du lit pour se presser vers la salle de bains où il s'était enfermé. Et elle s'était sentie très malheureuse, délaissée. Alors elle avait pris conscience de la solitude. Solitude qui n'avait été rompue que les quelques instants précédents. Solitude qui avait résisté lorsque son père était revenu et l'avait prise dans ses bras comme un papa doit prendre sa fille et lui avait murmuré qu'il l'aimait plus que tout. Solitude encore lorsque, posant son front sur le sien, elle avait senti des larmes sur ses joues râpeuses. Des larmes dont au fond elle était responsable et qui prouvaient que, oui, elle était sous mauvaise influence.

Ce soir, essayant de trouver sa préférée parmi les robes qui lui sont proposées, elle croit pouvoir dire qu'elle préfère le Dieu infiniment bon, mais qu'elle est aussi attirée par une toute-puissance en mesure d'annihiler la solitude. Sur cette réflexion, elle opte pour un tissu vaporeux évoquant la teinte de l'abricot. Une robe en apparence très simple qui, sitôt passée, la fait se sentir désirable. Pour qui la met-elle? Elle-même ou Loki? Hormis l'équipage et sa fille, il n'y a personne sur ce navire. Et quand bien même il y aurait foule, n'est-elle pas à jamais l'épouse d'Adam? Devant le miroir qui lui retourne son image, elle se voit écarquiller les yeux. C'est la première fois qu'elle se présente pour elle-même comme épouse d'Adam. Faut-il y voir une tentative pour officialiser à ses yeux leur complicité par-delà les distances et la matière, ou plutôt une barrière de sécurité entre Loki et elle? Non, Adam est bien plus qu'une justification; il est là, au fond d'elle-même. Il y a seulement qu'elle ne sait pas comment le joindre. Elle ferme les yeux, cherche son image, mais ne trouve que la nudité de Loki, le sexe de Loki; comme une nouvelle occasion de rompre sa solitude.

On frappe doucement à sa porte. C'est Freyja, plus belle encore si c'est possible que dans son souvenir. La jeune fille prononce quelques mots en ce qui doit être du mandarin. Miriam croit comprendre qu'elle est invitée à la suivre vers le maître des lieux, mais, la prenant par la main, la jeune fille l'entraîne dans sa propre cabine où elle la fait asseoir devant un poste de télévision qu'elle allume en même temps qu'un lecteur vidéo. Hella apparaît sur l'écran. Des images que Miriam n'a jamais vues, prises chez Brigit d'après ce qu'elle peut en juger. Hella dans le salon de Brigit dansant sur une de ses chansons. Puis Hella, seule, s'arrêtant devant la caméra, faisant une de ses grimaces malicieuses et lui déclarant par-delà le temps:

«Maman, je ne serai plus là quand tu verras ce film, je serai redevenue ce que j'ai toujours été. Je crois que tu vas me chercher partout, mais tu ne me trouveras pas, en tout cas pas comme tu me connais. Ce que je veux surtout te dire, c'est qu'il ne faudra pas que tu sois trop malheureuse; un peu, oui, c'est normal, mais pas trop. Alors, je te le répète : il ne faut pas que tu sois malheureuse. Oh, encore une petite chose que tu dois savoir : je ne suis pas nécessairement ce à quoi je ressemble. C'est comme papa, ça va te paraître curieux, mais j'étais là avant lui. Pour que je vienne de toi, il fallait d'abord qu'il vienne de moi. Tu comprends? Il le faut, parce que maintenant la suite va dépendre de toi. Qu'est-ce que je pourrais te dire de plus? Ah oui! Trop souvent les gens pensent et parlent comme s'ils étaient indépendants de la nature. Par exemple, ils vont dire qu'il ne faut pas jouer avec les gènes que la nature a mis des millions d'années à organiser, ou ils vont dire que la nature est cruelle. Ce qu'ils oublient, c'est qu'ils font partie de la nature et, quoi qu'ils fassent, c'est la nature qui le fait puisqu'ils sont la nature. Impossible d'y échapper. Enfin, presque… mais ça, c'est à chacun de trouver, ça ne peut pas s'enseigner. Voilà, maman, je suis désolée de savoir que tu vas souffrir à cause de moi, mais il ne le faut pas; je serai toujours là, différente et c'est tout. Je t'aime de toutes les forces du cœur que tu m'as donné. »

Elle danse encore un peu puis l'image se fond au noir. C'est fini. La première réaction de Miriam en est une de soulagement mêlé de désespoir, la deuxième est de revenir à tout ce que peut impliquer l'étrange « Pour que je vienne de toi, il fallait d'abord qu'il vienne de moi ». La troisième est de se précipiter vers sa cabine pour s'effondrer sur le lit.

Installé derrière un moniteur, Loki la contemple longtemps, s'interrogeant une nouvelle fois sur le sens des paroles de Hella, mais aussi sur la meilleure façon de s'y prendre pour garder Miriam près de lui après le spectacle. Si elle repart vers sa retraite, il risque de la perdre, et ça, ce n'est pas envisageable. Cependant, aucune idée brillante ne lui vient.

XXXV

Lorsqu'elle s'éveille, Miriam sent immédiatement que quelque chose se passe. C'est dans sa chair. Comme si, malgré le navire, malgré l'océan sur lequel elle se trouve, elle faisait dorénavant partie de la péninsule où elle vient de passer ces derniers mois. Les dernières paroles de Hella se bousculent toujours dans sa tête avec tout ce qu'elles impliquent, à commencer par le fait qu'à travers Adam, à travers Hella, tout son amour a eu pour objet des incarnations d'elle ne sait quoi. N'a-t-elle pas été trompée, utilisée? Son amour, avec tout ce qu'il comporte de faiblesse, n'a-t-il pas été pris un peu à la légère? Pour elle, ce matin, l'infiniment bon n'existe plus, pas davantage le tout-puissant; en fait, plus rien n'est réel. Elle-même, est-elle le fruit de la quête de tous ceux qui l'ont précédée et vivent à travers elle, ou l'instrument d'autre chose visant un objectif qui n'a rien à voir avec eux? Tout ce qui s'agite sous la toile du temps n'est-il qu'un relayeur sans autre finalité que de servir un projet auquel il ne sera pas convié?

On frappe à sa porte. C'est Loki qui propose d'emblée:

«Mon chef a passé quelques mois à Paris, où il a été instruit des secrets de la fabrication du vrai croissant. Puis-je vous inviter à en venir faire l'expérience?

— C'est gentil, merci. Je vous rejoins. Au fait, merci pour hier soir… Comment avez-vous fait pour retrouver Brigit?

— Ça n'a pas été bien difficile : à partir de la maison de

341

disques. À propos, je vous avais réservé la surprise, mais tant pis : Brigit sera du spectacle, ce soir.

— Ici, en Islande?

— Elle vole en ce moment vers nous.

— Décidément, je ne vais pas savoir comment vous remercier. »

Il sourit sans répondre. Elle se demande comment il réagirait si, comme elle en ressent le besoin, elle refermait ses bras sur lui, juste pour s'y appuyer. Mais au lieu de cela elle s'apprête à refermer la porte, lui répétant qu'elle va le rejoindre dans un instant.

La gentillesse affichée de Loki à l'endroit de Miriam ne doit pas faire illusion; outre les sentiments mitigés qu'il lui porte, ses desseins sont identiques, sinon plus ambitieux. Le spectacle pour lequel il a déployé beaucoup d'énergie, en plus de lui permettre de côtoyer Miriam, n'a certainement pas pour objectif de répandre la bonne nouvelle prônée par Selma, mais au contraire de la travestir. C'est en visionnant le *Metropolis* de Fritz Lang que l'idée lui est venue. Même à l'égard de Miriam, on ne peut parler d'amour, puisque son projet n'est pas de la rendre heureuse mais de satisfaire une obsession.

En milieu d'après-midi, avant qu'ils ne montent dans un énorme tout-terrain pour se rendre aux abords de ce qui a été le mont Hekla, il lui apporte la robe qu'il a conçue pour elle, cela même si la robe est dite dessinée et confectionnée par Pem de Shanghai, l'étoile montante de la couture bionique. Le tissu est fait d'une soie translucide, issue de vers génétiquement modifiés, au sein de laquelle des nanoparticules non seulement procurent la sensation que le vêtement est en permanence à la fois frais et chaud, mais dont la principale particularité est de donner à la soie la teinte de l'épiderme de la personne qui porte le vêtement. La passant, Miriam ne comprend pas très bien ce dont il s'agit. Ce n'est qu'en se découvrant dans le miroir qu'elle ne peut retenir une exclamation de surprise presque douloureuse. Si jamais robe a eu pour fonction non seulement de vêtir, mais aussi de révéler sans dévoiler, c'est bien celle-ci. Sa première réaction est de se dire qu'elle va la refuser poliment, mais, continuant de s'observer dans le miroir, force lui est de constater que, par elle ne sait quelle alchimie, ce vêtement n'est pas seulement fait pour elle, il *est* elle. Comment est-ce possible? Loki a dit l'avoir fait faire spécialement à son intention et en pensant spécifiquement à elle; comment peut-il la connaître à ce point? D'où? C'est presque effrayant. Elle fait quelques pas devant le miroir. La robe magnétise ses mouvements, et déjà Miriam se rend compte qu'elle ne veut plus la quitter. Encore une fois, elle s'aperçoit que des années de maturité ne sont pas venues à bout de ses rêves de petite fille, que ceux-ci constituent toujours ce qu'elle est. Est-ce là le message que Loki veut lui passer? La veille, il a montré son jeu; elle a cru avoir appris tout ce qu'il y a à savoir. À présent, elle s'aperçoit qu'il n'a parlé que de son désir, jamais de ses intentions.

Peu importe! se dit-elle. Quelles que soient les intentions de Loki, elle n'y est engagée en rien et, sitôt le spectacle terminé, elle reprendra sa vie et lui la sienne. Cela même si elle ne sait plus très bien en quoi consiste sa vie.

Un boîtier de velours noir accompagne la robe. Miriam se doute bien qu'il doit s'agir d'un bijou, mais, en découvrant la pierre unique d'un bleu évoquant immédiatement celui de ses yeux, elle prend conscience de tout ce que cela implique. Taillé en cabochon pour mieux révéler les six branches de son étoile, le saphir Kasmir bleu vif est serti dans une broche invisible et suspendu à un mince fil d'or tressé. La pierre vient se poser exactement sur son plexus, comme si cela avait été très précisément calculé, comme tout ce qui l'entoure et lui est destiné. Alertée par cette idée, regardant autour d'elle, elle avise la grande toile presque aussi haute qu'elle-même placée face à la porte-fenêtre et dont elle a déjà remarqué la qualité. Elle s'en approche pour tenter d'en dégager le message. Signée *J. Medina*, la toile illustre deux femmes, mais il s'agit visiblement de la même représentée différemment selon son choix de vie. Celle de droite, chaste, est position-née dans une niche dans laquelle on pourrait s'attendre à trouver une statue d'église. Vêtue, elle croise les bras sur sa poitrine et regarde légèrement vers le sol; l'ennui ou le regret marque ses traits pourtant pleins de douceur. Celle sur la gauche, en revanche, se tient debout, son buste est dénudé, elle porte une épée et regarde haut vers l'horizon, prête à conquérir. Celle-ci ne se trouve pas dans une niche de marbre, mais, un peu comme une aura de mauvais augure, elle porte des ailes plus noires que la nuit. On la sent prête à tout, et en colère. Ce qui frappe Miriam, c'est que ni l'une ni l'autre ne semble heureuse; chacune se trouve sur un chemin sans issue, mais encore, à bien y regarder, il est évident que si par l'imagination l'on superpose les deux, la douceur et la colère deviennent plénitude. Qu'est-ce que Loki cherche à lui signifier par cette toile? Elle est incapable de dire laquelle des deux figures la représente davantage. Peut-être celle à l'épée, mais elle croiserait plutôt les bras sur sa poitrine comme l'autre... Loki a-t-il placé cette toile dans la cabine qu'il lui désigne pour lui suggérer qu'elle appartient autant à la nuit qu'à la lumière?

C'est sur le pont que Loki l'aperçoit pour la première fois vêtue de sa robe. Alors qu'il s'immobilise pour la contempler dans le véritable sens du terme, elle a tout à coup l'impression d'être plus nue qu'elle ne l'était hier au bassin. Aujourd'hui, toutefois, elle ne ressent plus l'embarras éprouvé en sortant de l'eau; au contraire, ne se reconnaissant pas, presque contre son gré, elle souhaite qu'il la découvre. Comme s'il s'agissait des doigts de Loki, elle sent son regard sur ses hanches, sur sa gorge, sa poitrine, sa nuque, ses jambes, son ventre.

«Je n'avais pas réussi à envisager pareille réussite, dit-il. Voici la preuve que c'est bien le moine qui fait l'habit.

— Non, ne dépréciez pas le travail; j'avoue que cette robe est fabuleuse. Je ne sais quoi vous dire. Merci!»

Elle désigne le saphir.

«Il est entendu que je ne porte cette pierre que pour l'occasion; je ne peux l'accepter en aucun cas.

— Que voudriez-vous que j'en fasse? Il me paraît évident que la nature l'a faite en pensant à vous.

— Ce navire semble conçu pour courir les mers; vous verrez que cette pierre pourra convenir à bien d'autres.

— Si j'interprète correctement vos paroles, vous êtes en train de me préparer à un au revoir.

— Je suppose que, comme on dit en langage populaire, nos chemins vont diverger. Vos affaires sont en Chine, les miennes...

— Les vôtres?

— Pour tout vous dire, mon abri me suffit. Je n'aspire vraiment à rien, je ne veux rien.

— Ce qui ressemble à la recette du bonheur, sauf qu'à mon avis vous vous leurrez vous-même. Cela dit, ça vous regarde. Bien, il va être temps de nous mettre en route; je vais chercher Freyja.»

Miriam s'attendait à ce qu'il tergiverse. Elle se sent un peu rebutée, jusqu'à ce qu'elle se rende compte qu'elle aurait réagi exactement de la même manière. Il y a quelque chose en lui qu'elle ne parvient pas à discerner. D'une part, il démontre qu'il peut comprendre tous les sentiments et donc, par essence, qu'il est capable de compassion; de l'autre, c'est comme s'il jouait de ces mêmes sentiments. Mais joue-t-il vraiment ou cherche-t-il à se protéger? Et puis aussi, pourquoi faut-il qu'elle s'intéresse autant à son cas alors qu'elle a bien d'autres problèmes à régler, à commencer par essayer de comprendre où elle en est, elle qui hier encore avait une fille et le souvenir d'un amour, et qui aujourd'hui ne sait plus s'ils étaient réellement ce qu'elle a toujours cru qu'ils étaient? Il est tentant de se réfugier dans la colère pour endiguer le déferlement de douleur qui menace. Après? Après, pourquoi faudrait-il absolument qu'elle songe à vivre? Dans quel but puisque tout est faux?

Ils ont quitté Grindavik, que le yacht a rejoint durant la nuit. Évoquant un véhicule militaire, le tout-terrain traverse un paysage qui, de plus en plus à mesure qu'ils avancent vers l'est, évoque une surface lunaire accidentée. Ciel bleu de Prusse, terre gris-noir, l'impression est que la vie ne pourra pas reprendre ici avant des générations. Mais peut-être n'est-ce qu'une impression; l'on dit que sur des atolls vitrifiés lors d'expérimentations nucléaires la vie a repris ses droits en moins de temps qu'il n'en faut à un enfant pour apprendre à parler. Qu'est-ce qui la pousse ainsi, cette vie? Virus, chiendent, potiron, sardine, cancrelat, tamanoir, homme, tout s'agite, souffre, lutte pour continuer, aller plus loin; pourquoi? Cela n'a aucun sens!

Loki conduit. Il l'a invitée à prendre le siège du passager avant et a désigné la banquette arrière à Freyja. Rien qui ne soit directement utile n'a été dit depuis le départ. Sans expression particulière, il la regarde puis glisse un disque dans le lecteur. Elle s'attendait à n'importe quoi, sauf à ce qui se déchaîne dans l'habitacle. Rauque, cassée, plus fille que femme, une voix hurle de la clouer à la croix du plaisir. Miriam n'aurait pas cru devoir l'admettre, mais, passé la première surprise, elle doit reconnaître que ce que sous-tendent la voix ainsi que le rythme donné par des tam-tam a quelque chose d'hypnotisant. Elle voit Loki marquer le tempo en tapant légèrement sur le volant du plat des doigts. Un instant, elle croit qu'il a mis cela pour la punir d'avoir déjà signifié ses adieux, mais elle se rend à l'évidence qu'elle ne peut s'empêcher d'aimer ça, quand bien même l'ensemble est sous-tendu par ce qu'elle devrait rejeter d'emblée: une violence sans nom. Cette violence, justement, qu'elle ressent depuis son réveil, comme l'imminence d'un jaillissement.

«Vous ne trouvez pas ça violent?» demande-t-elle.

Il a un mouvement de tête affirmatif puis, après quelques secondes, ajoute: «J'aime ça.

— La violence?

— Quoi d'autre? La vie est violence, seule la mort est calme.

— Mais la mort est souvent le résultat de la violence, non?

— Il n'y a rien qui ne prenne sa valeur sans son contraire. Les agneaux hériteront du royaume des cieux, les loups de celui-ci.

— Cela ne ressemble pas au message de Hella que vous vous apprêtez à diffuser de par le monde.

— Ça, c'est une question d'interprétation. Et puis, soyons honnêtes, Miriam; je diffuse ce message pour vous et vous le savez.

— Je croyais que vous aimiez les chansons de Selma?

— Pour être plus exact, je dirais que j'adore sa voix. Vous ne devez pas ignorer que la voix est sexuelle? En entendant Selma, j'ai su que je venais de trouver. Ce que j'ignorais encore, c'était que cette voix menait à vous.

— Voulez-vous dire qu'en entendant Hella vous avez décidé de la rencontrer?

— Comme tout le monde, sauf que, moi, j'en ai les moyens. »

Miriam ne pose pas la question qui lui vient à l'esprit, car elle est ridicule. D'un autre côté, comment interpréter ce « je venais de trouver »? Son bienfaiteur est-il un monstre?

Comme pour répondre à cette question, Loki poursuit :

« Il ne faut pas confondre la morale universelle qui est inhérente à la matière elle-même et la morale culturelle comme le tu-ne-toucheras-pas-aux-petites-filles. Que ce soit dit tout de suite, je me fous de la morale des hommes ou de celle des dieux qu'ils ont créés. Je vois que je vous scandalise.

— Le mot est faible. Je n'ose même pas croire que vous m'ayez dit cela. C'est… Je ne sais pas!

— C'est que vous êtes empêtrée dans la morale des hommes. Mais essayez seulement de m'expliquer pourquoi la jouissance devrait avoir un âge? De quoi avons-nous peur?

— Ce que vous appelez la morale des hommes n'est-il pas là justement pour empêcher les débordements, pour empêcher que n'importe qui vienne voler l'innocence de votre fille?

— L'innocence! Le mot est lâché.

— Oui, et à juste titre. Toute la psyché sexuelle de l'humain est bâtie autour de l'innocence. Si vous la volez à l'enfant, vous lui volez la possibilité du plaisir dans l'amour, vous ne lui laissez plus qu'une soif sensuelle à jamais inextinguible. Tout le monde sait cela.

— "La possibilité du plaisir dans l'amour!" Vous ne voyez pas le mensonge? D'un côté le plaisir, de l'autre l'amour; l'amour en question n'est-il pas justement le produit obsessionnel du désir de quelqu'un en particulier? Ce type d'amour se produit chaque fois que l'on rencontre une personne chez qui nos hormones ou je ne sais quel appel biochimique nous font reconnaître un partenaire de reproduction potentiel. Il ne s'agit que de cela.

— Donc, si j'associe ceci à votre déclaration d'hier, je dois en conclure que vous ne voyez en moi qu'un "partenaire de reproduction potentiel"?

— Miriam, nous roulons à plus de quatre-vingts; ne vous jetez pas par la portière, mais, oui, c'est ce que nous voulons, ce que notre nature veut.

— Comment ma nature pourrait-elle vouloir concevoir un enfant avec quelqu'un capable de…

— Précisez votre pensée: "capable de"?

— D'abuser d'une enfant, voilà!

— Je n'ai jamais envisagé abuser d'une enfant et je vous le prouverai.

— Ce serait un immense soulagement.

— Comptez sur moi pour ça. Exactement comme je vous prouverai que vous voulez un enfant de nous. Un enfant qui restera, celui-là.»

La vue brouillée, elle se tourne vers lui, furieuse.

«Arrêtez! Aucun enfant ne remplacera Hella. Jamais! Vous ne comprenez pas que pour moi elle compte plus que ma propre vie. Il n'y en aura jamais d'autre!»

Il ne s'excuse pas, n'a aucune parole de réconfort. Au lieu de cela, il pose sa main, haut sur la cuisse de Miriam, et exerce une pression à la fois ferme et légère. Elle ne bouge pas ni ne dit rien, ses pensées comme figées, suspendues, ne réalisant qu'une chose: le contact de ces doigts sur sa cuisse, au bord de son aine, sa chair. Au bout d'un moment qu'elle est incapable d'évaluer, elle réussit à poser sa main sur celle de Loki et à y rester un peu plus longtemps qu'il ne le faut avant de doucement le repousser. Presque avec regret. Que lui arrive-t-il après tout ce qu'il vient de dire? Elle se tourne soudain vers Freyja, se souvenant de sa présence. Celle-ci sourit comme un ange. À son tour, Loki se tourne à demi vers elle et de l'index lui caresse la joue. Miriam la voit poser un baiser sur le doigt. En tout cas, il semble y avoir beaucoup de complicité entre eux. Un désir violent d'y être intégrée la traverse.

XXXVI

Le véhicule débouche sur une plaine de cendre où, surréels, se dressent des pylônes, des projecteurs et la scène montée entre deux écrans géants. Le ciel est couvert et l'ambiance a quelque chose de crépusculaire. De nouveau, Miriam éprouve cette étrange sensation de violence qui cherche à sourdre, mais, apercevant Brigit sur la scène, elle n'y prend plus garde. Les deux femmes s'étreignent telles deux grandes amies d'enfance se retrouvant après des années.

« Je suis tellement désolée, murmure Brigit.

— Je sais, merci. C'est si gentil à toi d'être venue.

— J'aurais surtout voulu venir plus vite, mais l'Islande est devenue si difficile d'accès… Sans Loki, je serais encore en Écosse.

— Tu le connaissais?

— Pas avant. C'est un ange descendu du ciel. Il a tant travaillé pour tout ça. C'est dommage que l'on ne puisse pas amener plus de gens ici, mais dans le reste du monde ça promet d'être gigantesque. Il faut au moins que tu te dises cela : Hella a laissé quelque chose que tout le temps du monde serait incapable de construire.

— Je sais… Dis-moi, cet enregistrement vidéo fait par Hella, qu'en penses-tu?

— Je ne sais pas. Je n'y avais pas réellement fait attention jusqu'à ce que j'apprenne… Non, je ne sais vraiment pas, elle avait tellement l'air de savoir. En fait, non, elle n'avait pas l'air; elle savait. Et dans le fond, ça prouve qu'elle n'est pas disparue au sens où l'on pourrait l'entendre. Elle est là avec nous, avec toi, Miriam.

— Tu le crois sérieusement?

— J'ai même le pressentiment qu'elle va t'en donner la preuve ce soir.

— Ce soir, on verra surtout de la technologie.

— Je ne sais pas, j'ai l'impression qu'elle nous réserve quelque chose.

— Enfin, je suis vraiment contente de te revoir, et de pouvoir te dire merci; sans toi il n'y aurait jamais eu de Selma.

— Tu sais, là encore, c'est drôle, mais plus j'y repense et plus je crois que le fait que vous vous soyez égarées et que ta voiture soit restée prise dans le fossé ce jour-là, rien de tout cela ne me paraît être ce que l'on appelle le fruit du hasard.

— Si seulement je savais le pourquoi...

— Tu le sais déjà, Miriam, il te reste seulement à l'admettre.

— Non, sincèrement, je ne sais pas. Je le voudrais, je réclame un sens à tout ça, mais je n'ai rien. C'est comme les rêves; nous les avons, ils existent, on les vit et on aimerait bien leur donner un sens, mais dans les faits ce ne sont que des échanges chimiques au hasard entre les neurones. La vie elle-même n'est sans doute que le rêve d'un dieu endormi, pour ne pas dire du néant.

— Tu broies du noir. Je crois que je vais te remmener avec moi. Même si le climat est à l'envers partout à cause de ce volcan, un petit séjour au bord de la mer au soleil te fera du bien.

— Ce qui me fait déjà du bien, c'est de te parler. »

Bien que ce soit encore la période diurne, le ciel est anthracite, presque inquiétant. D'un sourire, Loki fait signe à Miriam qu'il ne reste que quelques minutes avant l'ouverture, et donc que le moment approche où elle devra se présenter sur scène pour transmettre au monde le message de Hella. D'abord, elle a voulu écrire quelque chose puis, finalement, comptant un peu de façon superstitieuse sur l'appui de Hella, elle a décidé d'y aller sous l'inspiration du moment. Sauf qu'à présent, elle a l'impression que celle-ci est totalement tarie et elle craint de se retrouver sous le feu des projecteurs, en mondovision, sans trouver quoi que ce soit à dire. Mais peut-être au fond n'y a-t-il rien à dire?

Tout à coup, tout s'emballe. Elle est au centre de la scène, se voit sur un des écrans géants et, presque en sourdine, l'orchestre entame les premières notes d'un des refrains. Elle ne se demande plus ce qu'elle va dire, mais pourquoi elle a accepté de porter cette robe qui, certes, la fait très belle, mais qui aussi, elle s'en rend compte sur l'écran, semble révéler au monde entier non pas les détails de son anatomie, mais la matière véritable dont elle est faite. Un peu la sensation de se trouver nue sur la place du village lors de la sortie de la messe dominicale. Près d'elle, un présentateur-vedette venu des États-Unis cite intermi-nablement toutes les villes d'envergure liées à l'événement. En kaléidoscope, Miriam voit apparaître sur l'autre écran les foules dans les cités présentées. Elle n'avait pas imaginé qu'il y aurait tant de monde, et cela n'arrange rien lorsque le présentateur annonce que, selon les chiffres compilés, rien sur terre jusqu'à ce jour n'a rassemblé autant de monde. Il en appelle à tous ceux qui sont devant leur poste de télévision ou leur écran d'ordinateur afin qu'ils se joignent aux autres en esprit. Faisant monter la tension, un musicien frappe deux tambours graves à intervalles de plus en plus rapprochés. Sur place, l'assistance est relativement restrein-te, mais il semble que les ondes portent l'attente aux quatre coins de la planète. L'attente, mais aussi, comme elle le discerne, l'espoir. Oui, voilà, c'est le mot qu'il lui faut. Comme s'ils n'avaient attendu que cette inspiration, tous les projecteurs se braquent sur elle. Elle ne se présente pas, mais commence d'une voix un peu cassée, en disant:

«Ma fille est venue parmi nous pour nous apporter l'espoir. Pas l'espoir d'être plus riche, plus beau, plus puissant ou celui d'avoir plus de plaisir; non, ce que Selma nous a donné, c'est l'espoir de trouver enfin le courage de regarder le monde en face, comme il est, celui d'oublier toutes nos peurs qui nous font dresser des autels pour y sacrifier à des divinités issues de nous-mêmes... »

Elle poursuit dans la même veine pendant quelques minutes et termine en souhaitant que «à la suite de cette rencontre planétaire, tous nous trouvions la force d'aimer au moins autant notre environnement, et donc nos contemporains qui en font partie, que toutes ces divinités qui sont le fruit de notre lâcheté. C'est cette lâcheté que Selma est venue dénoncer, celle qui engendre tous nos maux en commençant par l'ignorance volontaire, grande sœur de l'intolérance. Cette lâcheté qui nous fait fermer les yeux et renoncer à l'espoir d'être ce que nous voulons tous être : humains. Oui, c'est bien là le message que nous laisse Selma ; cessons de croire que nous naissons humains, devenons-le ! »

Elle fait un pas en arrière tandis que partout les foules approuvent, mais elle a un peu l'impression que ce serait la même chose si elle avait annoncé un dentifrice laissant les dents plus blanches. Les projecteurs la quittent pour balayer la presque obscurité et se concentrer sur les ruines de lave acérée, vestiges de ce qui a été le mont Hekla. Alors que retentissent simultanément les accords de la première chanson dans toutes les capitales et métropoles, résultat d'une véritable prouesse technologique combinant les derniers savoir-faire en matière de reconstitution 3D et de génération holographique – où tout est dans chaque partie constituant le tout –, aussi haute que l'a été le Hekla, Selma apparaît, lance un clin d'œil mutin et commence à chanter.

Même si l'on connaît toutes les ficelles de la réalisation, le résultat est saisissant. Amplifié par le fait de savoir tout ce monde rassemblé partout sur la planète, l'effet sur le psychisme se traduit par une euphorie extatique. Mais cela est-il vraiment en mesure de changer quelque chose, de provoquer un élan qui, avec le temps, pourra engendrer une nouvelle civilisation ? Miriam le souhaite. Toutefois, même en considérant que tout cela vient de Hella, elle est incapable de l'affirmer. Et elle en doute sérieusement lorsque Freyja commence à danser.

Elle ignorait que celle-ci eût un rôle dans le spectacle,

mais lorsqu'elle la voit faire ses premiers mouvements sous les feux croisés des projecteurs, elle se dit que Loki a profité de l'occasion pour offrir un moment de gloire à sa fille, et cela lui semble bien naturel. Elle est fascinée par le mélange de grâce et de beauté de Freyja et ne doute pas un instant que l'effet ne soit le même de par le monde. Mais, est-ce parce qu'il s'agit après tout du spectacle de sa fille, son regard demeure critique et, sortant peu à peu de l'espèce de fascination première, elle se demande s'il n'eût pas été plus approprié que la jeune fille porte autre chose que cette tenue style danseuse orientale mettant avant tout son ventre en valeur. Elle prend conscience de toute la lascivité que provoque la présentation, mais n'est-ce pas elle qui voit le mal où il n'est pas? La danse de cette jeune fille à peine pubère n'est justement qu'une danse de jeune fille peut-être trop influencée par la licence des magazines destinés aux filles de son âge, rien d'autre! Cependant, la danse se poursuit sur un rythme de plus en plus suggestif. Miriam acquiert soudain la certitude que tout ceci n'est pas innocent. S'approchant de Loki, dont les traits ne reflètent strictement rien, elle lui souffle :

«Quel message cherchez-vous à passer, au juste?

— Les messages ne sont pas mon fort, Miriam. Je suis avant tout un pourvoyeur de plaisir; je donne aux gens ce qu'ils veulent. Regardez leurs visages sur l'écran, là…

— Effectivement, c'est on ne peut plus éloquent. Vous leur donnez tout ce qu'ils veulent, par le bas. Vous ne déformez pas le message de Hella, vous l'inversez, et à dessein, je crois.

— C'est pourtant vous-même, tout à l'heure, qui disiez qu'il fallait se débarrasser des divinités nées de l'intolérance. Expliquez-moi ce qui ne va pas? Freyja danse, elle est belle, tout le monde fantasme, que voulez-vous de plus ou de moins?

— Vous savez très bien de quoi je veux parler, et vous savez que je sais que vous le savez. Fût-elle sulfureuse, où est passée votre franchise? Dites-moi au moins ce que vous cherchez? »

Il demeure impassible, mais, pour la première fois, une

absence furtive dans son regard laisse deviner à Miriam un déséquilibre. Sous les projecteurs, Freyja danse toujours. Quelque chose en elle tient de la jeune fille, mais aussi de la femme; comme si l'esprit qui habite son corps n'avait pas le même âge, comme si sa beauté était artificielle. À bien y repenser, elle n'a pas voulu le voir, mais est-ce que tout à l'heure, dans le véhicule, Freyja n'a pas plutôt mordillé des lèvres le doigt de son père? Et son sourire angélique… Qui est-elle? À quelle espèce elle et son père appartiennent-ils? Existe-t-il chez les hommes une race vouée à faire le mal pour le mal? D'imaginer qu'une telle race puisse vraiment exister, elle a l'impression qu'un gouffre s'ouvre en elle; un gouffre sur le rebord duquel elle se trouve en équilibre, terrifiée à l'idée non pas d'y tomber, mais de s'y jeter. C'est avec quelques instants de décalage qu'elle entend la réponse de Loki:

«Depuis mon passage dans votre pays, à Windsor, pour être spécifique, oui, je sais ce que je veux, mais je n'ai aucune idée de ce que je cherche.»

Malgré l'ampleur de ce qu'implique cette réponse dont elle comprend que Loki va au moins lui dire ce qu'il veut, elle accroche sur le nom de sa ville natale.

«Windsor, vous connaissez Windsor?

— Trop bien, je crois. Pourquoi, vous connaissez également ce bled?

— Je croyais que vous connaissiez tout de moi…

— Je connais la personne, je n'ai pas cru bon enquêter. Quoi, à propos de Windsor?

— Rien de particulier sinon que j'y suis née et que j'y ai été élevée.»

Sans qu'elle puisse en comprendre la cause, c'est comme si elle l'avait frappé avec un gant d'acier. Elle le voit littéralement chanceler un bref instant avant de se reprendre. Elle veut lui demander ce qui ne va pas avec Windsor, mais ce qui se passe sur la scène la ramène brusquement à ce qui est en cours. Soulevant une rumeur aussi bien dans l'assistance locale que partout ailleurs où le spectacle est retransmis, Freyja s'est plantée droite dans la lumière, les bras le long du corps, paumes tournées vers l'avant, menton relevé et paupières baissées, comme en attente d'un châtiment ou d'une bénédiction. Elle est fabuleusement belle. Une beauté, Miriam s'en rend compte, qui provoque le désir de rester dans son éclat, même s'il est implicite au départ que l'on ne peut que s'y brûler, comme les papillons des nuits d'été aux feux des lampadaires. Hella disait que la beauté est ce qui fait plaisir à l'esprit; il n'est pas question de cela ici, mais qu'est-ce donc si ce n'est pas la beauté? Miriam lance un regard en direction de Loki et, brutale, la réponse s'impose. C'est ce qu'elle a ressenti en le touchant la veille, c'est ce dont parlait le recenseur, c'est ce qui s'est passé dans le lit de son père : l'irrépressible besoin de s'anéantir, l'ultime tentative de la matière pour retourner au néant dans un fantastique et ultime éclat de lumière.

Freyja tremble sur elle-même, tout son corps exhale un rythme contagieux qui va en s'amplifiant et est ressenti en même temps à São Paulo, Moscou ou Shanghai. À Lagos, un grand tambour de peau donne le tempo. Par millions, les paupières lourdes, ils reçoivent le rythme, chacun l'inter-prétant pour soi et le redistribuant. Miriam n'y échappe pas, inutile de résister; le corps veut bouger, s'associer, participer, se fondre. Freyja ondule à présent sur elle-même. Tous fixent son ventre, un ventre d'enfant mais aussi de femme qui donne le rythme. Dans les salons, dans les cuisines, les spectateurs commencent aussi à bouger, jusque dans les lits d'hôpitaux, jusque dans un mouroir sur mer de Long Island. Tout est dans le rythme et le rythme est tout. Plus besoin de parler, le rythme dit tout. Plus besoin d'images, il les crée, sauf celle de ce ventre, comme réceptacle de toutes les aspirations. Quelque chose monte, Miriam le sent, tous le sentent. Quelque chose de terrible, mais peu importe puisque c'est le rythme qui mène. Les paumes de Freyja sont à présent tournées vers l'arrière, ses doigts écartés. De ses pieds nus, elle frappe le plancher de la scène; c'est l'hiver, mais le froid n'a pas prise sur elle. Sous des latitudes où de nature l'on est plus enclin à laisser parler le rythme, déjà l'on se prend par les épaules pour épouser le rythme ensemble. Sans pouvoir s'en empêcher, Miriam sent monter en elle une certaine ivresse.

Que voulait-elle dire plus tôt? Loki a raison; il n'y a pas de mal, tout le monde est heureux. Tout est enfant du rythme et voilà que tout le monde y communie. Adam lui-même ne disait-il pas qu'il l'avait ressenti au Détroit? À Londres, à Oslo ou à Séoul, on commence à faire comme à Rio ou à Dakar: bras dessus, bras dessous, bassin contre bassin, suivre le rythme. À Hong Kong, Dublin et Tanger, des tambours viennent se joindre à celui de Lagos. Relayé par les ondes, diffusé par les amplificateurs, le son est le même par toute la planète, l'image aussi, celle de Freyja; Freyja déesse de l'amour. La plus grande messe de tous les temps est en cours et son autel est un ventre. Sur place aussi, les gens se prennent à présent par les épaules. Loki tend le bras, Miriam le sien, un inconnu s'amarre sur son autre bras. Conscience du rythme, conscience du ventre de Freyja, conscience de Loki. Loki, le rythme, le ventre, les pieds tapant le sol, tous les bassins comme une même vague. La voix de Selma revient, comme un encouragement à poursuivre plus loin, à devenir le rythme lui-même. Puis elle apparaît de nouveau en arrière-plan de Freyja, remplissant l'horizon, l'image de synthèse la faisant, elle aussi, donner le rythme. Il ne faut pas que ça s'arrête, cela doit continuer ainsi, toujours! Freyja pose les mains sur son ventre, Miriam a conscience du corps de Loki contre le sien, immense, solide. Le rythme prend tous ses droits, imposant ses propres images, pour Miriam, celle d'elle-même offerte au rythme incarné par Loki. Elle sait pourtant trop bien que Loki représente l'intrusion des ténèbres dans l'anneau de lumière qu'aujourd'hui encore elle forme avec Adam. Elle sait aussi que c'est justement ce risque de tout détruire qui est le moteur de cette tentation. Le rythme lui-même n'est peut-être qu'un prétexte, même si, pour le moment, elle s'y sent soumise et veut qu'il dure et dure. Plus rien n'est certain, toutes les possibilités sont dans l'air et elle n'est pas certaine d'avoir de contrôle, ou plutôt elle craint celui qu'elle pourrait avoir. Tout laisse à penser que Loki est le chasseur, mais est-ce vraiment le cas? N'est-ce pas parfois la proie qui appelle le canon contre elle-même et de ce fait se trouve être le véritable chasseur? Peu importe! Le rythme les lie, tous, et même s'il ne devait pas avoir de fin il doit avoir une apothéose. Sur les écrans, à Belém, à Abidjan, des chaînes se défont, des vêtements tombent et Freyja laisse maintenant glisser les mains le long de son corps, comme la main de Loki glisse sur son flanc.

« Tu es là, Adam? Tu me vois? Pourquoi m'as-tu abandonnée? Maintenant je le veux, lui, au fond de moi, qu'il me fasse mal, qu'il me fasse crier, qu'il me fasse t'oublier, mon amour! Tu m'entends! »

Sur le site du Hekla, tout le monde est persuadé que le rythme monte de la terre elle-même, seule Miriam prend conscience qu'il s'agit d'un séisme. Parce qu'elle vient de passer des mois en communion avec cette terre, elle comprend que ce qu'elle ressent depuis ce matin n'est rien d'autre que le Snæfells en train de s'éveiller d'un sommeil millénaire. Elle l'éprouve littéralement dans sa chair et, comme l'on sait parfois les choses sans les avoir déduites ou analysées, elle sait que l'explosion sera encore plus violente que celle qui a envoyé une grande partie du Hekla dans l'atmosphère. Ce qui signifie au moins une autre année sans été.

La voyant, Loki se rend compte qu'il se passe quelque chose. Miriam le lui confirme:

« Le Snæfells vient de se réveiller… »

Non seulement il la croit, mais il évalue instantanément toute la portée de l'information et s'en trouve fort content. Il quitte la chaîne humaine et parle dans un talkie-walkie. Les projecteurs quittent Freyja et de nouveau Hella revient au premier plan.

Revenant vers Miriam, il lui souffle, à l'oreille:

« Venez, il faut partir.

— Non! ma place est ici.

— Vous voulez vraiment retrouver votre fille?

— Bien sûr, mais je ne vois pas le rapport?

— Je vous emmène à Windsor, vous comprendrez… »

C'est tellement impératif qu'elle le suit jusqu'au tout-terrain où se trouve déjà Freyja.

« Allez-vous m'expliquer? demande Miriam une fois dans le véhicule.

— Sur place, uniquement sur place, ce n'est pas possible autrement.

— Je dois donc vous faire confiance…

— Avez-vous des raisons pour qu'il en soit autrement?

— Toutes les raisons du monde, Loki.»

Il sourit comme un enfant recevant pour Noël tous les cadeaux qu'il souhaitait.

«J'aime quand vous m'appelez par mon nom.»

Ils sont déjà partis lorsqu'elle se rend compte qu'ils ont laissé Brigit. Qu'est-ce qui lui arrive? A-t-elle abdiqué tout son libre arbitre? Elle demande de retourner chercher son amie lorsque le véhicule fait une embardée, porté par la route elle-même. Loki secoue la tête:

«On ne retourne pas sur nos pas, dit-il, on se sauve. Je fais demander qu'on la reconduise au plus vite à l'aéroport. Mon avion est à sa disposition, je ne peux pas faire plus.

— L'avion pourra-t-il décoller si le volcan est déjà en éruption?

— Je ne sais pas, Miriam. Pour l'instant, je pense à nous; il nous faut rejoindre le bateau et mettre le plus de distance entre nous et ce foutu chaudron géant.»

Alors que la route s'ouvre et se referme dans la nuit, Miriam ressent déjà l'arrachement à l'idée de quitter cette terre qui lui a pourtant tout pris, mais aussi peut-être tout donné. Est-ce que pour tout arrêter il lui faut se montrer capable d'écarter la tentation? Mais comment, puisqu'elle est tentée par la tentation elle-même? Le Snæfells vient de se réveiller, contre toute logique elle s'en sent responsable, mais se précipite néanmoins vers ce qui ne peut être qu'un point de non-retour. Que se passerait-il à présent sans ce tremblement de terre qui l'a ramenée à elle-même? Tout va inévitablement se reproduire, sans cesse, jusqu'à… Et puis! Qu'y aurait-il de si terrible à faire l'amour avec Loki? Ou même copuler, baiser, forniquer si le mot amour est trop fort. Une friction de deux épidermes, libération cérébrale d'endorphines et autres substances produisant une intense sensation de plaisir, pourquoi en faire une montagne? Qu'est-ce que cela pourrait ôter à ce qui s'est passé entre

Adam et elle? De toute façon, le désir est là, partout en elle, indéniable; n'est-ce pas cela qui doit faire du mal à l'autre? Si l'on pousse plus loin, est-ce que le désir ailleurs ne signifie pas que tout est déjà fini? Oui, dans le fond, elle est libre. Pourquoi se dresse-t-elle tous ces interdits? Une question en amenant une autre, elle se sent de nouveau au bord du gouffre lorsqu'elle en vient à se demander si son désir pour Loki disparaîtrait en imaginant qu'Adam se trouve soudain près d'elle, là, physiquement. Deux visages se penchent vers elle : Adam lui tient la main, Loki la pénètre. Surprise, elle ne peut retenir une légère plainte. Loki se tourne vers elle.

« Ça ne va pas, Miriam?

— Vous aviez raison, hier », s'entend-elle dire sans y croire.

Il ne se méprend pas sur le sens de ses paroles :

« Vous admettez…

— Ce qui ne signifie pas que je veuille.

— Cela viendra. Non seulement vous voudrez, mais vous me voudrez tel que je suis. C'est ce moment-là que je veux attendre.

— Vous ne manquez pas de suffisance.

— Cela fait partie du personnage pour lequel je ne sais quel élan vient de vous faire avouer votre désir. Je vous en ferai découvrir toutes les facettes avant que vous puissiez me reprocher de vous avoir dissimulé quoi que ce soit.

— Je ne pense pas que cela se produise jamais dans les circonstances que vous dites.

— Personne n'est plus fort que son désir, Miriam.

— Peut-être jugez-vous cela d'après vous-même.

— Je ne crois pas puisque, moi-même, je suis l'exception à cette règle, et je vous le prouverai. Malgré tout le désir que j'ai de vous, je ne ferai rien, aucune approche. C'est vous, de votre plein gré et de votre gouverne, qui viendrez à moi pour le demander de vive voix.

— Vous me voyez soulagée par votre engagement.

— Ce n'est pas la vérité, Miriam; vous préféreriez que je vienne vous trouver cette nuit et en finir tout de suite avec votre passé, ce que seul mon ventre au vôtre est capable de réaliser.

— Arrêtez!

— Vous avez raison, j'étais en train de tricher un petit peu.

— Je veux dire : arrêtez ce véhicule!

— Vous laisser ici serait de la non-assistance à une personne en danger, et puis nous devons aller à Windsor. Désolé.

— Alors, je vous en prie, plus de propos de ce type.

— Entendu, mais je vous fais remarquer que c'est vous qui avez commencé. »

Abasourdie, elle en convient pour elle-même et ferme les yeux. Dehors, la terre vibre dans une même attente; tout est en devenir. Miriam comprend pourquoi elle aime tant ce pays. Elle se souvient des paroles de Brigit affirmant que Hella se manifesterait. Comment a-t-elle pu ne pas s'en rendre compte! Hella est derrière ce séisme et elle, Miriam, doit avoir le pouvoir d'empêcher l'explosion du Snæfells; il lui suffit pour cela de ne pas céder à la tentation. Si elle en est capable, elle retrouvera Adam et en retrouvant Adam elle retrouvera Hella. Il y aura un été l'an prochain, les famines générales seront évitées, et puisqu'il n'y aura pas de seconde explosion, il n'y en aura évidemment pas de troisième, et donc pas de fin du monde selon la légende. Mais peut-être faut-il au contraire provoquer l'explosion? Ce pouvoir énorme, si elle le détient vraiment, n'est-il pas en lui-même une prison dont la seule échappatoire est la tentation? Cette tentation spécifique contre laquelle le médaillon la met en garde. Ce même médaillon qui, par ce qu'elle sait à présent, lui a indiqué le lieu de la seconde éruption. Que dit-il d'autre? Cette déesse de l'amour, Ixchel ou Freyja... Freyja serait-elle une autre indication? Elle se tourne vers la jeune fille qui se tient droite sur la banquette arrière, gentiment, plus rien à voir avec celle de qui émanait le rythme tout à l'heure. La jeune fille lui adresse un sourire et Miriam le lui rend, un peu perplexe. Apparemment, le médaillon n'est destiné qu'à mettre en garde, mais quel danger pourrait représenter cette fille encore toute jeune à qui on ne peut tout de même pas reprocher d'avoir un père comme le sien? Non, tout ce qui lui vient à l'esprit en pensant à Freyja, c'est ce rythme qui, par elle, de son ventre, s'est propagé à toute la planète, à croire même qu'il a fait naître le séisme... Le rythme... C'est évident! Il lui faut retourner là où Adam l'a ressenti, au Détroit, chez elle où voilà justement que Loki veut l'emmener. Faut-il y aller avec lui? Le jeu n'est-il pas trop risqué? Comme pour clore cette question, Loki demande:

«Y a-t-il quelque chose que vous aimeriez emporter? Nous appareillerons dès que possible.»

C'est une façon courtoise de déclarer qu'ils quitteront l'Islande sitôt à bord, mais elle le prend au mot:

«Oui, il y a une chose qui va peut-être vous sembler ridicule, mais qui pour moi a beaucoup d'importance; je voudrais emporter de l'eau du *Blaa Ionid*.»

Loki hoche la tête et affirme qu'il ne trouve pas cela ridicule du tout et qu'il comprend.

«Je suis réaliste, ajoute-t-il, mais cela ne veut pas dire que je n'accorde pas toute l'importance qu'elles méritent aux choses qui nous dépassent. Je ne serais pas où je suis sans cela.

— Je l'avais bien compris.»

Rien n'est comme la première fois lorsqu'ils arrivent sur ce qui a été le parking du *Blaa Ionid*. Comme ailleurs, tout se trouve sous ce mélange de cendre et de neige glacée. Aucune lumière, comme dans une grande partie du pays. Les lieux sont abandonnés. Ils ne tentent pas de passer par le bâtiment d'accueil. Miriam indique qu'elle passera sur le côté, à travers le champ de lave, pour descendre vers le lac.

«Je vous accompagne, dit Loki.

— Sans vouloir vous offenser, je préfère y aller seule. Par contre, si vous pouviez m'éclairer le terrain avec les phares.

— Il fait froid, prenez mon parka, à l'arrière.

— Merci, mais je veux encore ressentir ce pays sur moi pendant que c'est possible. Toutefois, si vous aviez un récipient quelconque...»

Il lui tend une bouteille thermos et elle part aussitôt dans le faisceau des phares, émue de se retrouver en ces lieux.

Le lac se trouve enclavé dans une cuvette naturelle faite de lave ancienne. La déclivité du terrain fait que Miriam parvient à un certain point où la lumière des phares passe au-dessus de sa tête et n'éclaire plus du tout son chemin. Elle continue néanmoins, presque à tâtons dans l'obscurité. Plus aucune lueur n'éclaire le lac par le fond et elle ne le distingue que par la surface noire unie qui se détache dans le reste des ténèbres. Rien n'est comme la première fois, mais l'esprit des lieux semble toujours être le même. Arrivée sur la berge, elle ne l'avait pas prévu, mais soudain elle ressent le besoin de s'immerger à nouveau dans cette eau. Du bout des doigts, elle se rend compte qu'elle est à peine tiède. Peu lui importe, il lui faut s'y jeter et s'y laver de tout ce qui vient de lui passer par la tête. L'eau a-t-elle ce pouvoir? Presque rageusement, elle jette derrière elle la «robe diabolique» et se laisse aller dans l'élément qui lui a ôté sa fille après la lui avoir donnée.

Oui! l'eau a bien le pouvoir qu'elle lui a prêté. Enveloppée par l'obscurité, glissant dans l'eau fraîche, elle se retrouve. Que s'est-il passé ces deux derniers jours? Est-ce bien elle qui a voulu, désiré, presque demandé? Non, elle est comme l'eau. L'eau ne se corrompt que par ce qui s'y introduit, l'eau elle-même reste l'eau, propre! Tournée vers le ciel, Miriam respire profondément.

«Hella! Tu es là, mon bébé? Tu es là, mon ange? J'étais fâchée, hier, en voyant le film, mais c'est fini. Je comprenais mal. Ce n'est pas que je comprends encore très bien, mais je sais que tu es toujours toi, comme je t'ai toujours aimée. À présent, il va falloir que tu m'aides à rester moi. Je ne sais pas ce qui m'arrive. Mais avoue aussi que c'est difficile de faire comme si vous étiez là, alors que je ne peux pas vous parler et encore moins vous entendre. Vous le savez, je vous aime, de tout mon cœur, mais des fois j'ai l'impression que vous n'êtes plus que des souvenirs, et parfois même je doute de mes souvenirs. Il faut m'aider, Hella!»

Elle s'est éloignée de la rive et songe qu'il lui faut y

retourner. Repartir, quitter cette eau où, comme Hella l'a fait, elle veut se fondre. Rester là, limpide, éternelle, sous le ciel, dans le ciel, retourner au Grand Tout. Mais ce n'est pas fini; il lui faut encore poursuivre au risque immense de se brûler.

La voix de Loki retentit dans la nuit. Elle lui répond qu'elle arrive.

«Un jour, murmure-t-elle pour l'eau, pour la lave ancienne et pour le magma quelque part sous cette terre, un jour je reviendrai et je resterai.»

XXXVII

En s'éveillant, Miriam est assaillie par la culpabilité. Elle se reproche de ne pas avoir assez insisté pour aller chercher Brigit. Couleur argent comme le ciel et l'océan, le navire de Loki fait route au sud-ouest. D'abord, elle reste sur le dos, fixant les nervures fines des lambris de bois au plafond. Au mouvement, elle sait qu'elle est en haute mer. Elle est intriguée, cependant, de n'entendre qu'un très léger bourdonnement. Laissant ses pensées vagabonder, elle se demande quelle sensation peut procurer la possession d'un tel navire qui peut aller n'importe où sur simple souhait. Cela ressemble fort à la liberté; sauf qu'hier soir aussi, dans le lagon bleu, cela ressemblait encore plus à la liberté. Mais, comme tout le monde, elle est de chair et de sang et, comme tout le monde, elle ne peut par conséquent prétendre à réellement se fondre dans l'eau du lagon. C'est sans doute ce qui explique que, comme pour tous les êtres de chair et de sang, la notion de liberté peut lui paraître plus accessible dans le simple fait de pouvoir aller où et quand elle veut dans le confort le plus raffiné. Mais, là encore, pur esprit ou non, la vie n'est-elle la vie que pour jouir des biens terrestres?

Prenant conscience qu'elle s'éveille avec de bien grandes questions pour lesquelles de toute façon il n'y a jamais de réponse, elle revient à des considérations plus immédiates et se demande ce qu'il peut y avoir de tellement important pour Loki à Windsor pour qu'il tienne à ce point à l'y emmener, bien qu'il soit dans l'ordre des probabilités qu'il

365

ne s'agisse que d'un stratagème pour la garder près de lui. Elle penche même plutôt pour cette explication sans pourtant trop s'en offusquer. Elle se souvient toutefois du désarroi qui l'a marqué lorsqu'elle a mentionné être native de Windsor. Tandis qu'elle réfléchit à cette énigme, son regard accroche la toile de Medina et elle se demande jusqu'à quel point son hôte savait ce qu'il faisait lorsqu'il a acquis ce tableau qui cerne si bien les deux pôles entre lesquels elle oscille. Est-il possible qu'il la connaisse aussi intimement? Ne le faut-il pas pour lui avoir dit tout ce qu'il lui a dit sans crainte apparente qu'elle l'envoie promener? Car le problème est là: elle a tout accepté sans que rien l'y oblige. Sombre, le souvenir de ce qu'elle lui a dit la veille sur la route du retour lui revient. Elle veut le chasser; elle n'était pas elle-même à ce moment-là, pas même cette fille aux ailes de la nuit. De toute façon, en y regardant bien, si celle-ci se dresse fière et la poitrine dénudée, l'autre, qui croise pudiquement les bras sur ses seins, n'est-elle pas au fond plus impudique, dévoilant comme par mégarde une cuisse qui en dit plus long qu'une franche nudité? Et cet air d'ennui qu'elle affiche n'est-il pas en définitive un appel? Elle se sent plus de sympathie pour la «délurée», mais se questionne à savoir si elle n'a pas davantage de la «sainte».

Toute la journée, elle s'interroge sur ce qui peut se passer en Islande. Le volcan n'est pas entré en éruption, elle en est convaincue; elle le sentirait dans son corps. Et puis cela ne correspondrait pas à ce qu'elle croit. La question se pose néanmoins. Ne se sont-ils pas sauvés un peu vite? Elle continue de se reprocher de ne pas avoir insisté pour retourner chercher Brigit.

Ce n'est qu'à la tombée de la nuit qu'elle rencontre Loki. Bien que s'en défendant, elle s'est demandé à plusieurs reprises ce qu'il pouvait faire. Le yacht est grand, mais quand même. Il l'informe que les conditions n'ont pas changé sur la péninsule du Snæfells, que le séisme de la veille n'était sans doute que le début d'un long processus. Il lui demande si elle a pu se reposer et si sa journée a été bonne. Elle répond par un signe de tête un peu ambigu suivi d'un:

«Vous-même?

— Une mauvaise nouvelle, mais ça va…

— Vos affaires?

— Non, non, mes affaires vont très bien… Oh, et puis autant que vous le sachiez, je viens d'apprendre le décès de ma femme.

— Mais! Je croyais que…

— Oui, c'est le message qui circulait. En réalité, elle se trouvait internée depuis quelques années. Enfin, je suppose que pour elle c'est mieux ainsi.

— Je suis désolée.

— Merci, mais que voulez-vous, c'est la vie.

— C'est terrible pour Freyja.

— Pour elle, sa mère est morte depuis longtemps. Comment aurais-je pu lui expliquer que la malheureuse se croyait possédée? Mais c'est fini! »

Elle le voit se détourner, sans doute pour dissimuler sa peine. Elle voudrait lui poser la main sur le bras dans un geste de réconfort, mais se retient, extrapolant que ce ne serait sans doute pas bénin. Elle imagine qu'il a dû passer la journée enfermé à ruminer des souvenirs, et à cause de cela elle lui prête un côté que jusqu'à présent elle ne lui avait pas imaginé.

«Vous m'excuserez si je ne me joins pas à vous pour dîner ce soir, dit-il, je crois que je vais me reposer un peu.

— Je comprends, ne vous occupez pas de moi.

— N'hésitez pas à demander tout ce que vous voulez au maître d'hôtel, il est là pour ça. J'ignore si vous y êtes déjà allée, mais, pour vous aider à passer le temps, vous trouverez une belle collection de films et de livres dans la bibliothèque. »

Toute une journée passe de nouveau sans qu'elle le voie. Elle trouve encore une fois le temps long et révise sa présomption voulant qu'il l'emmène à Windsor pour profiter de sa compagnie. Dans le fond, il a dû lui sortir le grand jeu comme il doit le faire pour des centaines d'autres puis, avec la nouvelle qui lui est arrivée, il a dû se lasser. Les personnes disposant d'un pouvoir financier comme le sien doivent être habituées aux conquêtes vite enlevées. Mais elle a beau se répéter que c'est mieux ainsi, elle ne parvient pas à s'en convaincre. En l'apercevant sur le pont supérieur, d'où il lui adresse un signe de la main depuis le jacuzzi où il se trouve en compagnie de Freyja, elle ne se l'avoue pas, mais elle se sent immédiatement plus d'entrain.

«Venez vous joindre à nous! lance-t-il.

— Ce serait avec plaisir, mais vous avez pensé à tout sauf à un maillot.»

Elle s'est alors suffisamment approchée pour se rendre compte que ni l'un ni l'autre n'en porte.

«Ce bateau est privé», dit-il comme si cela expliquait tout.

Bien entendu, elle sait que de nombreuses personnes pratiquent le nudisme en famille. Elle n'a rien contre, ce n'est après tout qu'une question d'habitude; elle-même a toujours pris son bain en présence de Hella. Mais de voir ainsi un père et sa fille assis côte à côte dans un jacuzzi la désarçonne un peu.

«Je crois que je n'ai pas l'habitude, dit-elle.

— Voyons, Miriam, ce ne sont pas quelques centimètres carrés de textile qui changent quoi que ce soit. Freyja va se poser des questions si vous ne vous joignez pas à nous. L'eau est parfaite.

— Je ne sais pas...»

Loki donne un léger coup de coude à Freyja, lui dit quelques mots et la jeune fille se lève pour inviter Miriam à les rejoindre. Dans le même temps, le maître d'hôtel apporte une bouteille d'eau gazeuse; tout semble normal. Il n'y a sans doute qu'à s'y faire, comme dans les vestiaires du *Blaa Ionid*. C'est ce qui arrive lorsqu'on a été élevée dans une province aussi conservatrice que l'Ontario.

Essayant de penser à autre chose, elle ôte sa robe et ses sous-vêtements puis les pose sur un banc de cèdre avant de les rejoindre. Il est vrai que l'eau est délicieuse. Comme Loki a les paupières légèrement baissées et la tête renversée vers le ciel, elle fait de même. Oui, une fois le «choc culturel» passé, c'est très agréable. Loki tourne une valve pour augmenter la pression des jets et lui recommande de se placer de manière à profiter du massage. En contrechamp, une musique orientale très élaborée stimule des pulsions presque mystiques. Miriam rouvre à demi les paupières pour contempler l'océan en train de virer au noir sous le ciel plombé. Quelques lampes diffusent une chaude lumière autour de la baignoire et donnent l'impression de se trouver dans une nef paisible et chaleureuse alors qu'autour s'étendent les ténèbres. N'est-ce pas le cas, après tout? Le contraste est saisissant et elle commence à se sentir très bien. Elle a eu tort de redouter ce voyage.

Freyja parle à son père qui lui répond sans que Miriam puisse deviner ce dont il est question.

« Il faudra lui apprendre l'anglais, dit-elle.

— Elle n'en aura pas besoin.

— C'est la langue universelle, non?

— Elle peut déjà comprendre et être comprise par plus d'un milliard d'individus; pour les autres, qui ne parlent ni le mandarin ni le cantonais, la fortune de Freyja sera amplement suffisante pour que ce soit à ceux qui voudront lui parler d'en prendre les moyens. Elle peut apprendre les langues qu'elle veut sans être contrainte à une en particulier. Pourquoi ne parlerait-elle pas le finnois ou l'hottentot si cela lui plaît davantage que l'anglais?

— J'imagine que c'est là un autre privilège lié à la richesse.

— Tout à fait. À quoi servirait d'être riche si c'était pour faire comme tout le monde?

— Mieux vaut ne pas s'engager sur ce sujet; je crains d'avoir été élevée avec certaines conceptions un peu gauchisantes. »

Elle se redresse, soudain frappée par une idée :

« Vos parents?

— Qu'y a-t-il avec mes parents?

— Ils sont à Olafsvik; si le Snæfells explose comme le Hekla…

— Je surveille les nouvelles. Des volcanologues sont sur place; si le danger devient imminent, ils seront évacués.

— Vous n'avez pas songé à les emmener?

— Vous voudriez que j'humilie mon père?

— Je ne comprends pas?

— Nous descendons de ce que vous appelez les Vikings; nous n'aimons pas attendre ou recevoir des autres. Un cadeau pour marquer l'estime, oui, mais pas plus. Ce n'est pas de l'orgueil, simplement une habitude de se prendre en main soi-même. Cela dit, croyez-vous vraiment que le Snæfells va suivre le Hekla?

— Vous promettez de ne pas rire?

— Je ne ris que de l'imbécillité.

— Bien, je crois que cela va dépendre de moi. Ne me demandez pas pourquoi ni comment. »

Il la regarde longuement.

«Inutile», dit-il.

Le silence s'est de nouveau installé. À la musique orientale succède une chanteuse chinoise à laquelle Miriam trouve beaucoup de tripes dans la voix. Il fait nuit à présent, une nuit sans lune. De la mer, ils ne font que savoir qu'elle est là, tout autour, immense. Leurs pieds entrent en contact. Miriam hésite un instant, mais ne retire pas le sien. Un pied n'est qu'un pied, inutile de lui laisser penser qu'elle puisse y voir autre chose. Cependant, il envahit tout, ce pied; comme si, par lui, elle était en contact avec tout Loki. C'est lui qui déplace le sien sans qu'elle puisse déterminer s'il a été conscient de quoi que ce soit. Non, il ne faut pas que ça recommence. Il n'y a rien, penser à la mer!

Freyja se lève et se place entre eux, tournée vers son père, les genoux contre les siens. Ils parlent encore une fois sans que Miriam puisse deviner quoi que ce soit, puis, de la paume de la main, Loki lui donne une petite tape sur les fesses. La jeune fille rit, sort du jacuzzi et Loki entame le même mouvement pour la suivre.

«On va se préparer pour le dîner, dit-il; elle veut toujours que je la peigne. On remet ça demain, même heure?

— Oui, c'est très agréable.

— Prenez votre temps. Je vous retrouve pour le dîner. À tout à l'heure. »

Elle les regarde s'éloigner, incapable d'interpréter quoi que ce soit. Elle a encore à l'esprit l'image de cette main englobant une fesse. Une petite tape, oui, mais le creux de la main n'était-il pas un tout petit peu trop prononcé pour que ce ne soit que cela? Non, elle se fait encore des idées. De toute évidence, il y a beaucoup de complicité entre eux. Elle se représente Loki en train de peigner sa fille et trouve l'image touchante.

Assis sur le bord du lit, Loki coiffe Petite Sœur et se demande comment il a trouvé la volonté de ne pas bander jusque-là. Enfin, le moment de délivrance est arrivé! Freyja lui tourne le dos, debout entre ses jambes. Il brosse lentement ses longs cheveux et lui explique comment il faudra se comporter le lendemain. Freyja pose les questions pertinentes. Il pose la brosse sur le lit, recule un peu, la fait se tourner vers lui et, baisant chacun de ses seins, lui demande s'ils la démangent toujours. Comme elle répond par l'affirmative d'un mouvement du menton, il passe doucement la langue sur chacun d'eux. Elle jette la tête en arrière. Il se souvient comment, hier, elle a excité toute la planète. Un vrai bijou! Il lui demande comment elle veut qu'ils s'amusent aujourd'hui puisque c'est un jour impair et que, selon leur entente, c'est elle qui décide ces jours-là. De l'index, elle désigne son vagin puis, souriant comme on le fait dans l'anticipation d'une grande joie, elle arque le ventre à la rencontre du sexe tendu vers elle. Loki lui sourit à son tour avec connivence, se lève, la soulève par les fesses et fait passer ses jambes autour de lui. Très doucement, comme ils ont appris à le faire, elle descend sur lui. Ils bougent à peine; pas besoin. Comme d'habitude, il n'est pas certain si c'est avant ou pendant qu'il éjacule qu'elle pousse son petit cri. Il tombe à la renverse sur le lit, l'entraînant avec lui. Ils restent là un long moment sans bouger et il étire les lèvres en un sourire satisfait lorsqu'il aperçoit une ombre pâle se profiler sur le fond noir de la porte-fenêtre dont il a pris soin de ne pas fermer le store.

Miriam a l'impression que ses jambes ne la porteront pas jusqu'à sa cabine. Qu'est-ce qui lui a pris de passer par tribord alors que le plus court chemin est par bâbord? Savait-elle déjà ce qu'elle allait découvrir? Oui, en partie, depuis la tape sur les fesses. Que va-t-elle faire de ça à présent? Le confronter ne servirait strictement à rien, crier à l'océan non plus. Quant à l'équipage, il doit être complice. En réalité, elle ne peut que se taire et condamner en silence. Comment peut-il! Sa propre enfant! Pourtant, selon tout ce qu'elle croit savoir, la jeune fille aurait dû refuser, ou tout au moins subir; mais là, c'était presque comme si c'était elle qui voulait. Non, rien ne s'est passé comme cela se devait.

De retour à sa cabine, elle tourne sur elle-même, perdue. Elle a mal partout. Elle ne veut plus voir, mais que ses yeux soient ouverts ou fermés elle revoit les jambes graciles enserrer la taille de l'homme, la taille de son père! Et ce sexe sur lequel elle est descendue si lentement, le sexe de son père... Elle se souvient, avec son propre père, des instants détachés du temps. Mais là, ce n'est pas pareil! Eux sont allés beaucoup trop loin, comme... Elle revoit leur baiser. La seule fois peut-être où elle a embrassé ainsi, c'était quand Joe était revenu le soir où elle lui avait annoncé qu'elle était enceinte. La première fois qu'ils ont fait l'amour, cela même si, comme elle l'avait tout de suite senti, il portait le parfum d'une autre. Non, pas vraiment le parfum, l'odeur. Était-ce cette odeur qui l'avait tant excitée ce soir-là, ou le désir intact de son mari qui lui revenait? Non, un père et sa fille ne peuvent pas, ne doivent pas s'embrasser ainsi! Sans le chercher le moins du monde, la scène ne voulant pas quitter son esprit, elle se prend à se demander ce qu'a pu être le plaisir de Freyja. Non, il ne faut pas penser à cela, oublier, faire comme si jamais elle n'était passée par tribord. Tout cela ne la regarde pas; le monde est comme il est et voilà tout. Se préparer pour le dîner, parler de choses et d'autres et laisser couler. Elle ne peut rien pour cette fille. Oublier, oublier pour son propre bien.

Loki se présente seul dans la salle à manger où Miriam vient juste d'arriver en se répétant de faire comme si elle n'avait rien vu.

«Freyja ne viendra pas ce soir, dit-il; elle préfère manger un sandwich en regardant un film.»

Que dire? Tout ce qui lui passe par la tête lui semble lourd de sous-entendus.

«À son âge, j'imagine que c'est plus amusant que de dîner entre deux adultes.

— Vous avez raison.

— Elle ne va pas à l'école?

— Je suis son école.

— Ah.

— Vous semblez dubitative? Ne pensez-vous pas qu'il revient en premier lieu aux parents d'instruire leurs enfants, je veux dire au moins dans ce qu'ils maîtrisent?»

Le fait-il exprès? Il est là, naturel, décontracté, comme si tout à l'heure…

«Sans doute, dans la mesure de leurs moyens.

— Vous, par exemple, que vous ont appris vos parents?

— À être ce que je suis.

— Alors, on peut dire, même en considérant la part des gènes pour lesquels ils n'ont aucun mérite, qu'ils ont fait du beau travail. Je voudrais pouvoir en faire autant avec Freyja. Comprenez, elle est ma fille, je veux en faire une reine, pas n'importe quelle midinette avec des conceptions sur la vie en vogue dans les chaumières. Une reine doit pouvoir être prête à tout, y compris au pire. Mais c'est vrai, vous m'avez dit être un peu gauchiste.

— Quand arriverons-nous? demande-t-elle en changeant de sujet un peu abruptement.

— Ça, je ne peux pas vous le dire avec certitude. Nous devons rester un jour ou deux à la hauteur du Groenland, le temps d'obtenir les autorisations pour entrer dans les eaux canadiennes et américaines. Ensuite, le Saint-Laurent et les Grands Lacs étant gelés, il faudra peut-être encore attendre le passage du brise-glace.

— J'ignorais qu'il faille une autorisation pour entrer dans les eaux territoriales.

— Pas en temps normal, mais vous êtes sur un navire qui fonctionne sur une pile nucléaire. Un privilège unique que j'ai obtenu du gouvernement chinois pour services rendus.

— Je ne savais pas non plus qu'il y avait des yachts nucléaires.

— À ma connaissance, il n'y en a qu'un et vous vous trouvez à son bord. »

Elle repose le verre de vin que le maître d'hôtel vient de remplir. Jusqu'à présent, elle avait compris que Loki était riche, très riche, mais ce qu'il vient de lui apprendre le situe dans un autre ordre de richesse; il n'est pas uniquement riche, il a aussi le pouvoir. Est-il possible que lorsqu'on détient ce type de pouvoir les règles morales qui régissent le reste de l'humanité ne s'appliquent plus; ou plus exactement, n'aspire-t-on pas à ce type de pouvoir justement pour s'émanciper de ces règles? Soudain, elle le regarde sous un autre angle; il appartient à un ordre différent. Elle l'observe qui passe la commande au maître d'hôtel. Aucune hésitation, ni dans les gestes ni dans le ton. L'assurance dans tout son éclat. Il ne peut se tromper, il est fort. Peut-être au fond a-t-il raison, seuls les rois peuvent fabriquer des reines. Elle-même à présent a l'opportunité d'en devenir une; il lui suffit d'oublier la morale de son ordre pour passer dans celui de Loki, devenir reine et jouir de tous les biens terrestres, jouir du monstre, comme Freyja, jouir! Enfin!

XXXVIII

Miriam dort mal. Des séquences de rêves décousus où surgit sans fin une équation impossible alternent avec des phases de veille où la réalité est incertaine. Soudain, dans l'aube grise, un mot s'inscrit en capitales dans son esprit : ASYMÉTRIE. C'est évident! Tout comme la matière a dû naître d'une asymétrie du néant, tout comme la vie a dû surgir d'une asymétrie d'acides aminés, tout comme, grosso modo, la personne humaine est le produit de l'asymétrie mâle-femelle, la pensée, elle aussi, naît du même phénomène; non seulement la pensée, mais aussi la personnalité. Bien, peut-être en est-il ainsi, mais quel rapport avec ce qu'elle vit actuellement, sinon le fait qu'il est clair que sa propre asymétrie est difficile à vivre? Elle subit encore les brumes de ses rêves hachurés, des formules comme des images tentent vainement de prendre un sens, mais rien n'en a. Elle patauge dans une bouillie mentale. Dehors, tout est bouché. Selon Loki, ils se trouvent quelque part à la hauteur du Groenland, mais cela pourrait être n'importe où. Tous les repères du temps et de l'espace se fondent avec les repères d'elle-même. Qui est-elle? Le produit d'une mémoire et d'une personnalité, l'une interdépendante de l'autre; une mémoire principalement marquée par quelques faits majeurs, quelques œuvres de l'esprit; une personnalité caractérisée par la géographie de son point d'équilibre entre deux pôles inversés, et puis après? Oui, bien sûr, toujours la même grande question : y a-t-il une conscience derrière tout ça, cette «insubstance» supposée récolter les fruits de sa gouverne sur sa mortelle enveloppe? Car c'est bien ce dont il s'agit : la conscience en elle-même est a priori toujours bonne. Ce qui peut clocher, c'est la volonté de ne pas céder aux impulsions de la mortelle enveloppe. Donc, toujours à supposer qu'il y ait une conscience, le Grand Truc est le degré de volonté; mais alors quoi, si celle-ci est déterminée par les gènes, bien physiques, eux? Absurde! Quoique... Peut-être pas si le degré de volonté est proportionnel à celui d'amour. De cette façon, tout semble pouvoir s'expliquer logiquement : assez d'amour permettrait assez de volonté pour résister au néant et ainsi permettrait à la conscience d'évoluer vers l'amour en opposition à son absence. Toujours ainsi, l'énergie constituante de la matière serait l'expression tangible de l'amour, l'énergie de laquelle, paradoxe, il faudrait se garder pour entrer dans l'amour. En d'autres mots, l'amour émergerait du néant en se faisant matière, mais retournerait au néant s'il ne s'en détachait pas. Pourquoi?

Elle secoue la tête, se redresse, attrape sur la table de chevet le lecteur musical offert par Loki et sélectionne l'album de Hella. Quelques notes et déjà la musique la détend, ou tout au moins lui apporte un peu d'oubli. Elle retombe dans les oreillers. Vers le milieu de l'album, elle se redresse sous le coup d'une révélation. Remontant le fil de ses souvenirs, elle se rend compte que, sans exception, tous les moments heureux, les bons souvenirs, sont placés sous le signe de l'amour; et plus celui-ci est présent, plus le souvenir est radieux. L'inverse est tout aussi vrai. Se balancer dans la grande roue avec son père, déjeuner avec Adam sur l'île à la Pêche, tenir Hella dans ses bras, chaque fois l'amour est là et la joie aussi. Inversement, la mort de Joe, son désir du recenseur, hier soir à la porte de Loki, rien de tout cela ne respire l'amour et tout s'inscrit comme des moments pénibles. N'est-ce pas la réponse à son pourquoi de tout à l'heure? Ce que l'amour propose avec lui-même n'est que la joie. Un état de joie arraché au néant. C'est ce que la voix de Hella laisse deviner. Cela ne vaut-il pas la peine, même si, en adoptant le pari de Pascal, ce n'est qu'une possibilité? Cette question contient déjà sa propre affirmation et, plus prosaïquement, mais comme pour rester dans la trajectoire, elle se demande ce qu'elle va faire de toute cette journée, ou plutôt ce qu'elle ne doit pas faire. En premier lieu, il convient d'éviter Loki dans les limites de la civilité. Sitôt pris son petit-déjeuner, elle ira chercher une pile de livres à la bibliothèque. Cela l'occupera jusqu'à ce que le navire entre dans le Saint-Laurent. Ensuite, il y aura sans doute beaucoup à contempler jusqu'à Windsor.

Mais déjà, se levant et apercevant son reflet dans le miroir, elle revoit les images de la veille : les jambes de Freyja autour de Loki.

L'océan est argent, les cieux sont acier; le tout d'une rude beauté. Prenant son thé appuyée au bastingage, elle se trouve malgré tout privilégiée de pouvoir jouir de cela, lorsque Freyja vient lui poser la main sur le bras. La jeune fille lui sourit avec innocence et Miriam a de la difficulté à faire le lien entre ce sourire et celui qu'elle a surpris la veille. Elle aurait voulu aller à la bibliothèque, prendre des livres et se réfugier dans sa cabine, mais Freyja lui fait signe de la suivre. Que veut-elle lui montrer à présent? Loki a-t-il autre chose en réserve? Il apparaît cependant que la jeune fille ne veut que lui montrer de magnifiques dessins au crayon dont, un peu stupéfaite, Miriam comprend qu'elle en est l'auteure. Pour la plupart, les dessins représentent des fleurs ou encore des oiseaux. Il n'y a aucun paysage, mais quelques visages, dont celui de Loki croqué sous différents angles. Freyja lui fait comprendre qu'elle aimerait faire son portrait. Il n'y a aucune raison de refuser et Miriam prend place dans le fauteuil que Freyja lui désigne. Après s'être laissé placer selon un certain angle, elle n'a plus rien d'autre à faire que d'observer la jeune fille. Celle-ci est vêtue d'un petit chemisier noir sans manches et d'un short blanc en tissu extensible, le tout renforçant l'apparence de ce qu'elle est, une très jeune fille. Une très jeune fille qui pourtant n'a montré aucune réticence, au contraire, à se livrer à son père. Comment a-t-il pu l'amener à cela? Ne faut-il pas connaître tous les méandres de la nature humaine pour ainsi pervertir les inclinations naturelles? N'use-t-il pas des mêmes pouvoirs à son encontre? Sans qu'elle s'en rende compte, tout ce qu'il fait ou dit n'a-t-il pas pour but de l'amener dans un état d'esprit similaire à celui de Freyja? Elle a soudain pitié de la jeune fille et voudrait l'aider. Mais elle a beau y réfléchir, elle ne voit pas comment, sinon, peut-être en balançant Loki par-dessus bord. Bien entendu, cela n'est ni dans ses possibilités ni dans ses intentions réelles.

Le cahier de croquis posé sur sa jambe droite et celle-ci appuyée en travers de son genou gauche, Freyja s'applique en pinçant les lèvres entre ses dents. Ses cheveux noirs tombent de chaque côté de son visage, presque à toucher le cahier. Comme elle la voit à présent, Miriam a l'impression passagère et déroutante que la jeune fille est vieille. Ce n'est pas dans ses traits, ni dans sa position; cela tient plutôt à ce qui émane d'elle. Est-ce le résultat de ce qu'elle vit avec son père?

Freyja se redresse, contemple son dessin, donne quelques coups de crayon, puis se lève pour venir le présenter à Miriam qui pratiquement se fige. Non seulement c'est tout à fait elle, non seulement ses traits sont rendus avec une précision quasi chirurgicale, mais l'expression de douleur est saisissante, tant du point de vue de la capacité artistique de Freyja que de se découvrir ainsi capturée. À s'imaginer que la jeune fille peut lire en elle au plus profond. Miriam se sent non seulement inutile, mais lâche de ne rien pouvoir faire pour elle. Cette enfant mérite mieux que son sort de «reine». Elle a envie de la prendre dans ses bras, de la serrer tout contre elle, mais au lieu de cela, incertaine de ce qu'elle ressent au juste, elle reste immobile.

Freyja semble réfléchir sur son dessin, reprend le cahier des mains de Miriam, lui fait signe de rester en place, retourne s'installer face à elle et entreprend de donner de grands coups de gomme. En quoi veut-elle reprendre son dessin? Trente minutes passent avant que, satisfaite, avec un grand sourire et toute l'assurance du monde, Freyja lui apporte le cahier. Miriam ne peut s'empêcher de s'exclamer en se découvrant cette fois parfaitement heureuse, mais dans les bras de Loki, Freyja un peu en retrait entre eux. Elle voudrait déchirer le dessin, mais c'est impossible. Freyja semble tellement heureuse de son inspiration. Comment lui expliquer que cette union n'est pas envisageable, que... Qu'elle aime quelqu'un d'autre, quelqu'un qui n'aurait jamais fait l'amour ou le simulacre de l'amour à sa fille. Qui n'aurait... Oui, c'est au passé, mais l'impossible s'est déjà produit. Rien ne garantit que cela ne se produira pas une autre fois.

Miriam pose le dessin et prend Freyja par les épaules pour l'attirer contre elle. Veut-elle la remercier pour sa pensée malgré tout touchante ou la consoler? Elle ne sait pas très bien. Quoi qu'il en soit, le contact n'est pas du tout ce à quoi elle s'attendait. C'est... Elle ferme les yeux. C'est comme si elle retrouvait quelque chose de très vieux et ancien, un refuge chaud et humide.

«Désolé de vous interrompre ainsi, Miriam, mais je crois qu'il y a urgence.»

Miriam se redresse vivement avec, c'est ridicule, le sentiment d'être prise en défaut. Elle regarde Loki un instant avant de comprendre le sens de ses mots.

«Une urgence? demande-t-elle.

— Oui, je le crains. Il faudrait que vous communiquiez immédiatement avec vos parents. Vous m'avez bien dit qu'ils demeuraient à Windsor?

— Oui, mais que se passe-t-il, je ne comprends pas?

— Je ne peux pas tout vous expliquer pour l'instant, mais je viens d'avoir des informations qui me paraissent dignes de foi. Croyez-moi sur parole, il est important que vos parents quittent Windsor sans délai.

— Mais pourquoi? C'est absurde!

— Miriam, tout ce que je vous demande pour l'instant, c'est de me faire confiance. Venez, je vais établir une communication. Vous leur raconterez ce qui vous passe par la tête; il est seulement important qu'ils quittent la ville immédiatement et montent vers le nord. C'est vital pour eux, vous me comprenez?»

Elle l'observe. Il n'a jamais été aussi sérieux. Pas même une trace de son cynisme ironique habituel. Que peut-il se passer à Windsor qui justifie le départ immédiat de ses parents?

«Je ne comprends pas pourquoi vous ne pouvez rien me dire, dit-elle, mais je vais faire ce que vous me demandez. »

Elle l'accompagne jusqu'à son bureau où il l'invite à s'asseoir derrière une rangée de moniteurs et lui désigne un micro. À sa demande, elle lui donne le numéro de la maison familiale qu'il entre sur un clavier en expliquant que la communication passera par une bande Web satellitaire. La sonnerie reste sans réponse.

«Ils n'ont pas l'air d'être à la maison, constate Miriam. On pourrait essayer le portable de mon père.

— Sûrement. »

Mais, là également, il n'y a aucune réponse.

«Ils n'ont pas de répondeur? demande Loki.

— Ça énerve mon père. La plupart du temps, ce sont des appels commerciaux pour des assurances ou des hypothèques.

— Essayons encore, mais, si le cellulaire ne répond pas, cela signifie certainement qu'ils sont absents.

— Peut-être. Sans doute au centre commercial, et le cellulaire est resté fermé. Cela ne m'étonnerait pas du tout. »

Ils essaient encore pendant plus d'une demi-heure. Loki pousse des soupirs et pianote du bout des doigts sur la table de travail.

«Vous ne pouvez vraiment pas me dire ce qui se passe? »

Pour toute réponse, il entre une série de commandes sur un clavier et désigne du doigt un moniteur à gauche de Miriam.

«J'ai ici une webcam située sur le toit du casino de Windsor. Voyons… »

La vue vidéo semble un peu irréelle, comme toutes les vues vidéo de ce type. Cependant, avec une certaine émotion, Miriam reconnaît bien la rivière Détroit et la *skyline* familière de Motown. Tout semble absolument calme, normal. Le temps est un peu couvert. La rivière gelée et enneigée est coupée en long par un chenal d'eau vive. Des outardes s'ébattent sur la glace. Une journée hivernale typique de Windsor. Elle se demande soudain, outre revoir ses parents, ce qu'elle va y faire. À contempler ainsi les lieux de son enfance, elle n'est plus du tout certaine que l'impossible puisse s'y produire; tout paraît tellement pareil, tellement figé dans ce qu'elle a voulu oublier. Un damier stérile de grandes rues rectilignes se coupant à angle droit où la vie se passe à attendre. Oui, elle y a connu Adam, mais c'était dans un halo lumineux qu'il transportait avec lui-même et qui n'appartenait en rien aux lotissements urbains du Détroit.

Il y a un éclair sur le moniteur puis plus rien. Loki le fixe, immobile.

«On a perdu le contact», commente Miriam.

Loki entre de nouvelles commandes au clavier, mais la webcam ne diffuse plus.

«Voyons la BBC, dit-il, ils sont généralement les plus rapides...

— Pourquoi la BBC s'intéresserait-elle à une webcam défaillante à Windsor?»

Elle pose cette question davantage pour se raccrocher au banal, sachant pourtant déjà que c'est futile. Sur un autre moniteur, une journaliste assise derrière son pupitre a cessé de parler et semble écouter des instructions tout en fixant la caméra sans paraître la voir. Ses traits deviennent graves, beaucoup trop graves pour quelqu'un habitué à dresser le bilan quotidien des turpitudes humaines.

«Excusez-moi, mesdames et messieurs, mais nous recevons à l'instant plusieurs dépêches qui font état d'une très violente explosion à Tel-Aviv. Je répète, une explosion d'une très grande ampleur.

— Tel-Aviv!» s'exclame Miriam, comme soulagée.

Mais Loki secoue la tête comme si cette information confirmait ses pires appréhensions. De nouveau, Miriam suit son regard vers le moniteur. Cette fois, quand bien même la journaliste reste immobile derrière son pupitre, très professionnelle dans son tailleur vert pomme strict et élégant, cela ne suffit pas à dissimuler son agitation.

«Mesdames et messieurs, articule-t-elle gravement, de nouvelles dépêches font à présent état d'une explosion de très forte intensité à Detroit, aux États-Unis.»

«Quelle explosion? s'écrie Miriam. Que savez-vous?

— Miriam, je suis désolé, vraiment désolé; je l'ai appris juste avant d'aller vous trouver.

— Comment? Cela ne s'était pas encore produit!

— Écoutez, je ne suis pas où je suis sans avoir développé un réseau d'information efficace. Que voulez-vous que je vous dise de plus?

— Mais pourquoi n'avez-vous rien fait?

— Fait quoi?

— Je ne sais pas, prévenir les autorités, n'importe quoi.

— Soyez certaine que les gouvernements concernés ont été prévenus en même temps que moi. Je n'aurais pas été informé s'ils ne l'avaient pas été.

— Quel genre de bombe a explosé, dites-moi? Que se passe-t-il à Windsor?

— Miriam, les chaînes de nouvelles ne l'annonceront pas avant que les autorités aient pris toutes les mesures pour contenir les mouvements de panique, mais je dois malheureusement vous dire qu'il s'agit d'explosions nucléaires.»

Glacée, Miriam le fixe sans rien dire, comprenant trop bien ce qu'implique le dernier mot. Il referme doucement la main autour de son poignet dans un geste de réconfort.

«Vos parents n'étaient sans doute pas là, tente-t-il de la rassurer. Nous allons tout faire pour les retrouver, je vous le promets.

— Nucléaire, répète Miriam; mais alors, il n'y a plus rien… La maison, l'école, tous les gens que je connais… Que va-t-il se passer…»

Ce n'est pas vraiment une question, mais Loki répond:

«Je peux prévoir qu'Israël va lancer une frappe punitive sur les capitales des pays avec lesquels ils sont toujours en état de guerre. Les États-Unis aussi n'auront pas le choix de répliquer. Si mes informations sont exactes, le Pakistan pourrait être la cible. Ne parlons pas du ressentiment des populations occidentales contre les ressortissants musulmans.»

Miriam n'écoute déjà plus. Elle ne se rend pas compte que rien n'est terminé, au contraire. Son esprit est entièrement préoccupé du sort de ses parents, mais aussi de toute l'infrastructure matérielle de son enfance, du cadre de ses souvenirs. Elle ne prend pas même conscience qu'elle a à présent glissé ses deux mains entre celles de Loki. Lui se félicite; tout, absolument tout se déroule selon ses prévisions. Il a commencé à organiser l'opération en même temps que le *Selma Live*. Dans son esprit, tout se tient. Avec pour objectif tout ce qui arrive aujourd'hui, il y a longtemps qu'il a infiltré les mouvements islamistes les plus radicaux et donc les plus susceptibles de porter la destruction et ainsi la souffrance à l'échelle de ses ambitions. Le plus onéreux a été de se procurer la matière fissile. Son plan était simple : se servir du courant islamiste pour qui, selon le Coran, l'islamisation totale de la planète est la condition indispensable à l'établissement du paradis terrestre. Sur ce point, il a toutefois hésité en se faisant la réflexion que si une dictature de l'esprit parvenait réellement à s'imposer à la grandeur de la planète, la souffrance engendrée équivaudrait largement à un conflit nucléaire, et sans doute pour beaucoup plus longtemps. Mais il est pressé. Pour avoir vécu à Windsor, il ne lui a pas été difficile d'imaginer qu'un baril nucléaire sautant sur le bord de la rivière soufflerait le centre-ville de Detroit, et Windsor par la même occasion, pour sa plus grande joie. Detroit n'a pas été choisie au hasard; outre le fait qu'il était relativement simple de faire sauter la ville sans même poser le pied sur le sol des États-Unis, il suffisait de consulter son histoire pour comprendre que cette cité constituait la pierre angulaire de l'*American way of life*. Détruire Detroit, c'était viser le talon d'Achille de la nation. Tel-Aviv aussi s'imposait pour provoquer une déflagration à répétition. La partie a été plus difficile pour cette ville sous haute surveillance. Encore une fois une opération très onéreuse, mais le succès semble total et les suites telles qu'il les a décrites à Miriam ne manqueront pas de survenir. Si tout va très bien, les tensions sino-russes sur lesquelles il travaille depuis des années pourraient porter leurs fruits, et alors! Tout ceci en cadre de fond de ce qu'il conçoit à présent comme la véritable entreprise de sa vie : se gagner l'amour inconditionnel de cette femme. Par elle, il sera capable de propager la souffrance à une échelle encore plus vaste. Seul point qui le trouble : elle, il ne se sent aucun besoin de la faire souffrir directement, au contraire. Ni Petite Sœur, du reste, il l'aime bien, elle aussi. Dans le fond, c'était peut-être ce que voulait dire la vieille lorsqu'elle affirmait que seul leur enfant serait capable d'aller jusqu'au bout.

Affichant tout le masque de bienveillance dont il est capable, il regarde Miriam. Cette partie-là est encore loin d'être gagnée; d'autant plus que pour que sa victoire soit totale il faudra d'abord qu'il lui révèle qui il est vraiment et donc tout ce dont il est responsable. Il faudra ensuite qu'elle l'accepte comme il est. Il ignore pourquoi il faut qu'il en soit ainsi, mais comprend qu'autrement la complicité telle qu'il l'imagine ne serait pas possible.

Le correspondant de la BBC en Israël est de passage à Tibériade. Des images de la ville apparaissent. La nature de l'explosion dans la métropole n'a pas encore été annoncée, mais tout le monde sait déjà. Dans les rues, les gens semblent prostrés; plusieurs pleurent en silence. Il se dégage de ces rues une atmosphère d'une tristesse infinie contrastant avec le lac en arrière-plan qui miroite comme une invitation à la douceur de vivre. Dans l'impossibilité de manifester son très vif plaisir comme il le souhaiterait, Loki stocke les images en mémoire; il y reviendra lorsqu'il sera seul. Un jour, si tout va comme il le veut, il pourra inviter Miriam à se joindre à lui.

«Allez vous reposer, Miriam, propose-t-il. Il n'y a rien à faire pour le moment. Je vous préviendrai dès qu'il y aura du nouveau. »

Miriam hoche doucement la tête. Elle se sent désemparée, vulnérable, et la solitude de sa cabine lui apparaît comme le seul refuge envisageable, si tant est à présent, qu'un refuge lui soit possible.

Étendue sur son lit, Miriam fixe un point invisible au plafond. Tout est parti dans un flash de lumière. À présent, elle partage à vif ce que les Islandais ont pu ressentir avec l'explosion du Hekla. Non, c'est pire; l'Islande est toujours l'Islande, il est dans sa nature d'être ainsi, mais le pays de son enfance, qu'il se nomme Canada ou États-Unis – à présent cela lui semble la même chose –, son pays était bâti sur une illusion qui vient d'être balayée. Plus rien ne sera jamais pareil, non seulement pour elle-même, mais pour tous les autres, tous ceux qui ont partagé l'illusion. Elle n'a jamais aimé les rues de Windsor, les tours du *Renaissance Center* lui ont toujours paru arrogantes, mais c'était le décor planté de son enfance. Comment continuer en sachant que cela n'existe plus? En réalité, elle pense ainsi aux murs pour s'éviter de penser aux gens, à ses copines de classe, à ses «ennemies», à ses collègues à l'école, à ses élèves dont elle a cru participer à la construction de leur avenir; que sont-ils tous devenus, à présent? Se peut-il que l'explosion ait été mineure? Elle ne se fait pas d'illusions. Les souvenirs commencent à défiler, déjà auréolés de la lumière des choses passées qui ne seront plus. Un anniversaire sur la pelouse des voisins, dans les embruns dorés du boyau d'arrosage, les cris aigus dans la piscine de plastique bleu, les odeurs du barbecue. Un soir d'été assise sur les marches de la galerie, du Pink Floyd s'échappant par la fenêtre de la cuisine, et l'assurance tranquille de l'éternité. Promenade avec les copines sur la *Ganacho Trail*, criant trop fort dans le crépuscule doré du vendredi soir, heureuses d'être en short, d'avoir de longues jambes, du rose à lèvres et du rimmel; déjà des stars. Et cette orange fabuleuse lors d'une première neige, et chez *Jerry*, et le Serbe qui gueulait après sa femme, et la rue Wyandotte si laide, si pathétiquement laide, où toutes les races du monde venaient s'arracher la vie dans des échoppes tristes comme des rêves brisés, et sa chambre de papier jauni d'où tant de formules se sont envolées, et la ville en face, sœur patibulaire avec son lot quotidien d'atrocités, mais aussi ses Bloomfield Hills où tout l'hiver ressemblait à Noël et tout l'été à des vacances, et, comme une invitation à la table des dieux, le Petrus vermeil sur l'île à la Pêche. Tout cela parti dans un flash. Tout cela déjà cendre et poussière. Tout cela qui était l'Amérique et dont l'annihilation, en onde de choc, va détruire l'illusion nommée Amérique. Où va-t-elle retrouver les siens à présent? À quoi bon lutter? Les ruines qu'elle peut imaginer ne lui semblent guère propices à une quelconque renaissance. Se peut-il au moins que par miracle ses parents se soient trouvés ailleurs, loin? Eux, elle veut encore se donner toute la chance de les retrouver.

XXXIX

Alors que de part et d'autre de l'océan la fureur s'est déchaînée, sur le yacht les jours se sont succédé, mornes et gris, figés. Même Loki n'avait pas imaginé si grand; les destructions sont telles qu'Internet ne fonctionne plus. Il ne reste que les ondes courtes, diffusant à longueur de journée un sinistre décompte auquel Loki se rassasie.

Avec le temps, Miriam en est venue à concevoir que sa famille n'est plus. Les nouvelles données par Loki ne font que renforcer cette impression. Petit à petit, c'est aussi l'espoir lui-même qu'elle abandonne. Non pas l'espoir de quelque chose en particulier, mais l'espoir intrinsèque. Tout semble suspendu sur l'Atlantique uniformément gris alors qu'autour ce n'est que folie. Ils sont là, au centre de nulle part, et le monde se désagrège. Il n'y a que Loki et Freyja qui sont égaux à eux-mêmes, toujours souriants, toujours de bonne humeur. Freyja ne doit pas se rendre compte, mais lui? Où puise-t-il son optimisme? Peut-être est-il inconscient, ou totalement insensible? Elle se demande de quelle façon elle pourrait être comme lui, et il arrive que cette question l'amène à imaginer ce que ce serait d'être avec lui. Il ne lui parle plus comme il l'a fait au bassin, mais parfois, ici, au milieu de l'océan, il lui arrive de souhaiter être moins seule; sauf que, dans les circonstances, ce «moins seule» ne peut impliquer qu'être avec Loki.

Plusieurs fois, elle lui a demandé quand est-ce qu'ils mettront enfin le cap vers quelque port. Chaque fois, il lui répond que pour leur sécurité il vaut mieux attendre que les choses se tassent. Ce soir, alors qu'elle traverse le pont, elle se demande si cela n'est pas en train de devenir le cas, car elle l'aperçoit dans le jacuzzi qui, à sa connaissance, a été délaissé depuis le jour où les bombes ont pulvérisé Tel-Aviv et Detroit. Peut-être qu'hier encore elle aurait été choquée de le voir se détendre ainsi alors que la planète part à la dérive, mais ce soir – sans doute le temps vient-il à bout de tout –, elle ne trouve pas même de raison de refuser lorsqu'il lui propose de le rejoindre. La mer est noire et une mince bande jaune doré s'étend sur l'horizon à l'ouest.

«Que fait Freyja? demande-t-elle en entrant dans l'eau. Elle ne vient pas?

— Je n'en sais rien.»

Pendant un long moment, aucun ne trouve quoi dire, mais l'eau est agréable et Miriam se détend.

«Que ferez-vous, après? lui demande-t-elle.

— Après quoi?

— Vous le savez, Loki, quand un jour nous finirons par regagner la terre.

— Je n'y ai pas songé un instant. Vous savez bien que tout ce qui m'intéresse, c'est vous.

— Je n'en crois rien. Ne perdez pas votre temps avec ce genre de séduction facile et hors d'usage. À propos, ou presque, vous ne m'avez toujours pas dit ce que vous vouliez me montrer à Windsor.

— Ce «à propos» me semble bien présomptueux, mais expliquez-moi d'abord pourquoi vous ne croyez pas être mon unique souci?

— Vous êtes beaucoup trop centré sur vous-même pour éprouver un tel sentiment. Ne le prenez pas mal, c'est souvent une caractéristique masculine.

— Peut-être est-ce justement parce que je suis centré sur moi-même que je peux savoir que je ne suis rien sans vous.

— C'est bien tourné, mais n'insistez pas; je sais que ce ne sont que des paroles.

— Votre ton laisse à penser que vous le regrettez?»

Haussant vaguement les épaules, elle se rend compte

qu'elle voudrait dire oui, dire oui et se pencher vers lui en oubliant tout le reste qui n'a plus d'importance puisque tout est volatilisé et qu'ici, de concret, il ne reste qu'eux. Cependant, elle s'entend dire :

«Parlez-moi plutôt de ce qu'il y avait à Windsor que vous teniez tant à me faire découvrir.»

Il garde le silence un long moment puis, estimant de vive voix qu'il lui doit toute la vérité, il commence à lui conter son histoire avec Eisa, depuis ce qu'il a appris d'elle jusqu'au moment où il a mis le feu à la voiture. Il fait totalement nuit lorsqu'il termine et, les lampes n'étant pas allumées, Miriam ne distingue que son profil qui se découpe sur le ciel. Les paroles «... un type l'avait emmenée à Detroit le temps de lui faire un môme et l'a laissée sur le trottoir le même soir» lui restent en mémoire comme gravées au fer. Elle entend encore la confession de Joe au matin de leur première nuit d'amour : «... une gentille fille; je l'ai emmenée à Detroit et ce n'est que là que j'ai compris qu'il n'y avait que toi; mais elle ne devait avoir personne, tu comprends. Enfin, voilà, je l'ai raccompagnée et je suis là.» Encore une fois, il peut s'agir d'un hasard invraisemblable, mais cela semble tellement déterminé.

«Ce que je ne comprends pas, dit-elle, c'est pourquoi vous vouliez m'emmener à Windsor pour me raconter ça?

— Je vous l'ai dit, parce que vous êtes tout ce qui compte pour moi et que c'est là-bas que je suis devenu ce que je suis. Je voulais que vous compreniez. Maintenant, Windsor n'existe plus…

— Qu'êtes-vous devenu, Loki? Un homme très riche, puissant. Je n'ai vraiment pas besoin d'aller à Windsor pour le comprendre.

— Évidemment, mais cela n'est que le résultat de ce que je suis devenu.

— C'est-à-dire?

— Je me demande si vous êtes prête à l'entendre.

— Quelle différence, que je sois prête ou non?

— Pour moi, toute la différence du monde.

— Si je savais au moins ce que vous entendez par «être prête»?

— Prête à accepter l'inacceptable.

— La définition d'inacceptable est justement que ce n'est pas acceptable.

— Sauf quand on aime... »

Elle reçoit le mot comme un coup au plexus. Une coulée de feu parcourt ses entrailles. Elle voudrait réfuter, mais se rend compte que c'est au-dessus de son pouvoir. Comment est-ce possible, avec tout ce qu'elle sait de lui? À quoi rime cette sorte d'amour? Lui prend son silence pour ce qu'il est et commence :

« À part vous, Miriam, à part peut-être un peu Freyja d'une certaine manière, je hais tout ce qui vit. Je hais la vie de toutes mes forces.

— Vous voulez dire assez pour envisager de la détruire?

— Je ne travaille qu'à ça. »

Elle se fait la réflexion qu'elle devrait sortir immédiatement de ce jacuzzi. Au lieu de cela, elle croit entrevoir la charge de douleur qui doit animer Loki et se sent infiniment malheureuse.

« Je crois savoir qui est celui que vous appelez le type qui a emmené votre amie à Detroit, dit-elle.

— Comment pourriez-vous le savoir?

— C'était mon mari. »

Loki demeure sans réagir. Sans l'avoir envisagé, peut-être pour le secouer, comme elle l'avait fait pour Thorbjorson, elle entreprend à son tour de raconter son histoire par le détail. Lorsqu'elle a terminé, il reste silencieux un long moment puis, très doucement, tendrement, il pose la main sur son sein. Elle ne bouge pas, ne tente pas de se dégager ou de le repousser; ce geste n'a rien d'obscène, il s'agit d'un contact que sûrement elle a attendu.

« Je savais que vous étiez spéciale, dit-il en retirant sa main.

— Je voudrais l'être assez pour pouvoir ôter de vous cette haine de la vie. »

À son tour, un peu tremblante, elle lui pose la main sur la poitrine.

« Je crains qu'il ne soit trop tard pour y parvenir, dit-il.

— C'est cette haine qui vous pousse à faire l'amour à votre fille? »

Elle s'étonne qu'il ne réagisse pas, qu'il ne tente pas de nier. Elle garde le souvenir de la caresse qu'il vient de lui donner et n'est pas certaine si elle ne lui a pas posé la dernière question dans l'espoir inconscient de forcer quelque chose.

«Freyja n'est pas ma fille. Ce sera le seul point sur lequel vous me trouverez sans doute un peu moins mauvais. »

Trop d'événements ont-ils eu cours tout autour de la planète, Miriam n'est pas vraiment surprise.

«Pas votre fille... Qui est-elle alors?

— Ça aussi, c'est une histoire un peu compliquée, sans doute dure à entendre et un peu longue.

— Au point où nous en sommes, ce n'est pas le temps qui manque. L'apocalypse court, mais il semble que nous ayons ce luxe. »

À son tour, sans rien omettre, Loki raconte comment il a été remarqué par Madame Cheng, comment il a réussi «l'épreuve» et quel contrat tacite il a passé avec elle. Comme il avance dans son récit, Miriam a l'impression que la nuit devient plus dense. Lorsqu'il a terminé, bien que l'eau soit maintenue à une température constante, elle se sent glacée jusqu'à la moelle. Deux faits dépassent son entendement: Freyja est le clone d'un monstre et Loki a profité d'une fillette puis l'a éventrée dans la piscine d'un *resort* pour Chinois débauchés. Ce dernier point devrait de toute évidence la faire fuir et s'enfermer dans sa cabine. Pourtant, elle reste là, réalisant douloureusement que son désir n'a peut-être pas d'autre objet que de rencontrer sa part d'ombre.

— Pour... pourquoi m'avez-vous raconté ça? bredouille-t-elle.

— Parce que je ne veux rien vous cacher.

— C'est affreux, épouvantable! Comment avez-vous pu?

— Je vous l'ai dit, je hais tout ce qui vit. Ce n'est pas une figure de style, j'agis.

— Mais enfin, ça n'a aucune mesure commune avec ce qui est arrivé à cette fille à Windsor.

— Non, là je vous arrête; rien n'est pire que ce qui est arrivé à Windsor. Là-bas, ce n'était le fait de personne en particulier; Eisa a été engrossée pour rien, puis abandonnée jusqu'à en crever, pour le simple plaisir des dieux. Elle ne voulait qu'un peu d'amour; ils lui ont tout fait. La vie est leur œuvre, je hais la vie et ne fais que leur rendre la monnaie de leur pièce. Si je peux leur renvoyer à la gueule toute leur foutue création, je ferai ce qu'il faut pour.

— Pourquoi ne pas vous en prendre directement à eux, pourquoi à leurs pauvres créatures qui souffrent? À vous entendre, c'est presque comme si vous faisiez le mal le plus absolu parce que vous seriez bon.

— C'est le seul moyen de les faire souffrir.

— Il ne vous est pas venu à l'idée que les dieux dont vous parlez n'existent pas?

— Non seulement ça m'est venu à l'idée, mais j'en suis convaincu. Rien n'existe dans l'absolu, tout n'est que par ce que l'on peut l'imaginer. La vie, l'univers, la matière sont tout autant le créateur que la création.

— Réelle ou non, la souffrance fait mal et vous, vous trouvez votre plaisir à l'infliger.

— Exactement, vous venez de synthétiser toute la grande histoire. Il y a deux états: la souffrance et le plaisir. La première vient de l'absence du second.

— C'est là où vous êtes égaré, Loki: le contraire de la souffrance n'est pas le plaisir, loin de là, mais le bonheur; et celui-ci se gagne justement dans le combat contre la souffrance, surtout contre celle des autres.

— Mais quoi si le plaisir est plus fort que le bonheur? Quoi si le désir du plaisir est plus fort que la quête du bonheur?

— Alors, c'est la victoire de la souffrance, dit-elle.

— Pas d'accord. Pour ma part, je persiste à croire que si Eisa avait davantage attendu du plaisir que du bonheur, elle n'aurait pas autant souffert.

— Malgré toutes les apparences, je suis certaine qu'elle n'a jamais autant souffert que vous.

— Ce sont vos mots. Pourtant, entre le bonheur et le

plaisir, vous choisirez le second. Vous verrez, pour ce plaisir que vous rejetez en paroles, vous deviendrez ma complice.

— Plutôt disparaître!

— Des mots, des mots. Avez-vous regardé la toile dans votre chambre? Il y a une fille aux ailes noires et une autre aux seins blancs. Mais on ne les voit pas, ses seins, on sait qu'ils sont blancs parce qu'elle les cache, ils sont blancs avec un petit bourgeon rose, rose comme la nacre de ces gros coquillages sous les tropiques. Les seins d'une vierge, ou plutôt des seins vierges. La fille aux ailes noires, elle, ne cache pas les siens, car ils ont déjà été dorés par tous les soleils, plus rien à cacher. Les vôtres sont blancs, Miriam, immaculés, ils ont encore tout à donner. Je les regarde et j'ai mal. C'est pour cela que, sur la toile, celle qui les cache ne le fait pas pour les dissimuler, mais tout au contraire pour les offrir, ou plus exactement pour que celui qu'elle attend les lui prenne.

— Pourquoi voudrait-elle...»

Miriam ne l'a pas vu venir. Soudain, il tient son tétin gauche entre ses lèvres; soudain, il a sa main posée sur son flanc. Elle pousse un petit cri surpris, comme de désarroi; déjà le froid se retire de ses os. Il ne faut pas! Il ne faut pas! Pourquoi ne le repousse-t-elle pas? Oh, à quoi bon lutter? Il est la tentation incarnée, que peut-elle y faire, elle qui était déjà prête à n'importe quoi pour la bite du recenseur? Et puis, quelle importance de brûler! Brûler une bonne fois et que cesse cette attente infinie! Il a raison, à quoi bon la joie quand on peut jouir? Jouir de lui, là et, comme lui, dire aux dieux d'aller se faire foutre. Il est plus fort qu'eux, plus fort qu'elle; qu'il la prenne!

«Arrêtez, dit-elle dans un souffle.

— Vraiment? demande-t-il en se redressant.

— Oui.

— Permettez-moi alors juste un baiser?

— Un baiser?

— Oui, pour la paix.

— À une condition, alors...

— Tout ce que vous voulez?

— À condition que ce soit vous qui deveniez mon complice.

— La complicité, par définition, ça se partage équitablement. »

Il se penche vers elle. Elle ne fait rien pour s'esquiver. Elle sent ses lèvres sur les siennes, tente un instant de ne pas réagir, mais elle entrouvre la bouche. Elle ne sait plus très bien ce qui se passe. Sentant la main de Loki se poser à plat au bas de son dos, elle ne peut contrôler le mouvement de ses reins et elle lui passe les bras autour du cou. Ça y est, ils s'embrassent. Elle embrasse un monstre et se rend à l'évidence qu'elle l'attend depuis le jour où elle l'a aperçu dans sa maison natale. Elle l'attendait et ne pouvait rien faire contre ça. Tant pis, l'univers peut passer; elle aura au moins ça. Et puis peut-être le faut-il vraiment, après tout, peut-être faut-il qu'elle s'offre et abandonne ce qu'elle croit être pour le racheter? Quelle importance, à présent, que le Snæfells saute ou non puisque ses cuisses veulent s'ouvrir. Elle a les yeux pleins de larmes lorsqu'il se penche vers son oreille et lui murmure:

« Dites encore que vous préférez le bonheur, dites encore que vous ne voulez pas.

— Arrêtez... »

Il est évident que cette fois elle lui demande simplement d'arrêter de poser des questions, mais il la prend au mot et recule.

« Excusez-moi, dit-il en enjambant déjà la paroi du jacuzzi.

— Vous m'avez mal interprétée, dit-elle alors qu'il passe son peignoir.

— Je sais, Miriam, mais je ne veux pas que plus tard vous me reprochiez de ne pas vous avoir tout montré de moi. Vous ne savez encore rien.

— Je sais tout, à présent.

— C'est ce que vous croyez. Réfléchissez-y. Si vous voulez vraiment en savoir plus, je serai dans ma chambre. »

Elle a mal partout en le voyant partir. Non seulement elle a failli, mais elle n'a rien eu. Elle n'est pas celle qu'elle a cru être et voilà qu'elle se sait prête à aller plus loin. Ayant remis sa robe, elle tourne en rond sur le pont, écartelée entre une dernière possibilité de se retrouver et l'urgence de le rejoindre. Tout à coup, elle s'arrête sur place, frappée par l'idée que, selon tout ce qu'elle a appris, elle se trouve là, dans cette situation, parce que Joe a emmené une fille dans un hôtel de Detroit. Mais Joe n'est absolument pas responsable; la vraie responsable, c'est celle qui, ne faisant pas confiance à son propre rêve, s'est donné pour prétexte que Joe était beau et sympathique et qui l'a entraîné dans une union qui n'était ni pour elle ni pour lui. Elle est à l'origine de tout ceci parce qu'elle n'a pas su attendre Adam, parce qu'elle a douté de son image qu'elle portait en elle bien avant de rencontrer Joe. Et voici qu'elle brûle de recevoir la bête qu'elle a contribué à mettre au monde. Quelque part, la bête la sait coupable. La bête : Loki, qui est tout ce qu'Adam n'était pas. Comment peut-elle vouloir la bête alors qu'elle aime Adam qui est son contraire? À moins! À moins qu'elle ne se soit leurrée depuis le départ et que toutes ses actions depuis l'origine n'aient eu pour but que de créer la bête afin de se vautrer dans son lit… Elle tremble de tous ses membres, n'est plus certaine de rien; son abandon, tout à l'heure, ne prouve-t-il pas que là se trouve l'ultime vérité? Oh, et puis, si cela doit être, qu'y peut-elle? Comment pourrait-elle échapper à ce qu'elle est? Si ses gènes étaient différents, elle pourrait sans doute agir différemment, mais alors elle ne serait pas Miriam Laliberté; comme chacun, elle est captive de ce qu'elle est et ne peut s'en échapper. Ce qu'elle fera la définira sans qu'elle puisse faire autrement que ce qu'elle est.

La réponse à toutes ses questions est sans doute dans la chambre où, atterrée, elle se rend compte qu'elle se dirige.

XL

Elle s'y attendait: ils sont là tous les deux, assis sur le bord du grand lit. Lui porte toujours son peignoir, Freyja une chemisette ajourée bouton-d'or. Ils semblent presque l'attendre.

«J'en conclus que vous voulez apprendre le reste, dit-il.

— Loki, les dieux ou quoi que ce soit ne sont pas responsables de ce qui est arrivé à votre amie. C'est moi qui le suis.

— Comment le pourriez-vous?

— C'est simple, j'ai douté de mon rêve; je suis donc à l'origine de tout ce qui a suivi. Si j'avais cru à mon rêve, Joe n'aurait jamais emmené votre amie à Detroit, ou tout au moins il ne l'aurait jamais abandonnée ensuite.

— À moins que tout ceci n'ait été qu'un long processus destiné inéluctablement à nous conduire l'un à l'autre.»

Elle n'aime pas l'entendre dire, mais ne le nie pas.

«Il y a un moyen de s'en assurer, ajoute-t-il.

— Je ne peux pas l'imaginer.

— C'est pourtant simple, il suffit de nous mettre à l'épreuve.

— Je crains ce que vous allez dire.

— Vous le pouvez. Voilà ce que je propose: vous me regardez faire à Freyja ce que je veux vous faire, puis vous me regardez la tuer. N'oubliez pas ce qu'elle est. Ensuite, réellement, nous pourrons dire que nous sommes l'un à l'autre, sachant tout l'un de l'autre, assez forts pour jouir l'un de l'autre jusqu'à la fin des temps.»

Miriam chancelle sur elle-même. Est-elle dans un cauchemar? Elle sait trop bien que ce n'est pas le cas, elle ne se pose la question que pour tâcher de reprendre pied dans une autre réalité. Mais y a-t-il seulement moyen de sortir de celle-ci?

«J'aimerais mieux vous tuer, dit-elle.

— Je veux bien prendre le risque, l'idée me plaît.»

Il se lève, se dirige vers une commode basse, ouvre un tiroir, en tire un automatique argent et vient le lui tendre.

«Que faites-vous? demande-t-elle.

— Vous venez de dire que vous préféreriez me tuer; je vous en donne la possibilité. Vous êtes venue, à présent il n'y a plus que deux issues possibles.»

Il poursuit le plus naturellement du monde en lui expliquant le mécanisme de l'arme. Sans y croire, elle la prend. L'arme est lourde, massive, angoissante en elle-même.

«Si vous ne pouvez supporter le meurtre, si vous êtes convaincue que nous ne sommes pas destinés l'un à l'autre, tirez. Tirez et vous serez libérée, ou à jamais enfermée dans l'enfer de votre désir, car votre désir, c'est vous, Miriam. Uniquement vous.

— Pourquoi faudrait-il que l'épreuve soit à sens unique? demande-t-elle en comprenant qu'elle s'est placée dans un piège dont aucune échappatoire n'est bénigne.

— Vous avez raison! Que proposez-vous? Attention, il faut que ce soit quelque chose qui remette en question tout ce que vous pensez de vous-même.

— Il faudrait que j'y pense.»

Il secoue la tête.

«Vous n'avez plus le temps, Miriam, vous saviez ce que vous vouliez en venant ici. Il n'y a que deux issues possibles: vous devenez ma complice ou vous me tuez.»

Miriam baisse les yeux vers l'arme qu'elle porte à bout de bras. Comment en est-elle arrivée là?

«En voici deux autres, propose-t-elle. Vous laissez Freyja tranquille ou vous me regardez me tuer.

— Je vous jure que, si vous faites ça, je la tue, mais de la façon la plus douloureuse et la plus lente qui puisse se concevoir. Je crois que cela nous ramène aux deux choix possibles.

— Que voulez-vous! s'écrie Miriam. Quelle horreur? Que je fasse l'amour avec elle, là, sous vos yeux, pour la sauver? »

Il rit du rire joyeux de l'enfant espiègle.

«La première partie de votre proposition est à considérer, même si je soupçonne que c'est votre désir, mais il faut que vous compreniez que c'est seulement par le sang que nous verserons ensemble que nous pourrons aller au bout de nous-mêmes. Un sang qui compte. Je n'ai pas plus envie de la tuer que vous, mais il le faut pour aller au bout de notre enfer. C'est le prix à payer. Nous ne pouvons plus reculer. Je ne pensais pas que nous en serions là dès ce soir, mais cela devait fatalement arriver puisque vous me voulez autant que je vous veux.

— Vous faites fausse route, dit-elle en secouant vigoureusement la tête et d'une voix entrecoupée de sanglots étranglés. Oui, je vous veux, je l'avoue, mais pas à ce prix. Jamais à ce prix!

— Ce qui signifierait que vous ne me voulez pas assez. Pour moi, cela doit être envers et contre tout. Rien de moins, Miriam.

— Il y a déjà suffisamment de sang entre nous, dit-elle, réalisant toute la portée de ses mots comme elle les prononce.

— De quoi parlez-vous?

— Windsor, Tel-Aviv, c'est votre fait, n'est-ce pas? Je sais qui vous êtes à présent. Tous ceux que j'ai connus, ma famille, des millions d'autres, tous partis de votre main. À présent, je le sais et je suis là, ça ne vous suffit pas? Vous disiez ne rien vouloir me cacher; pourquoi ne pas m'avoir avoué cela au lieu de me proposer ce meurtre?

— Il était dans mon intention de vous le dire.

— Mais vous ne l'avez pas fait. Est-ce que le prix de notre union, justement, ne serait pas de la laisser vivre et de rompre votre engagement pris avec la vieille femme? Encore une fois, Loki, vous avez tué toute ma famille, je le sais et je suis là, dites-moi que ce n'est pas assez? »

Pour toute réponse, il se tourne vers Freyja, lui sourit, fait glisser sa chemisette par-dessus sa tête, la prend dans ses bras et la dépose sur le lit. Il lui pose une main sur le ventre, la masse doucement, descend entre ses cuisses. Déchirée, Miriam veut disparaître. Tout cela est immonde et pourtant, oui, elle est fascinée. Il est le chasseur et, à travers le corps de Freyja, elle est sa proie et ne peut fuir, hypnotisée par l'imminence de sa propre fin, une fin abjecte, une chute sans nom dans l'épaisseur des ténèbres.

Freyja regarde Loki, mais aujourd'hui elle ne sourit pas. Peut-être devine-t-elle ce dont il est question et qu'elle a peur, même si son visage ne trahit aucune émotion. Il se penche sur elle et, plantant son regard dans celui de Miriam, fait courir sa langue autour de l'extrémité cinabre de ses seins.

Loki se rend bien compte qu'il n'y a aucune complicité dans le regard de Miriam, uniquement du désespoir. Exactement ce qu'il voulait voir dans le regard de tous les autres, mais pas dans celui-là. Pourtant, elle sait tout à présent; elle sait et néanmoins elle le veut, elle le lui a dit. Il a tué les siens et elle est toujours là. Pourquoi recule-t-elle devant ce dernier sacrifice? Si elle ne peut être sa complice directe au moins une fois, que peut-il espérer? S'est-il trompé? Le désir, le vrai, n'est-il pas le plus fort? À moins qu'elle ne soit en train d'éprouver une crainte dans le fond bien normale avant de faire le grand saut? Peut-être ne s'agit-il que de l'amener à outrepasser cette peur de conclure une alliance au-delà des hommes et de leurs lois? Après, plus rien ne pourra les arrêter.

Il se redresse, va vers elle et lui tend la main. Comme elle ne lui donne pas la sienne, il passe derrière elle et entreprend de lui ôter sa robe. Miriam ne fait rien pour l'en empêcher. Elle ignore comment ses jambes parviennent encore à la porter. Que fait-il à présent? Comment fait son cœur pour ne pas sortir de sa poitrine? Pourquoi ne fuit-elle pas? Non, il y a Freyja…

Elle sursaute lorsqu'il tombe à ses genoux et soudain enfouit la tête au bas de son ventre. Elle ouvre la bouche en sentant celle de Loki la découvrir et laisse tomber l'automatique sur le tapis.

Elle n'oppose aucune résistance lorsqu'il se redresse et, la prenant cette fois par la main, la conduit jusqu'au lit où il l'étend aux côtés de Freyja. Celle-ci lui prend la main et la serre fort comme Loki se redresse et laisse tomber son peignoir. Miriam répond à la pression des doigts de la jeune fille, réalisant à travers sa déroute qu'il y a entre elles une étrange complicité à laquelle elle ne s'attendait pas. Une complicité qu'elle ne s'explique pas.

Voilà! Ce n'est rien et c'est pourtant tout ce qu'elle attend. Loki se dresse au-dessus d'elle, il est tendu vers elle, vibrant. Est-ce bien elle qui s'arc-boute vers lui, elle qui a toujours attendu Adam et qui tend son ventre vers Loki? De nouveau la tête entre ses cuisses, Loki la reconnaît tandis qu'il referme les mains sur ses fesses. Oui, c'est l'eau de son désir de lui qu'elle entend gicler hors d'elle-même.

« Venez… » murmure-t-elle.

Il est au-dessus d'elle et lui sourit avec une affection qu'elle ne lui connaît pas. Cela se passe comme elle l'a envisagé : elle est en train de le racheter par son abdication. Le ventre frôle son ventre et le médaillon est entre eux. Encore un peu et… la mise en garde de Paco n'est après tout qu'un obstacle visant à la priver d'une connaissance interdite… Un obstacle qu'elle va franchir! Chaud, soyeux, le sexe qu'elle attend frôle sa cuisse. Oui, c'est en son ventre qu'elle le veut! Loki baise ses seins, pince chacun de ses tétins entre ses lèvres comme pour y boire, puis, soudain, lui arrachant une exclamation surprise, entre en elle et ne bouge plus. Elle chavire, mais le sent néanmoins qui continue à se dilater en elle. Puis quelque chose de plus chaud encore. Sa semence? Oui! Elle la veut! Elle veut en jouir! Elle tend son bassin dans cette supplique, mais, avant qu'elle puisse refermer les jambes sur lui, il se retire subitement.

« Quand vous direz oui, lui dit-il doucement, je reviendrai en vous, comme vous le voulez. Quand vous direz oui, mes doigts se refermeront sur sa gorge. »

Miriam regarde vers sa gauche pour constater que Loki vient de poser sa main droite haut sur la poitrine de Freyja. Elle croise le regard de la jeune fille et pense à Hella. L'instant du choix est venu.

« S'il faut vraiment le faire, dit-elle, faites-lui au moins l'amour en même temps. Ce sera mieux ainsi.

— C'est généreux. Vous le voulez? Vraiment?

— Je vous attends. »

Déchirure alors qu'il passe au-dessus de Freyja, celle d'un vide absolu en voyant ce qu'elle veut pour elle entrer au ventre de l'autre.

Loki plante ses yeux dans les siens; il soutient son regard alors qu'elle se redresse, fait quelques pas, ramasse l'automatique et, le tenant des deux mains à bout de bras, le pointe vers lui.

« Laissez-la vivre, dit-elle.

— Vous savez bien que c'est impossible.

— Tout est possible.

— Je vous l'ai déjà dit, Miriam, on n'échappe pas à son désir. Regardez, elle va jouir, comme nous après, ensemble, pour toujours. Vous n'aurez rien si vous tirez.

— Je garderai ma conscience, ou tout au moins ce qui en reste.

— Elle n'est même pas humaine comme nous.

— Peut-être l'est-elle plus.

— Vous croyez vraiment que vous pourriez tirer?

— Sans l'ombre d'un doute, si vous tentez de faire ce que vous avez dit.

— On verra... Vous savez, elle a bu l'eau de votre thermos, elle me l'a dit... L'eau du Lagon Bleu... »

Les yeux noirs, grands ouverts, le souffle court, Freyja va au-devant de Loki, son ventre claque au sien. Elle est si belle! Prend-elle les mains autour de son cou pour une marque d'affection? Elle a un petit râle au timbre enfantin et Miriam a l'impression qu'il fait écho au sien. Un voile, une absence passe sur les prunelles de Loki qui continue de la fixer. Miriam imagine une explosion blanche qu'elle a attendue pour elle. Elle voit les doigts se refermer autour du cou de la jeune fille.

Loki lui sourit sans arrière-pensée, se remettant entre ses mains, sans aucune retenue. Ô lâcher cette arme trop lourde et aller se blottir contre lui! Le recevoir et oublier, se laisser emporter avec lui par le lourd flot vermeil... Ou prendre Freyja dans ses bras, la serrer contre elle, la protéger...

C'est par la couleur des yeux de Miriam que soudain Loki comprend tout. Ou plutôt, mais ça il ne peut le comprendre, la couleur de ce regard étouffe en lui le souffle des jumeaux. Non, il n'a pas besoin de tuer Petite Sœur, non il n'a pas besoin de faire souffrir, il s'est trompé sur tout; ce qu'il veut, tout ce qu'il a toujours attendu est là, dans ce regard. Elle n'a rien à prouver, rien à donner, elle est là et ça suffit! Que s'est-il passé?

La détonation est assourdissante, ou du moins le semble.

Loki regarde toujours Miriam en s'affalant sur le côté, ni effrayé ni étonné. Puis il tombe du lit. Freyja devrait se mettre à hurler, mais elle ne fait que se redresser calmement.

«Je commençais à me demander si tu allais le faire, dit-elle.

— Oh, qu'est-ce que j'ai fait! Qu'est-ce que j'ai fait... Qu'est-ce que... Tu parles anglais!

— J'ai eu tout le temps d'apprendre, tu sais.

— Je suis désolée, Freyja. Désolée...

— Ça devait être comme ça... En tout cas, je te remercie.»

La jeune fille se penche au-dessus de Loki alors qu'il expulse son dernier souffle. Elle le reçoit comme à dessein. Les traits de celui qui a régné sur un empire se sont déjà modifiés; il a l'air gentil. Comme si sa dépouille n'était pas la sienne.

Miriam s'écroule dans un fauteuil, incapable de faire un autre geste. Son regard reste accroché au corps de celui qui a occupé tout son univers depuis des mois. Elle fixe sa chair inerte et ne comprend plus rien, comme si ce n'était pas lui qui l'avait obsédée.

Alerté par le coup de feu, le maître d'hôtel se présente timidement. Il ne paraît pas impressionné outre mesure par le cadavre de son patron. Freyja lui parle longuement et Miriam a presque l'impression que l'homme se place sous ses ordres.

«Que lui as-tu dit? demande-t-elle.

— Les choses comme elles se sont passées. Maintenant, c'est mieux d'aller ailleurs; ils vont venir faire le ménage.

— Le ménage… Et puis après?

— Après? Où aimerais-tu qu'on aille?

— Ça, je ne pense pas que désormais on m'en laissera la décision.

— Ils feront exactement ce que je leur dirai de faire. Mais c'est toi qui dois me dire ce que tu veux qu'on fasse.

— On?

— Tu ne veux pas rester avec moi?

— Oui, bien sûr, Freyja, mais… Oui, nous resterons ensemble!

— Tu t'occuperas du bébé avec moi?

— Du bébé? Quel bébé?

— Celui qu'il m'a fait.

— Tu ne peux pas être certaine.

— Je ne t'en parlerais pas, autrement. Toi aussi tu en auras un…

— Moi! Pourquoi dis-tu ça?

— Je t'ai vue tout à l'heure. Je crois que tu as eu tout ce que tu attendais de lui; tu n'aurais peut-être pas tiré, autrement… »

Que sait Freyja qu'elle-même ignore à son propre sujet?

Se sentant privée de tout contrôle, Miriam la suit dans sa cabine. Elle commence seulement à prendre conscience qu'elle n'a pas encore assimilé le fait qu'elle vient de tuer un homme. La réalité est un songe morcelé sans signification; plus rien n'a d'importance. Elle réagit à peine lorsque Freyja lui montre le dessin qu'elle a fait d'eux trois et sur lequel Loki a été effacé.

« Tu vois, lui dit la jeune fille, je savais déjà que ce serait juste nous deux. Tu veux bien coucher avec moi, cette nuit?

— Bien sûr, tu n'es pas toute seule, Freyja, je suis avec toi.

— Pour toujours?

— Autant de temps que tu voudras; je n'ai plus que toi. »

XLI

Le temps passe-t-il ou s'est-il arrêté? Étendue sur le dos, bien qu'épuisée dans tous les sens du terme, Miriam se dit qu'elle ne pourra plus jamais s'endormir. Elle revit en boucle les derniers moments de Loki. Elle ne peut se souvenir exactement à quel moment elle a décidé de tirer plutôt que de dire oui. Où a-t-elle trouvé le courage de renoncer à lui? Freyja se dresse au-dessus de son épaule et lui demande si elle dort.

«Non, c'est difficile... C'est vrai que tu as bu l'eau du thermos?

— Oui. Tu es fâchée?

— Non... Non, mais pourquoi?

— Je ne sais pas, j'étais jalouse, je crois... Tu es tendue, laisse-moi te donner ce que tu attends.

— Jalouse?»

Avant qu'elle comprenne ce qui se passe, les lèvres de Freyja sont sur les siennes et la jeune fille l'embrasse. Un baiser très doux. Miriam se sent aspirée vers de noires profondeurs.

«Freyja, que fais-tu?

— Chut... C'est maintenant.

— Mais...»

Mais, sourire ivoire, Freyja est sur elle, nue. Elle la sent par tout son corps, étonnée. Elle tombe toujours. Cette chanson fredonnée des années plus tôt lui revient en mémoire: ... *One girl fears in the night is another girl's paradise*[*]...

---

[*]Tori Amos, *Another Girl's Paradise, Scarlet's Walk.*

Freyja remonte entre ses jambes, caresse sa poitrine, glisse sa vulve entre la sienne, l'inonde. Désir fou de monter sur le vent sauvage. Miriam répond au baiser et sait ce qu'elle fait lorsqu'elle referme ses mains sur les fesses de Freyja pour la garder tout contre elle.

Elle ne se pose plus de questions.

Freyja passe au-dessus d'elle et Miriam contemple son sein qui se découpe dans l'obscurité, jeune sein bientôt mamelle pour un lait noir. Elle dresse la nuque jusqu'à l'atteindre de ses lèvres, le prend dans sa bouche, en goûte le sel. Ce vagin qui coule chaud contre le sien est un nouvel appel, l'annonce d'une aube nouvelle. Elle glisse pour placer sa bouche à sa verticale, hésite encore un bref instant et y plonge. Odeur de soufre et d'abricot, la semence de Loki. Elle la veut toujours, dans sa bouche, dans ses entrailles, dans sa matrice. Partout en elle, une vraie semence chaude et vivante qui fait renaître. Boire la lie jusqu'au bout, s'affranchir par la souillure, boire à la bouche du mystère, et donner la joie à Freyja.

Pantelante, celle-ci redescend vers elle, l'embrasse, mordille ses seins et son ventre, fait naître des images rouge et or qui préfigurent la nuit.

« Je t'aime bien depuis que je t'ai vue, Miriam, lui dit-elle, peut-être même avant...

— Moi aussi, mais je viens seulement de le comprendre.

— Ou de me reconnaître?

— Te reconnaître?

— Oui... »

La jeune fille à l'œil d'ange glisse ses lèvres sur son ventre. Enfant vieillarde issue de mille générations d'un nouveau monde pourtant très ancien, un monde qu'elles vont conquérir ensemble, Freyja est en train de lui donner la part tangible de ce qu'elle a cru devoir attendre d'un rêve. Mais elle a douté de celui-ci. Qu'elle en ait douté parce qu'il n'était pas le sien, ou parce qu'elle n'a pas eu le courage de le chevaucher, cela revient au même.

Elle pose les mains sur la nuque de Freyja pour lui dire de rester, lui signifier qu'elle est là. Tout à l'heure, elles dormiront dans les bras l'une de l'autre, enlacées, sans aucune contrainte.

C'est si beau, la vie!

Lorsqu'elles arriveront là-bas, dans cette Chine où les nuits d'encre doivent exhaler le calme et la douleur, les siens qui font partie de son image désormais perdue ne lui reviendront pas. Elle les aimera toujours, ils l'aimeront sans doute autant, mais le prix à payer est sans appel. Là, peut-elle échapper à cette langue qui coule de l'or dans son crâne? Jamais! Pas plus que, non loin de là, comme l'a annoncé la légende, le Snæfells ne peut résister plus longtemps à la friction de deux continents.

Visage tourné vers la porte vitrée entrouverte par où s'engouffre la nuit immense, Miriam crie.

DISTRIBUTEURS EXCLUSIFS

Distributeur pour le Canada et les États-Unis
LES MESSAGERIES ADP
MONTRÉAL (Canada)
Téléphone : (450) 640-1234 ou 1 800 771-3022
Télécopieur : (450) 640-1251 ou 1 800 603-0433
www.messageries-adp.com

Distributeur pour la France et autres pays européens
HISTOIRE ET DOCUMENTS
CHENNEVIÈRES (France)
Téléphone : 01 45 76 77 41
Télécopieur : 01 45 93 34 70
www.histoire-et-documents.fr

Distributeur pour la Suisse
TRANSAT S.A.
GENÈVE
Téléphone : 022/342 77 40
Télécopieur : 022/343 46 46

Dépôts légaux
3e trimestre 2007
Bibliothèque nationale du Canada
Bibliothèque nationale du Québec
Imprimé au Canada